숨마 주니어®

쓰면서 마스터하는 중학 영문법

중/학/영/어

문법
연습 ②

KB033670

이룸이앤비
Education & Books

〈중학 영어 문법 연습 ❷〉 활용 공부법

학습 준비 단계

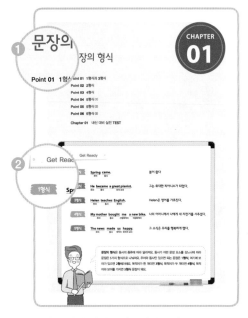

❶ 학습하기 편하게 나누어진 문법 Point
❷ 학습을 위한 기본 지식

1 단계 문법 개념 학습

정리된 문법 설명을 이해한 후 예문을 읽어봅니다. 〈➕〉와 〈Q&A〉의 추가 개념들로 더 완벽한 문법 지식을 쌓을 수 있습니다.

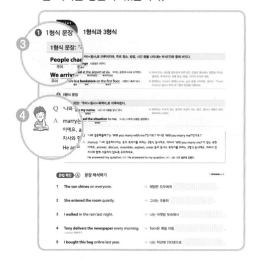

❸ 명쾌한 문법 설명
❹ 추가 개념 학습

2 단계 문법 확인 학습

짧은 문장들을 해석해보며 학습한 문법 지식을 확인합니다.

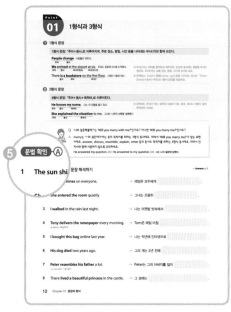

❺ 문장 해석을 통한 문법 연습

3 단계 문법 기본 연습

선택형·단답형 유형으로 이루어진 쉬운 문제들을 연습하며 기본기를 쌓습니다.

[연습유형]

알맞은 말/형태 고르기
알맞은 말/형태 쓰기
⋮

❻ ~ ❼ 기본 문제 연습

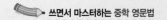

4 단계   문법 쓰기 연습

3단계보다 한 단계 높아진 유형들의 문제들을 연습하며 문장의 구조를 익히고, 문법 지식을 확실하게 내 것으로 만듭니다.

[연습유형]

\# 문장 전환하기

\# 어순 배열하기

\# 틀린 어법 고치기

\# 문장 완성하기

⋮

⑧ - ⑩ 심화 문제 연습

5 단계   서술형 · 내신 실전 연습

〈서술형 예제〉와 〈실전 연습〉 문제를 풀어보며 서술형 문제가 어떻게 출제되는지를 파악하고 해결 방법도 확인합니다. 〈내신 대비 실전 TEST〉에서는 Chapter에서 학습한 내용을 종합적으로 테스트하면서 실전 감각을 익힙니다. 틀린 문제는 해설을 확인하고 연계 Point를 다시 복습하여 완벽하게 실전대비를 합니다.

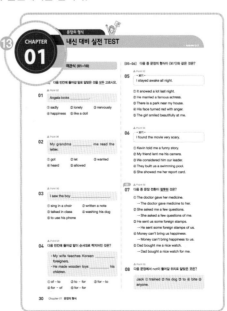

⑪ 〈서술형 예제〉와 풀이
⑫ 서술형 대비 〈실전 연습〉

⑬ 〈객관식〉 - 〈서술형 기본〉 - 〈서술형 심화〉
　문제로 구성된 Chapter 마무리 실전 TEST

차례

〈중학 영어 문법 연습 ❷〉

• 권별 문법 분류표
• 40일 완성 **Study Plan**

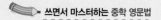

차례

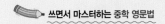

권별 문법 분류표

〈중학 영어 문법 연습 ❶, ❷, ❸〉에 실린 문법 항목

쓰면서 마스터하는 중학 영문법

	문법 항목	문법 연습 ❶	문법 연습 ❷	문법 연습 ❸
시제	단순시제	●	●	
	진행형(현재 / 과거)	●	●	
	현재완료		●	
	과거완료			●
	완료진행형			●
동사 / 조동사	be동사 / 일반동사	●		
	can / may	●	●	
	must / have to / should	●	●	
	used to / would		●	●
	had better		●	●
	would rather / would like to			●
	「조동사 + have + p.p.」			●
문장의 형식	문장의 5형식	●	●	
	to부정사가 목적보어인 5형식 문장		●	●
	사역동사 · 지각동사(5형식)		●	●
to부정사	to부정사의 명사적 · 형용사적 · 부사적 용법	●	●	●
	「의문사 + to부정사」		●	
	It ~ to		●	●
	의미상 주어		●	●
	enough to / too ~ to		●	●
	seem to			●
동명사	동명사의 쓰임	●	●	
	동명사와 to부정사를 목적어로 쓰는 동사	●	●	
	동명사의 관용 표현		●	
	의미상 주어		●	
분사	현재분사 / 과거분사		●	●
	분사구문의 쓰임		●	●
	완료 · 독립 · 유사 분사구문			●
명사 / 대명사	셀 수 있는 명사 / 셀 수 없는 명사	●		
	인칭대명사	●		
	비인칭 주어 it	●		
	재귀대명사	●	●	
	부정대명사	●	●	
형용사 / 부사	형용사의 쓰임	●		
	부사의 쓰임	●		
	빈도부사	●		
	원급 · 비교급 · 최상급 비교	●	●	●
	비교급 · 최상급 표현		●	●
전치사 / 접속사	전치사	●		
	등위접속사	●		
	시간 · 이유 · 조건의 접속사	●	●	●
	접속사 that	●	●	●
	상관접속사		●	●
	양보 · 결과의 접속사		●	●
관계사	주격 · 목적격 · 소유격 관계대명사		●	●
	관계대명사 what		●	●
	관계부사		●	●
	복합관계사			●
가정법	가정법 과거		●	●
	가정법 과거완료			●
	혼합 가정법			●
의문문 명령문 감탄문	의문사 의문문	●		
	부가의문문	●		
	간접의문문		●	●
	감탄문	●		
	명령문	●	●	
태 / 일치 / 화법	수동태		●	●
	수 · 시제 일치			●
	화법 전환			●
특수구문	강조			●
	전체 부정 / 부분 부정			●
	도치			●

	학습일	학습 내용	학습 날짜		문법 이해도
CHAPTER 01	Day 01	Point 01~02	월	일	☺ ☺ ☹
	Day 02	Point 03~04	월	일	☺ ☺ ☹
	Day 03	Point 05~06	월	일	☺ ☺ ☹
	Day 04	Chapter 01 내신 대비 실전 TEST	월	일	☺ ☺ ☹
CHAPTER 02	Day 05	Point 07~08	월	일	☺ ☺ ☹
	Day 06	Point 09~10	월	일	☺ ☺ ☹
	Day 07	Chapter 02 내신 대비 실전 TEST	월	일	☺ ☺ ☹
CHAPTER 03	Day 08	Point 11~12	월	일	☺ ☺ ☹
	Day 09	Point 13~14	월	일	☺ ☺ ☹
	Day 10	Chapter 03 내신 대비 실전 TEST	월	일	☺ ☺ ☹
CHAPTER 04	Day 11	Point 15~16	월	일	☺ ☺ ☹
	Day 12	Point 17~18	월	일	☺ ☺ ☹
	Day 13	Point 19~20	월	일	☺ ☺ ☹
	Day 14	Chapter 04 내신 대비 실전 TEST	월	일	☺ ☺ ☹
CHAPTER 05	Day 15	Point 21~22	월	일	☺ ☺ ☹
	Day 16	Point 23~24	월	일	☺ ☺ ☹
	Day 17	Chapter 05 내신 대비 실전 TEST	월	일	☺ ☺ ☹
CHAPTER 06	Day 18	Point 25~26	월	일	☺ ☺ ☹
	Day 19	Point 27~28	월	일	☺ ☺ ☹
	Day 20	Chapter 06 내신 대비 실전 TEST	월	일	☺ ☺ ☹

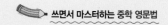 쓰면서 마스터하는 중학 영문법

STUDY PLAN에 따라 정해진 양을 매일 꾸준히 풀면,
40일 만에 중학 핵심 문법 포인트 56개를 내 것으로 만들 수 있다!

학습일	학습 내용	학습 날짜		문법 이해도
Day 21	Point 29~30	월	일	☺ 😐 ☹
Day 22	Point 31~32	월	일	☺ 😐 ☹
Day 23	Point 33~34	월	일	☺ 😐 ☹
Day 24	Chapter 07 내신 대비 실전 TEST	월	일	☺ 😐 ☹
Day 25	Point 35~36	월	일	☺ 😐 ☹
Day 26	Point 37~38	월	일	☺ 😐 ☹
Day 27	Chapter 08 내신 대비 실전 TEST	월	일	☺ 😐 ☹
Day 28	Point 39~40	월	일	☺ 😐 ☹
Day 29	Point 41~42	월	일	☺ 😐 ☹
Day 30	Chapter 09 내신 대비 실전 TEST	월	일	☺ 😐 ☹
Day 31	Point 43~44	월	일	☺ 😐 ☹
Day 32	Point 45~46	월	일	☺ 😐 ☹
Day 33	Point 47~48	월	일	☺ 😐 ☹
Day 34	Chapter 10 내신 대비 실전 TEST	월	일	☺ 😐 ☹
Day 35	Point 49~50	월	일	☺ 😐 ☹
Day 36	Point 51~52	월	일	☺ 😐 ☹
Day 37	Chapter 11 내신 대비 실전 TEST	월	일	☺ 😐 ☹
Day 38	Point 53~54	월	일	☺ 😐 ☹
Day 39	Point 55~56	월	일	☺ 😐 ☹
Day 40	Chapter 12 내신 대비 실전 TEST	월	일	☺ 😐 ☹

CHAPTER 07
CHAPTER 08
CHAPTER 09
CHAPTER 10
CHAPTER 11
CHAPTER 12

숨마 주니어® 중학 영어 문법 연습 ❷

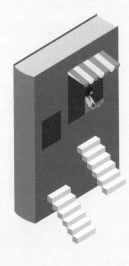

문장의 형식

Get Ready

| 1형식 | **Spring came.** | 봄이 왔다 |
| | 주어 동사 | |

| 2형식 | **He became a great pianist.** | 그는 위대한 피아니스가 되었다. |
| | 주어 동사 주격 보어 | |

| 3형식 | **Helen teaches English.** | Helen은 영어를 가르친다. |
| | 주어 동사 목적어 | |

| 4형식 | **My mother bought me a new bike.** | 나의 어머니께서 나에게 새 자전거를 사주셨다. |
| | 주어 동사 간접목적어 직접목적어 | |

| 5형식 | **The news made us happy.** | 그 소식은 우리를 행복하게 했다. |
| | 주어 동사 목적어 목적격 보어 | |

문장의 형식은 동사의 종류에 따라 달라져요. 동사가 어떤 문장 요소를 갖느냐에 따라 문장은 5가지 형식으로 나눠져요. 주어와 동사만 있으면 되는 문장은 **1형식**, 여기에 보어가 있으면 **2형식**이에요. 목적어가 한 개이면 **3형식**, 목적어가 두 개이면 **4형식**, 목적어와 보어를 가지면 **5형식** 문장이 돼요.

Point 01 1형식과 3형식

❶ 1형식 문장

> **1형식 문장:** 「주어+동사」로 이루어지며, 주로 장소, 방법, 시간 등을 나타내는 부사(구)와 함께 쓰인다.

People change 사람들은 변한다.
<u>주어</u> <u>동사</u>

We arrived at the airport at six. 우리는 공항에 6시에 도착했다.
<u>주어</u> <u>동사</u> <u>부사구(장소)</u> <u>부사구(시간)</u>

There **is a bookstore** on the first floor. 서점이 1층에 있다.
<u>동사</u> <u>주어</u> <u>부사구</u>

» 부사(구)는 의미를 풍부하게 해주지만, 문장의 형식에는 영향을 주지는 않아요. 부사(구)는 보통 장소, 방법, 시간의 순서로 써요.

» 존재(be, live)나 왕래(come, go) 등을 나타내는 동사는 「There [Here]+동사+주어」의 1형식 문장을 만들어요.

❷ 3형식 문장

> **3형식 문장:** 「주어+동사+목적어」로 이루어진다.

He knows my name. 그는 내 이름을 알고 있다.
<u>주어</u> <u>동사</u> <u>목적어</u>

She explained the situation to me. 그녀는 나에게 상황을 설명했다.
<u>주어</u> <u>동사</u> <u>목적어</u>

» 목적어는 주어가 하는 동작의 대상이 되는 말로, 명사나 대명사 등이 목적어로 쓰여요.

Q '나와 결혼해줄래?'는 'Will you marry with me?'인가요? 아니면 'Will you marry me?'인가요?

A marry는 '~와 결혼하다'라는 뜻의 목적어를 취하는 3형식 동사예요. 따라서 'Will you marry me?'가 맞는 표현이에요. answer, discuss, resemble, explain, enter 등의 동사도 목적어를 취하는 3형식 동사예요. 따라서 전치사와 함께 사용하지 않도록 유의하세요.
He answered my question. (○) He answered to my question. (×) 그는 나의 질문에 답했다.

문법 확인 Ⓐ 문장 해석하기

▶ Answer p.2

1 **The sun shines** on everyone.
→ 태양은 모두에게 　　　　　　　　　　.

2 **She entered the room** quietly.
→ 그녀는 조용히 　　　　　　　　　　.

3 **I walked** in the rain last night.
→ 나는 어젯밤 빗속에서 　　　　　　　　　.

4 **Tony delivers the newspaper** every morning.
★deliver 배달하다
→ Tony은 매일 아침 　　　　　　　　　.

5 **I bought this bag** online last year.
→ 나는 작년에 인터넷으로 　　　　　　　.

6 **His dog died** two years ago.
→ 그의 개는 2년 전에 　　　　　　　　.

7 **Peter resembles his father** a lot.
★resemble ~를 닮다
→ Peter는 그의 아버지를 많이 　　　　　.

8 There **lived a beautiful princess** in the castle.
→ 그 성에는 　　　　　　　　　　.

02 2형식

❶ 2형식 문장

2형식 문장: 「주어+동사+주격 보어」로 이루어진다.

The children kept silent. 아이들은 조용히 있었다.
_{주어} _{동사} _{주격 보어}

≫ 주격 보어란 주어의 속성을 보충 설명해주는 말로, 명사, 대명사, 형용사 등이 주격 보어로 쓰여요.

Brad became a university student at the age of 40. Brad는 40세에 대학생이 되었다.
_{주어} _{동사} _{주격 보어} _{부사구}

❷ 「감각동사+형용사」

감각동사(look, smell, feel, sound, taste 등)는 2형식 문장으로 자주 쓰인다.

Good medicine tastes bitter. 좋은 약은 쓴 맛이 난다.
_{주어} _{동사} _{주격 보어}

≫ 감각동사의 주격 보어 자리에는 형용사가 와요.

The singer looked nervous on the stage. 그 가수는 무대에서 긴장한 듯 보였다.
_{주어} _{동사} _{주격 보어} _{부사구}

➕ 감각동사 뒤에 명사(구)가 올 때는 문장을 「감각동사+like(~처럼)+명사(구)」의 형태로 써요. 이때 like는 전치사예요.
This coffee tastes like chocolate. 이 커피는 초콜릿 맛이 난다.

문법 확인 Ⓑ 문장 해석하기

▶ Answer p.2

1 Eric **seems tired** today. → Eric은 오늘   .
★seem (~인 것) 같다

2 Her hair **feels soft**. → 그녀의 머리카락은   .

3 His dream **came true**. → 그의 꿈은   .
★come true 이루어지다, 실현되다

4 Lemons **taste sour**. → 레몬은   .

5 She **was an actress** years ago. → 그녀는 수년 전에는   .

6 You **look handsome in** that suit. → 너는 그 정장을 입으니   .

7 Her face **turned pale** at the news. → 그 소식을 듣고 그녀의 얼굴이   .
★pale 창백한

8 This perfume **smells like roses**. → 이 향수는   .

문법 기본 —Ⓐ **주어진 문장의 형식 고르기**

1 The pain grew worse.   ☐ 1형식   ☐ 2형식   ☐ 3형식

2 It rains a lot in August.   ☐ 1형식   ☐ 2형식   ☐ 3형식

3 I poured the milk in my cup.   ☐ 1형식   ☐ 2형식   ☐ 3형식

4 Here is a useful tip for you.   ☐ 1형식   ☐ 2형식   ☐ 3형식

5 He became a manager at a young age.   ☐ 1형식   ☐ 2형식   ☐ 3형식

6 She spends a lot of money on clothes.   ☐ 1형식   ☐ 2형식   ☐ 3형식

7 The car stopped in front of me.   ☐ 1형식   ☐ 2형식   ☐ 3형식

8 Everyone looks happy after the meal.   ☐ 1형식   ☐ 2형식   ☐ 3형식

문법 기본 —Ⓑ **알맞은 말 고르기**

1 그 동굴에는 큰 곰이 살았습니다. → There a big bear lived / lived a big bear in the cave.

2 그 스카프는 촉감이 부드럽다. → The scarf feels soft / like soft .

3 Fred는 Cindy와 2017년에 결혼했다. → Fred married / married with Cindy in 2017.

4 화내지 마. 침착해. → Don't get angry. Stay calm / calmness .

5 우리는 그 문제에 대해 상의했다. → We discussed the problem / about the problem .
★discuss 상의하다, 논의하다

6 그녀는 전화상으로 화가 난 것처럼 들렸다. → She sounded angry / angrily on the phone.

7 신부가 입장합니다. → Here the bride comes / comes the bride .

8 바닷물은 소금 맛이 난다. → Sea water tastes salt / like salt .

문법 쓰기 Ⓐ **문장의 어순 배열하기**

> Example   이 모자는 너에게 잘 어울린다. (you / looks / on / nice)
> → This hat   *looks / nice / on / you*   .

1 눈사람은 햇빛에 녹는다. (sun / melt / the / in)

→ Snowmen _____ / _____ / _____ / _____ .

2 그 집에는 세 개의 침실이 있습니다. (are / three / bedrooms / there)

→ _____ / _____ / _____ / _____ in the house.

3 그의 목소리는 천둥처럼 들린다. (like / sounds / thunder)

→ His voice _____ / _____ / _____ .

4 나는 내 방을 매일 청소한다. (room / I / my / clean)

→ _____ / _____ / _____ / _____ every day.

문법 쓰기 Ⓑ **틀린 부분 고치기**

> Example   The trash smells terribly.   *terribly* → *terrible*
> 그 쓰레기는 냄새가 지독하다.

1 She didn't answer to my call.
그녀는 내 전화를 받지 않았다.   →

2 The song sounds beautifully.
그 노래는 아름답게 들린다.   →

3 He explained about the rules of the game.
그는 게임의 규칙에 대해 설명했다.   →

4 It grew darkly outside.
밖이 어두워졌다.   →

5 We all felt sadness about his death.
우리 모두는 그의 죽음에 슬퍼했다.   →

6 The ice cream tastes coconut.
그 아이스크림은 코코넛 맛이 난다.   →

15

문법 쓰기 ⓒ 주어진 단어를 활용하여 문장 완성하기

> Example   그 피자는 냄새가 참 좋다. (so, nice)
>
> →   *The pizza smells so nice.*

1   Henry는 매일 직장에 걸어간다. (walk, every day, to work)

→   Henry   .

2   우리는 디저트로 마카롱을 먹었다. (macarons, eat, for dessert)

→   We   .

3   그 국수는 너무 삶아진 맛이었다. (overcooked)

→   The noodles   .

★overcooked 너무 익힌

4   너의 계획은 나에게 위험하게 들린다. (to me, dangerous)

→   Your plan   .

5   옛날에 한 마을에 농부가 살았습니다. (a farmer, live, there, in a village)

→   Once upon a time,   .

6   그는 매주 금요일에 은행에 간다. (go, every Friday, to the bank)

→

7   James는 한국인처럼 생겼다. (look, a Korean)

→

8   나는 도서관에서 재미있는 책을 발견했다. (find, in the library, some interesting books)

→

서술형 예제 1

다음 그림을 묘사하는 문장을 완성하시오. 👤 Point 01

조건
- There로 시작하는 문장을 쓸 것
- 현재시제로 쓸 것
- be동사를 사용할 것

→ _____ on the desk.

Teacher's guide

STEP ❶
존재(be, live)나 왕래(come, go) 등을 나타내는 동사는 「There[Here]+동사+주어」의 형태로 1형식 문장을 만들어요.

STEP ❷
이 문장에서 주어는 two cups로 복수이고 시제는 현재이므로 be동사는 are를 씁니다.

정답 ≫ There are two cups

실전 연습 1

다음 그림을 묘사하는 문장을 완성하시오. 👤 Point 01

조건
- Here로 시작하는 문장을 쓸 것
- 현재시제로 쓸 것
- the bus, come을 사용할 것

→ _____

서술형 예제 2

다음 우리말을 〈조건〉에 맞게 영작하시오. 👤 Point 02

(1) 그 동물은 호랑이처럼 보인다.
(2) 그 동물은 사나워 보인다.

조건
- the animal, look, fierce, a tiger, like 중 알맞은 단어를 골라 쓸 것

(1) _____

(2) _____

Teacher's guide

STEP ❶
감각동사 뒤에 명사(구)가 올 때, 문장을 「감각동사+like(~처럼)+명사(구)」의 형태로 씁니다.

STEP ❷
감각동사는 「주어+감각동사+형용사」의 형태로 씁니다. '~하게'로 해석된다고 해서 부사를 쓰지 않도록 주의하세요.

정답 ≫ (1) The animal looks like a tiger.
(2) The animal looks fierce.

실전 연습 2

다음 우리말을 〈조건〉에 맞게 영작하시오. 👤 Point 02

(1) 이 약은 바나나 냄새가 난다.
(2) 이 약은 달콤한 냄새가 난다.

조건
- this medicine, sweet, smell, bananas, like 중 알맞은 단어를 골라 쓸 것

(1) _____

(2) _____

03 4형식

❶ 4형식 문장

> 4형식 문장: 「주어＋수여동사＋간접목적어＋직접목적어」로 이루어진 문장이다.

She gave her mom a present. 그녀는 엄마에게 선물을 하나 드렸다.
주어 동사 간접목적어 직접목적어

》수여동사는 간접목적어(~에게)와 직접목적어(~을)를 둘 다 필요로 하는 동사로 '~해주다'라는 뜻을 지녀요.

❷ 4형식 문장의 3형식 전환

4형식	Peter (주어)	wrote (동사)	her (간접목적어)	an apology letter (직접목적어)

Peter는 그녀에게 사과 편지를 썼다.

3형식	Peter (주어)	wrote (동사)	an apology letter (직접목적어)	to	her (간접목적어)

》4형식 문장은 간접목적어와 직접목적어의 순서를 바꾸고 간접목적어 앞에 전치사(to, for, of)를 넣어서 3형식 문장으로 바꿀 수 있다.

Dad **bought** me a new bike. (4형식) → Dad **bought** a new bike **for me**. (3형식) 아빠는 내게 새 자전거를 사주셨다.
She **asked** us many question. (4형식) → She **asked** many questions **of** us. (3형식) 그녀는 우리에게 많은 질문을 했다.

➕ 수여동사에는 give, send, lend, bring, pass, tell, teach, show, write, buy, get, make, cook, find, ask 등이 있어요. 4형식이 3형식으로 전환 될 때 동사에 따라 사용하는 전치사가 달라요.

전치사 to를 쓰는 동사	give, send, show, teach, tell, lend, write, bring, pass
전치사 for를 쓰는 동사	buy, make, get, cook, find, bake 등
전치사 of를 쓰는 동사	ask 등

문법 확인 **문장 해석하기**

▶ **Answer p.2**

1 She showed **us her yearbook picture.**
★yearbook 졸업앨범
→ 그녀는 우리에게 　　　　　　　　　　 보여주었다.

2 Can you find **my bag for me?**
→ 내게 　　　　　　　　　 찾아줄래?

3 Mom made **me a tuna sandwich** for lunch.
→ 엄마는 나에게 점심으로 　　　　　　　　 만들어 주셨다.

4 I'd like to **ask you a favor.**
★favor 부탁
→ 저는 당신에게 　　　　　　　　 드리고 싶어요.

5 He sent **her a long text message.**
→ 그는 그녀에게 　　　　　　　　 보냈다.

6 Becky **lent some money to her friend.**
→ Becky는 그녀의 친구에게 　　　　　　　　 빌려주었다.

7 He got **me two tickets** for the concert.
→ 그는 내게 　　　　　　　　 마련해주었다.

04 5형식(1)

5형식 문장

5형식 문장: 「주어＋동사＋목적어＋목적격 보어」로 이루어진다.

They named their daughter Rachel. 그들은 딸의 이름을 Rachel이라고 지었다.
주어　동사　　목적어　　　목적격 보어(명사)

>> 목적격 보어는 목적어의 속성을 보충 설명 해주는 말로 명사나 형용사 등이 목적격 보어로 쓰여요.

He found the chest empty. 그는 그 상자가 비어 있는 것을 알게 되었다.
주어　동사　　목적어　　목적격 보어(형용사)

명사를 목적격 보어로 쓰는 동사	name(~을 …로 이름 짓다), call(~을 …로 부르다), elect(~을 …로 선출하다), make(~을 …로 만들다), choose(~을 …로 선택하다), think(~을 …로 생각하다), consider(~을 …로 여기다)
형용사를 목적격 보어로 쓰는 동사	find(~을 …라고 여기다[생각하다]), keep(~을 …하게 유지하다), make(~을 …하게 만들다), leave(~가 …한 상태로 두다), consider(~을 …하게 여기다), think(~을 …하게 생각하다), turn(~을 …하게 변하게 하다), drive(~을 …한 상태로 몰아가다), paint(~을 …하게 칠하다)

문법 확인 B 문장 해석하기

▶ **Answer p.2**

1 Her mom **calls her a princess**.
→ 그녀의 엄마는 그녀를 _____ 부른다.

2 Please **leave me alone**.
→ 제발 나를 _____ 내버려둬.

3 His reply **made the teacher angry**.
→ 그의 대답은 그 선생님을 _____ 했다.

4 She **found him kind and generous**.
★generous 너그러운, 관대한
→ 그녀는 그를 _____ 생각했다.

5 The sunburn **turned Cathy's face red**.
→ 햇볕에 타서 Cathy의 얼굴은 _____ 졌다.

6 My roommate is **driving me crazy**.
→ 나의 룸메이트는 나를 _____ 하고 있다.

7 The members **elected Henry their president**.
→ 회원들은 Henry를 _____ 선출했다.

8 Wool **keeps you warm** in the winter.
→ 양모는 당신이 겨울에 _____ 지내도록 해준다.

문법 기본 ⒜ 주어진 문장의 형식 고르기

1 They always read stories to their son.　　　　☐ 3형식　☐ 4형식　☐ 5형식

2 The news made us very anxious.　　　　☐ 3형식　☐ 4형식　☐ 5형식

3 We sent all our customers Christmas cards.　　　　☐ 3형식　☐ 4형식　☐ 5형식

4 We named the brown puppy Spot.　　　　☐ 3형식　☐ 4형식　☐ 5형식

5 She asked the students their names.　　　　☐ 3형식　☐ 4형식　☐ 5형식

6 The Trojans thought the giant horse a gift.　　　　☐ 3형식　☐ 4형식　☐ 5형식

7 Eric cooked a delicious meal for all his friends.　　　　☐ 3형식　☐ 4형식　☐ 5형식

8 The judge chose Bruno the grand prize winner.　　　　☐ 3형식　☐ 4형식　☐ 5형식

문법 기본 ⒝ 알맞은 말 고르기

1 네 방을 내게 보여줄래?　→ Will you show me / to me your room?

2 그는 그의 아내에게 꽃다발을 보냈다.　→ He sent a bunch of flowers to / for his wife.

3 Ann은 학교에서 아이들에게 수학을 가르쳤다.　→ Ann taught children math / math children at a school.

4 사고가 났을 때 안전벨트는 당신을 안전하게 지켜준다.　→ Seat belts keep you safe / safely in an accident.

5 나의 엄마는 나를 위해 생일 케이크를 만들어주셨다.　→ My mom made a birthday cake to / for me.

6 내일 너에게 그 책을 가져다줄게.　→ I'll bring the book to / for you tomorrow.

7 나는 그 수수께끼가 어렵다고 느꼈지만, 그것을 풀었다.　→ I found the riddle difficult / difficulty , but I solved it.

문법 쓰기 Ⓐ 문장의 어순 배열하기

> Example   그는 내게 선물을 주었다. (a / me / gave / gift)
> → He *gave / me / a / gift* .

1 내게 그 노래를 다시 불러주래? (me / that / sing / song)

→ Can you ___ / ___ / ___ / ___ again?

2 관객들은 그 연극이 지루하다고 느꼈다. (boring / the / found / play)

→ The audience ___ / ___ / ___ / ___ .

3 그녀가 우리에게 커피를 타 주었다. (coffee / made / us / for)

→ She ___ / ___ / ___ .

4 문을 열어놓은 상대로 두세요. (the / open / leave / door)

→ Please ___ / ___ / ___ .

문법 쓰기 Ⓑ 틀린 부분 고치기

> Example   May I ask a few questions to you?   *to* → *of*
> 제가 당신에게 몇 가지 질문을 드려도 될까요?

1 Can you pass to me the remote controller?   →
나에게 리모컨 좀 건네줄래?

2 He gives Chinese lessons for his colleagues.   →
그는 그의 동료들에게 중국어 교습을 해 준다.

3 Your smile makes me happily.   →
너의 미소는 나를 행복하게 해준다.

4 She bought a hairpin to her daughter.   →
그녀는 그녀의 딸에게 머리핀을 사주었다.

5 Her baby keeps her busily all day.   →
그녀의 아기는 그녀를 하루 종일 바쁘게 한다.

6 He sent a postcard me during his holiday in Hawaii.   →
그는 하와이에서의 휴가 중 내게 엽서를 하나 보냈다.

▶ **Answer** p.2

문법 쓰기 ⓒ **주어진 단어를 활용하여 문장 완성하기**

> Example 우리는 천정을 파란색으로 칠했다. (blue, paint, the ceiling)
>
> → *We painted the ceiling blue.*

1 그녀는 우리에게 차를 가져다주었다. (bring, some tea, to)

→ She _____ .

2 그 반창고를 내게 줄래? (give, to, that bandage)

→ Can you _____ ?

3 그들은 그 집을 오랜 기간 동안 비어두었다. (the house, leave, empty)

→ _____ for a long period.

★leave ~한 상태로 두다

4 네 사전을 내게 빌려줄래? (lend, your dictionary)

→ Can you _____ ?

5 모두가 그를 천재라고 여겼다. (everyone, consider, a genius)

→ _____

6 나는 그에게 부탁을 하나 했다. (ask, of, a favor)

→ _____

7 나의 아빠는 내게 새 운동화를 사 주셨다. (my dad, buy, new sneakers)

→ _____

8 Jane은 그녀의 책상을 정돈된 상태로 유지한다. (her desk, keep, tidy)

→ _____

★tidy 깨끗한, 정돈된

서술형 예제 1

다음 그림의 상황을 나타내는 문장을 〈조건〉에 맞게 완성하시오. 　 ♣ Point 03

조건	• 과거시제로 쓸 것
	• Bob, Sally, give, some flowers를 사용할 것

➜ 4형식 문장으로 : _____

Teacher's guide

STEP ❶

4형식 문장은 「주어 + 수여동사 + 간접목적어 + 직접목적어」의 형태로 써요.

STEP ❷

Bob이 Sally에게 꽃을 주었으니 Bob이 주어, Sally가 간접목적어, some flowers가 직접목적어가 돼요.

정답 ≫ Bob gave Sally some flowers.

실전 연습 1

다음 그림의 상황을 나타내는 문장을 〈조건〉에 맞게 완성하시오. 　 ♣ Point 03

조건	• 과거시제로 쓸 것
	• Tom, his kid, buy, ice-cream cone을 사용할 것

➜ 4형식 문장으로 : _____

서술형 예제 2

다음 우리말을 〈조건〉에 맞게 영작하시오. 　 ♣ Point 04

나는 그가 정직하다는 것을 알게 되었다.

조건	• find, honesty를 이용할 것
	• 필요한 경우 단어의 형태를 변형하여 쓸 것
	• 4 단어로 쓸 것

➜ _____

Teacher's guide

STEP ❶

5형식 문장은 「주어 + 동사 + 목적어 + 목적격 보어」의 형태입니다. '그가'는 목적어 자리에 오므로 목적격 him으로 씁니다.

STEP ❷

'정직한'은 목적격 보어로 쓰인 형용사이므로, '정직'을 뜻하는 명사 honesty를 '정직한'을 뜻하는 형용사 honest로 바꾸어 씁니다.

정답 ≫ I found him honest.

실전 연습 2

다음 우리말을 〈조건〉에 맞게 영작하시오. 　 ♣ Point 04

그 노래는 우리를 유쾌하게 만들었다.

조건	• the song, make, cheerfully를 이용할 것
	• 필요한 경우 단어의 형태를 변형하여 쓸 것
	• 5 단어로 쓸 것

➜ _____

Point 05 5형식(2)

❶ to부정사가 목적격 보어인 5형식

5형식 문장: 「주어＋동사＋목적어＋목적격 보어(to부정사)」

His secretary **told** me **to wait**. 그의 비서는 내게 기다리라고 하였다.
　　주어　　　동사　목적어　목적격 보어
　》 5형식 문장에서 목적격 보어로 to부정사가 오는 경우가 있어요.

He advised me **not to sell** my house. 그는 내게 집을 팔지 말라고 충고했다.
　》 to부정사의 부정은 「not＋to 동사원형」으로 써요.

❷ 준사역동사 help

5형식 문장: 「주어＋help＋목적어＋목적격 보어(to부정사/동사원형)」

John **helped** his mom **(to) clean** the house.
　주어　　동사　　목적어　　목적격 보어
　》 준사역동사 help는 '~가 …하도록 돕다'의 의미로 목적격 보어로 to부정사나 동사원형을 써요.
John은 엄마가 집을 청소하시는 것을 도왔다.

➕

목적격 보어로 to부정사가 오는 동사들	want, ask, allow, tell, order, teach, expect, advise, get, warn, encourage, persuade

---

문법 확인 **A** 문장 해석하기

▶ **Answer** p.3

1 Ms. Miller **told** the students **to line** up.
★line up 줄을 서다
→ Miller 선생님은 학생들에게 ⬚⬚⬚⬚ 말했다.

2 The general **ordered** his men **to fire**.
★ fire 사격[발사]하다
→ 장군은 그의 부하들에게 ⬚⬚⬚⬚ 명령했다.

3 We **expect** you **to do** your best on the exam.
★do one's best ~의 최선을 다하다
→ 우리는 네가 시험에서 최선을 ⬚⬚⬚⬚ 기대하고 있다.

4 She **encouraged** me **to take** up Pilates.
★take up ~을 배우다
→ 그녀는 내게 필라테스를 ⬚⬚⬚⬚ 권장했다.

5 The professor didn't **allow** us **to use** a dictionary during the test.
→ 교수님은 우리가 시험 보는 동안 사전을 ⬚⬚⬚⬚ 허락하지 않으셨다.

6 I **warned** him **not to drive** too fast.
→ 나는 그에게 너무 빨리 ⬚⬚⬚⬚ 경고했다.

7 Nobody could **persuade** her **to change** her mind.
→ 아무도 그녀가 마음을 ⬚⬚⬚⬚ 설득할 수 없었다.

❶ 사역동사

| 5형식 문장: 「주어+사역동사+목적어+목적격 보어(동사원형)」 |

She **made** her children **do** their homework.
주어 　 동사 　 목적어 　 목적격 보어(동사원형)
그녀는 그녀의 아이들이 숙제를 하도록 시켰다.

≫ 5형식 문장에서 사역동사 make, have, let이 사용될 때는 목적격 보어로 동사원형이 와요.
(make: (강제로) ~하게 만들다, have: ~하게 하다, let: ~에게 …하게(허락)해 주다)

Alex **let** me **drive** his new car. Alex는 내가 그의 새 차를 몰도록 허락해주었다.
주어 　동사　목적어　목적격 보어(동사원형)

❷ 지각동사

| 5형식 문장: 「주어+지각동사+목적어+목적격 보어(동사원형[현재분사])」 |

Lisa **heard** somebody **slam** the door.
주어 　 동사 　 목적어 　 목적격 보어(동사원형)
Lisa는 누가 문을 쾅 닫는 소리를 들었다.

≫ 5형식 문장에서 지각동사(see, watch, hear, smell, listen to, feel, notice)가 사용될 때는 목적격 보어로 동사원형이 와요.

He **saw** the two boys **climbing** over the fence.
주어 동사 　 목적어 　 　목적격 보어(현재분사)
그는 두 명의 소년이 울타리를 넘어가는 것을 보았다.

≫ 진행의 의미를 강조할 때는 목적격 보어로 현재분사(동사원형+-ing)가 올 수 있어요.

문법 확인 ─B─ 문장 해석하기

▶ **Answer** p.3

1 Glasses **make** people **look** smart.
→ 안경은 사람들을 똑똑해 　　　　　　　 만든다.

2 She **listened to** the birds **singing** outside.
→ 그녀는 밖에서 새들이 　　　　　　　 소리를 들었다.

3 The teacher **had** us **write** a very long essay.
→ 선생님은 우리에게 매우 긴 리포트를 　　　　　　　 시키셨다.

4 He **felt** something **crawl up** his leg.
★crawl up 기어오르다
→ 그는 뭔가가 그의 다리를 　　　　　　　 느꼈다.

5 Will your parents **let** you **go** to the party?
→ 너의 부모님이 네가 파티에 　　　　　　　 허락 하실까?

6 She **smelled** something **burning** in the kitchen.
→ 그녀는 부엌에서 뭔가가 　　　　　　　 냄새를 맡았다.

7 Thomas **heard** them **coming** up the stairs.
→ Thomas는 그들이 계단을 　　　　　　　 소리를 들었다.

문법 기본 Ⓐ 빈칸에 들어갈 말에 V 표시 하기 (중복 표시 가능)

1 My parents let me _____ the music camp. □ join □ to join □ joining

2 Carl advised me _____ a specialist. □ visit □ to visit □ visiting

3 I heard someone _____ your name. □ shout □ to shout □ shouting

4 She helped me _____ the dishes. □ wash □ to wash □ washing

5 They made the staff _____ their uniforms every day. □ wear □ to wear □ wearing

6 The mother warned her child not _____ the dog. □ tease □ to tease □ teasing
★tease 괴롭히다

7 The manager made his team _____ through the night. □ work □ to work □ worked

8 Did you Sarah see _____ the piano in the hall? □ play □ to play □ playing

문법 기본 Ⓑ 알맞은 말 고르기

1 누가 너에게 수영하는 것을 가르쳐주었니? → Who taught you swim / to swim ?

2 그들은 그녀가 차 안으로 들어가는 것을 지켜보았다. → They watched her get / to get into the car.

3 나의 부모님은 내가 반려동물을 기르도록 허락하지 않으신다. → My parents don't let me have / having a pet.

4 Ann은 그녀의 아들이 야채를 먹도록 시켰다. → Ann made her son eat / to eat the vegetables.

5 Henry는 그녀에게 그를 떠나지 말아달라고 부탁했다. → Henry asked her not to / to not leave him.

6 나는 나의 형이 욕실에서 노래 부르는 소리를 들었다. → I heard my brother sung /singing in the bathroom.

7 그들은 우리가 외부에서 음식을 반입하도록 허락해주었다. → They allowed us bring / to bring food from outside.

문법 쓰기 Ⓐ **문장의 어순 배열하기**

> | Example | 그는 폭탄이 터지는 것을 보았다. (a / explode / bomb / saw) |
> |---|---|
> | | → He *saw / a / bomb / explode* . |

1 그녀는 그 프로그램에 참여해보라고 나를 설득했다. (me / persuaded / apply / to)

→ She _____ / _____ / _____ / _____ for the program

2 너는 정말 내가 너를 믿을 거라고 기대하니? (me / believe / to / you)

→ Do you really expect _____ / _____ / _____ ?

3 Nancy는 누군가가 그녀의 머리를 만지는 것을 느꼈다. (someone / touch / felt / her / hair)

→ Nancy _____ / _____ / _____ / _____ .

4 나의 부모님은 내게 여동생에게 사과하라고 시키셨다. (to / me / made / apologize) .

→ My parents _____ / _____ / _____ my sister.

문법 쓰기 Ⓑ **틀린 부분 고치기**

> | Example | She didn't allow me leave early. *leave* → *to leave* |
> |---|---|
> | | 그녀는 내가 일찍 가도록 허락하지 않았다. |

1 He felt the ground to shake once. _____ → _____
그는 땅이 한 번 흔들리는 것을 느꼈다.

2 You'll never get him understand. _____ → _____
너는 결코 그를 이해시킬 수 없을 것이다.

3 We all helped him carrying the boxes. _____ → _____
우리 모두는 그가 상자를 나르는 것을 도와주었다.

4 He saw the soldiers crossed the bridge. _____ → _____
그는 군인들이 다리를 건너는 것을 보았다.

5 I made my husband went to the concert with me. _____ → _____
나는 나의 남편이 나와 함께 음악회에 가게 했다.

6 The doctor advised me not overeat. _____ → _____
의사는 내게 과식하지 말라고 충고했다.

문법 쓰기 ─ⓒ 주어진 단어를 활용하여 문장 완성하기

> Example 슬픈 영화는 항상 나를 울게 만든다. (cry)
>
> → *Sad movies always make me cry.*

1 나의 상사가 나를 회의에 참석하도록 시켰다. (make, attend)

→ My boss _____ the conference.

★conference 회의, 학회

2 그녀에게 이 편지를 내게 복사해달라고 부탁해줄래? (ask, copy, this letter)

→ Could you _____ for me?

3 그는 초인종이 울리는 소리를 듣고 문을 열러 나갔다. (the doorbell, hear, ring)

→ _____ and went to answer the door.

4 동물원 사육사는 내가 뱀에게 먹이를 주는 것을 허락해주었다. (let, feed)

→ The zoo keeper _____ the snake.

5 그는 내게 새로운 일을 시도해보라고 격려했다. (encourage, try, something new)

→ _____

6 내가 상 차리는 것을 도와주겠니? (can, help, set the table)

→ _____

7 나는 누군가가 나를 쳐다보고 있는 것을 알아차렸다. (someone, notice, look at)

→ _____

8 그 트레이너는 내게 기름진 음식을 먹지 말라고 충고하였다. (the trainer, advise, eat, greasy food)

→ _____

★greasy 기름진

서술형 예제 1

다음 대화의 상황을 나타내는 5형식 문장을 완성하시오.

♨ Point 05

> Mom: Do your homework, Jason.
> Jason: OK, Mom.

→ Mom told _____ .

Teacher's guide

STEP ❶

먼저 대화문을 읽으며 대화의 상황을 파악하세요. 주어진 대화문은 '엄마가 Jason에게 숙제를 하라고 말하는' 상황입니다.

STEP ❷

대화의 상황을 동사 tell을 이용해 '~에게 …하라고 말하다'라는 뜻의 5형식 문장으로 표현해요. 동사 tell은 목적격 보어로 to부정사를 써야 해요.

정답 ≫ Jason to do his homework

실전 연습 1

다음 대화의 상황을 나타내는 5형식 문장을 완성하시오.

♨ Point 05

> Fred: Dad, can you order some pizza? I'm hungry.
> Dad: Sure.

→ Fred asked _____ .

서술형 예제 2

다음 두 문장을 〈조건〉에 맞춰 한 문장으로 바꿔 쓰시오.

♨ Point 06

> • He fell off the tree.
> • We saw this.

조건	• 5형식 문장으로 쓸 것
	• 7 단어로 쓸 것

→ _____

Teacher's guide

STEP ❶

먼저 두 문장의 내용을 포함하여 어떻게 한 문장으로 나타낼 지를 생각해보아요. '우리는 그가 나무에서 떨어지는 것을 보았다'라는 뜻의 문장이 되어야겠지요?

STEP ❷

see, hear, feel 등의 지각동사가 쓰인 5형식 문장은 「주어 + 지각동사 + 목적어 + 목적격 보어(동사원형[현재분사])」의 형태로 씁니다.

정답 ≫ We saw him fall[falling] off the tree.

실전 연습 2

다음 두 문장을 〈조건〉에 맞춰 한 문장으로 바꿔 쓰시오.

♨ Point 54

> • She came in.
> • I didn't hear this.

조건	• 5형식 문장으로 쓸 것
	• 6 단어로 쓸 것

→ _____

객관식 (01~10)

[01~03] 다음 빈칸에 들어갈 말로 알맞은 것을 <u>모두</u> 고르시오.

♣ Point 02

01

Angela looks _____.

① sadly　　② lonely　　③ nervously

④ happiness　　⑤ like a doll

♣ Point 06

02

My grandma _____ me read the letter.

① got　　② let　　③ wanted

④ heard　　⑤ allowed

♣ Point 06

03

I saw the boy _____.

① sing in a choir　　② written a note

③ talked in class　　④ washing his dog

⑤ to use his phone

♣ Point 03

04 다음 빈칸에 들어갈 말이 순서대로 짝지어진 것은?

• My wife teaches Korean _____ foreigners.
• He made wooden toys _____ his children.

① of – to　　② to – for　　③ for – to

④ for – of　　⑤ for – for

[05~06] 다음 중 문장의 형식이 〈보기〉와 같은 것은?

♣ Point 02

05

• 보기 •
I stayed awake all night.

① It snowed a lot last night.

② He married a famous actress.

③ There is a park near my house.

④ His face turned red with anger.

⑤ The girl smiled beautifully at me.

♣ Point 04

06

• 보기 •
I found the movie very scary.

① Kevin told me a funny story.

② My friend lent me his camera.

③ We considered him our leader.

④ They built us a swimming pool.

⑤ She showed me her report card.

대표 ♣ Point 03

07 다음 중 문장 전환이 <u>잘못된</u> 것은?

① The doctor gave her medicine.
　→ The doctor gave medicine to her.

② She asked me a few questions.
　→ She asked a few questions of me.

③ He sent us some foreign stamps.
　→ He sent some foreign stamps of us.

④ Money can't bring us happiness.
　→ Money can't bring happiness to us.

⑤ Dad bought me a nice watch.
　→ Dad bought a nice watch for me.

♣ Point 05

08 다음 문장에서 not이 들어갈 위치로 알맞은 곳은?

Jack ① trained ② his dog ③ to ④ bite ⑤ anyone.

09 🔒 Point 01

다음 중 어법상 틀린 것은?

① I totally agree with you.

② Can you explain it to me?

③ Jennifer didn't answer to my calls.

④ There lived a wizard in a tall tower.

⑤ My sister went to college last year.

10 🔒 Point 03, 05, 06

다음 @~@ 중 어법상 옳은 문장의 개수는?

ⓐ Don't make me wait.
ⓑ I'll have him to call you back.
ⓒ The coach encouraged me join his team.
ⓓ Mr. Stewart gave a ten-dollar tip the waiter.
ⓔ My parents helped me make a decision.

① 1개   ② 2개   ③ 3개   ④ 4개   ⑤ 5개

서술형 기본 (11~19)

[11~13] 다음 문장에서 어법상 틀린 부분을 찾아 바르게 고쳐 쓰시오.

11 🔒 Point 02

The skunks smell terribly.

_____ ➔ _____

12 🔒 Point 01

She resembles with her mother in every aspect.

_____ ➔ _____

13 🔒 Point 04

The villagers considered the boy honestly.

_____ ➔ _____

[14~15] 다음 빈칸에 들어갈 알맞은 말을 〈보기〉에서 골라 쓰시오.

• 보기 •

to   for   of

대표 **14** 🔒 Point 03

Did you get a present _____ your mother?

15 🔒 Point 03

He lent his new camera _____ me.

[16~18] 다음 우리말과 일치하도록 괄호 안의 말을 이용하여 빈칸에 알맞은 말을 쓰시오.

16 🔒 Point 02

그 샴푸는 오렌지 향이 난다. (smell)

→ The shampoo _____ _____ oranges.

17 🔒 Point 06

나는 그녀가 정원에서 노래하는 소리를 들었다. (hear, sing)

→ I _____ _____ _____ in the garden.

18 🔒 Point 01

왕이 여기로 오신다! (the king, come)

→ Here _____ _____ _____!

19 고난도 🔒 Point 05

다음 대화의 상황을 나타내는 5형식 문장을 완성하시오.

> Dad: Don't tease your little sister, Mike.
> Mike: Okay, I won't.

→ Dad warned Mike _____ _____

_____ his little sister.

서술형 심화 (20~25)

20 🔒 Point 03

다음 주어진 문장을 지시에 맞게 바꿔 쓰시오.

> (1) Can you find me my phone?

→ 3형식으로: _____

> (2) They sold their house to me.

→ 4형식으로: _____

21 대표 🔒 Point 05

다음 우리말과 일치하도록 괄호 안의 말을 바르게 배열하시오.

> 그는 우리에게 그 새들에게 먹이를 주지 말라고 말했다.
> (feed, he, not, told, to, us, the birds)

→ _____

22 🔒 Point 02

다음 ①~⑤ 중 어법상 틀린 것을 골라 바르게 고쳐 쓰시오.

> One day, Spot sees a cute girl ① come into the pet store with her mother. The girl ② points at him and ③ takes him to her house. Now, he ④ has his new owner. He ⑤ feels so luckily!

( ) _____

23 🔒 Point 01

다음 그림을 보고, 그림을 묘사하는 문장을 괄호 안의 말을 이용하여 쓰시오.

→ _____

(there / apple / basket)

24 🔒 Point 03

다음은 Cindy의 생일을 위해 친구들이 할 것을 계획한 것이다. 각자 Cindy에게 무엇을 해줄지 각 문장을 완성하시오.

Birthday Party Plan for Cindy	
(1) Dave	give a flower
(2) Sally	bake a cake
(3) Tom	write a card

(1) Dave will _____ Cindy _____

_____ .

(2) Sally will _____ _____

_____ Cindy.

(3) Tom will _____ _____

_____ Cindy.

25 고난도 🔒 Point 05, 06

다음 대화의 상황을 아래와 같이 요약할 때 빈칸에 알맞은 말을 쓰시오. (단, 5형식 문장으로 완성하시오.)

> Grandma: Eat your broccoli, Brian.
> Brian: Okay, I will.
> Grandma: If you eat your broccoli, you can have ice cream for dessert.
> Brian: Wow, I ate it. Can I have ice cream?
> Grandma: Sure. Here's your ice cream.

Brian's grandma got (1) _____

_____ . And she let (2) _____

_____ after he finished his broccoli.

시제

Get Ready

	현재시제	**He** helps **his mom.** 그는 그의 엄마를 도와드린다.
단순 시제	과거시제	**He** helped **his mom.** 그는 그의 엄마를 도와드렸다.
	미래시제	**He** will help **his mom.** 그는 그의 엄마를 도와드릴 것이다.

	현재진행형	**He** is helping **his mom.** 그는 그의 엄마를 도와 드리고 있다.
진행형	과거진행형	**He** was helping **his mom.** 그는 그의 엄마를 도와 드리고 있었다.

	계속	**I have lived here for 5 years.** 나는 5년 동안 여기에 살고 있다.
현재완료	경험	**I have been to the US before.** 나는 전에 미국에 가 본 적이 있다.

1. **시제**란 동사를 이용해서 동작이나 상태의 시간을 표현하는 것을 말해요. 크게 **과거**, **현재**, **미래**로 나뉘어요. 과거나 현재의 특정 시점에 진행 중인 일을 나타낼 때는 **진행형**을 사용해요. 진행형은 「**be동사+v-ing**」형태로 나타내요.

2. 과거에 시작된 일이 현재까지 계속되거나 영향을 미칠 때는 **현재완료**를 사용해요. 현재 완료는 「**have[has]+과거분사(p.p.)**」형태로 나타내요.

Point 07 단순 시제

① 현재시제 (동사의 현재형)

현재시제는 현재의 동작이나 상태, 습관, 반복적인 일 또는 일반적인 사실이나 진리를 나타낸다.

She **lives** in London with her family. 그녀는 가족과 함께 런던에서 살고 있다. (현재의 상태)
Alex **usually eats** oatmeal for breakfast. Alex는 보통 아침으로 오트밀을 먹는다. (습관)
Water **freezes** at 0℃. 물은 0℃에서 언다. (일반적인 사실·진리)

② 과거시제 (동사의 과거형)

과거시제는 이미 완료된 과거의 상태나 동작, 역사적 사실을 나타낼 때 쓴다.

My father **built** this house **ten years ago**. 우리 아버지가 이 집을 10년 전에 지었다. (과거의 동작)
The Wright brothers **flew** the first airplane **in 1903**. 라이트 형제는 1903년에 최초의 비행기로 날았다. (역사적 사실)

③ 미래시제 (「will+동사원형」, 「be going to+동사원형」)

미래시제는 단순 미래, 말하는 사람의 의지나 순간적 결정, 예정된 계획을 나타낸다.

Dave **will be** sixteen years old next year. Dave는 내년에 16살이 된다. (단순 미래)
I **will study** hard for the midterm. 나는 중간고사를 위해 열심히 공부할 것이다. (말하는 사람의 의지)
We**'re going to** move to a new house. 우리는 새 집으로 이사 갈 것이다. (이미 계획한 일)

시간과 조건을 나타내는 부사절(when, after, if 등이 있는 절)에서는 미래의 일이라도 현재시제를 사용해요.
Call me **when** you **get** there. 거기 도착하면 전화해.

문법 확인 Ⓐ 문장 해석하기

▶ Answer p.6

1 The sun **rises** in the east.
→ 해는 동쪽에서   .

2 Karl Benz **invented** the first car in 1886.
→ Karl Benz는 1886년에 최초의 차를   .

3 Tom **has** lunch at noon every day.
→ Tom은 매일 정오에 점심을   .

4 It **will rain** a lot tomorrow.
→ 내일은 비가 많이   .

5 Jennifer **does** yoga twice a week.
→ Jennifer는 일주일에 두 번 요가를   .

6 We **are going to go** on a picnic this weekend.
→ 우리는 이번 주말에 소풍을   .

7 A: I can't open this bottle.
B: Give it to me. **I'll** do it.
→ A: 나는 이 병을 못 열겠어.
B: 나한테 줘봐. 내가   .

Point 08 진행형

❶ 현재진행형

> 「be동사의 현재형(am/are/is)+v-ing」: ~하고 있다, ~하는 중이다

He **is riding** a bike in the park. 그는 공원에서 자전거를 타고 있다.

I **am eating** dinner **now**. 나는 지금 저녁을 먹고 있다.

They **are meeting this afternoon**. 그들은 오늘 오후에 만날 것이다.

》 현재시제는 평소에 하는 일을 나타내는 반면, 현재진행형은 지금 하고 있는 일을 나타내요.

》 현재진행형은 주로 현재 시점이나 최근 기간을 나타내는 표현 (now, these days, this ~ 등)과 함께 쓰여요.

》 가까운 미래의 확정된 사실은 현재진행형으로 쓸 수 있어요.

❷ 과거진행형

> 「be동사의 과거형(was/were)+v-ing」: ~하고 있었다, ~하는 중이었다

She **was talking** on the phone. 그녀는 전화 통화하고 있었다.
The children **were sleeping** at that time. 아이들은 그 때 자고 있었다.

》 과거진행형은 주로 과거 시점이나 과거 기간을 나타내는 표현 (then, at that time 등)과 함께 쓰여요.

Q 모든 동사를 진행형으로 만들 수 있나요?

A 아니오. 소유(have, own, belong, need, want 등), 감정(like, hate, love 등), 감각(see, hear, smell 등), 인식(know, understand, believe 등)과 같이 상태를 나타내는 동사는 진행형으로 쓰지 않아요.

단, have의 경우 '가지다'의 뜻일 때에는 진행형이 불가능하지만 '먹다', '(시간 등을) 보내다'의 뜻일 때는 가능해요.
I **am having** two brothers. (✕) 나는 남자형제가 둘 있다.　　I **am having** lunch.(○) 나는 점심을 먹고 있다.

문법 확인 Ⓑ **문장 해석하기**

▶ **Answer p.6**

1 He **is cleaning** the windows now.　　→ 그는 지금 유리창을 　　　　　　　.

2 My father **was driving** then.　　→ 나의 아빠는 그 때 　　　　　　　.

3 I **am staying** at my aunt's house this week.　　→ 나는 이번 주에 나의 이모 집에서 　　　　　　　.

4 We **were lying** on the beach.　　→ 우리는 해변에 　　　　　　　.

5 The leaves **are falling** from the tree.　　→ 나뭇잎들이 나무에서 　　　　　　　.

6 My brother and I **were walking** home.　　→ 나의 남동생과 나는 집으로 　　　　　　　.

7 She **is eating** a lot these days.　　→ 그녀는 요새 　　　　　　　.

8 Lucy **is getting** married next month.　　→ Lucy는 다음 달에 　　　　　　　.

문법 기본 Ⓐ 빈칸에 들어갈 말에 V 표시하기

1 He _____ the test results the day after tomorrow. □ got □ get □ will get

2 The police _____ the bank robber last week. □ caught □ catch □ will catch

3 We go camping _____. □ last summer □ every summer

4 We _____ dinner when Kevin arrived. □ are having □ were having

5 This sauce _____ really good. □ tastes □ is tasting

6 She _____ an interesting novel these days. □ was reading □ is reading

7 I _____ my homework at that time. □ do □ am doing □ was doing

문법 기본 Ⓑ 알맞은 말 고르기

1 제2차 세계 대전은 1945년에 종결되었다. → The Second World War comes / came to an end in 1945.

2 달은 지구 주위를 돈다. → The moon goes / is going around the earth.

3 Judy는 항상 행복해 보인다. → Judy always looks / looks always happy.
★always 같은 빈도부사는 be동사 뒤나 일반동사 앞에 옵니다.

4 나의 남동생은 지금 코를 골고 있다. → My brother is snoring / was snoring now.

5 그녀는 진실을 알고 있다. → She is knowing / knows the truth.

6 너는 UFO의 존재를 믿니? → Do you believe / Are you believing in UFOs?

7 나는 다음 주 목요일에 떠난다. → I left / am leaving next Thursday.
★leave 같이 왕래발착을 나타내는 동사는 현재시제 혹은 현재진행으로 미래를 나타내요.

8 너는 어제 밤 11시에 무엇을 하고 있었니? → What are / were you doing at 11 p.m. yesterday?

문법 쓰기 Ⓐ 주어진 동사로 빈칸 완성하기

Example	나는 부모님과 이야기했다. → I *talked* with my parents.
	나는 부모님과 이야기하고 있었다. → I *was talking* with my parents.

1 skip   그는 종종 아침을 거른다. → He often _____ breakfast.

그는 어제 아침을 걸렀다. → He _____ breakfast yesterday.

2 visit   그녀는 매년 런던을 방문한다. → She _____ London every year.

그녀는 내년에 런던을 방문할 것이다. → She _____ London next year.

3 sing   아빠는 종종 샤워하면서 노래를 부르신다. → Dad often _____ in the shower.

아빠는 지금 샤워하면서 노래를 부르시고 있다. → Dad _____ in the shower now.

4 dance   그 소녀들은 지금 춤추고 있다. → The girls _____ now.

그 소녀들은 그 때 춤추고 있었다. → The girls _____ then.

문법 쓰기 Ⓑ 틀린 부분 고치기

Example	He is going join the contest. *is going join* → *is going to join*
	그는 대회에 참가할 예정이다.

1 He will is at home. → _____
그는 오늘밤 집에 있을 것이다.

2 Two men are walked side by side. → _____
두 남자가 나란히 걷고 있다.

3 Dad orders a pizza thirty minutes ago. → _____
아빠가 30분전에 피자를 주문했다.

4 All of us are having different ways of living. → _____
우리 모두는 삶의 방식이 다르다.

5 Kevin is taking pictures of his son then. → _____
Kevin은 그 때 자신의 아들의 사진을 찍고 있었다.

6 We were having a great time now. → _____
우리는 지금 즐거운 시간을 보내고 있다.

문법 쓰기 ⓒ 주어진 단어를 이용하여 문장 완성하기

> Example   바나나 나무는 덥고 습한 지역에서 자란다. (grow)
>
> → *Banana trees grow in hot and wet places.*

1 빈센트 반 고흐는 '별이 빛나는 밤'을 1889년에 그렸다. (paint)

→ Vincent Van Gogh   *The Starry Night* in 1889.

2 그는 항상 수업에 늦는다. (late, always)

→ He   for class.

3 봐! 밖에 눈이 내리고 있어. (snow)

→ Look! It   outside.

4 소포는 곧 도착할 것이다. (arrive)

→ The package   soon.

5 우리는 보통 학교에 걸어간다. (walk, usually, to, school)

→

6 그녀는 지난 주 토요일에 쇼핑을 갔었다. (go shopping, last Saturday)

→

7 고양이 두 마리가 벤치에 앉아 있었다. (two cats, sit, on the bench)

→

8 모든 것은 괜찮을 거야. (everything, all right)

→

서술형 예제 1

다음 주어진 문장을 지시에 맞게 바꿔 쓰시오. ♣ Point 07

I am the captain of the soccer team.

(1) _____ (과거시제로)

(2) _____ (미래시제로)

Teacher's guide

STEP ❶
과거시제 문장은 동사를 과거형으로 써서 나타내요. be동사 am의 과거형은 was입니다.

STEP ❷
'~할 것이다'를 뜻하는 미래시제 문장은 「will + 동사원형」 또는 「be going to + 동사원형」으로 써요. be 동사 am의 동사원형은 be로 씁니다.

정답 ≫ (1) I was the captain of the soccer team.
(2) I will[am going to] be the captain of the soccer team.

실전 연습 1

다음 주어진 문장을 지시에 맞게 바꿔 쓰시오. ♣ Point 07

Emma takes a swimming lesson.

(1) _____ (과거시제로)

(2) _____ (미래시제로)

서술형 예제 2

다음 우리말과 일치하도록 괄호 안의 말을 이용하여 대화를 완성하시오. ♣ Point 08

A: 내가 너에게 전화를 했을 때 너는 무엇을 하고 있었니?
B: 나는 음악을 듣고 있었어. (listen to)

A: What were you doing when I called you?
B: _____

Teacher's guide

STEP ❶
과거진행형으로 물어보고 있으므로, 과거진행형으로 답해야 해요. 과거진행형은 「was[were] + v-ing」의 형태로 써요.

STEP ❷
'음악을 듣다'는 listen to music이에요. 주어의 인칭과 수에 어울리는 be동사를 사용하고 listen에 -ing를 붙여요.

정답 ≫ I was listening to music.

실전 연습 2

다음 우리말과 일치하도록 괄호 안의 말을 이용하여 대화를 완성하시오. ♣ Point 08

A: 그 때 너와 Jenny는 무엇을 하고 있었니?
B: 우리는 배드민턴을 치고 있었어. (play badminton)

A: What were you and Jenny doing at that time?
B: _____

Point 09 현재완료의 쓰임과 형태

❶ 현재완료

현재완료는 「have[has]+과거분사(p.p.)」의 형태로, 과거에 시작된 일이 현재까지 계속되거나 영향을 미칠 때 쓴다.

I **have lived** in Seoul for ten years. 나는 서울에서 10년 동안 살아왔다.
= I started living in Seoul ten years ago, and I still live in Seoul. (10년 전에부터 서울에 살기 시작해서 현재까지 살고 있음.)

※ 불규칙하게 변하는 동사의 과거분사(p.p) 형태는 Chapter 12 다음에 있는 〈불규칙 동사표〉를 보고 암기하세요!

❷ 과거시제 vs. 현재완료

과거시제	현재완료
He **lost** his bike 그는 자전거를 잃어버렸다.	He **has lost** his bike. 그는 자전거를 잃어버렸다.
(현재 그 자전거를 찾았는지 알 수 없음)	(현재까지 그 자전거를 잃어버린 상태임)
≫ 과거의 어느 한 시점에 발생하고 끝난 사건으로, 현재와는 전혀 관계가 없어요.	≫ 과거의 동작이나 사실이 현재와 관련 있는 것으로, 현재의 상태를 나타내요. 현재완료는 yesterday, last week, two years ago 등 명백한 과거 시점을 나타내는 부사(구)와 함께 쓸 수 없어요.

❸ 현재완료의 부정문과 의문문

부정문	「have[has]+not+과거분사(p.p.)」	He **has not[= hasn't] traveled** abroad. 그는 외국으로 여행해본 적이 없다.
의문문	「Have[Has]+주어+과거분사(p.p.) ~?」	**Have** you ever **ridden** a horse? – Yes, I have. / No, I haven't. 너는 말을 타 본 적이 있니?　　　응, 타 본적이 있어. / 아니, 타 본적이 없어.
	「의문사+have[has]+주어+과거분사(p.p.) ~?」	**How long have** you **waited**? – I have waited for 30 minutes. 너는 얼마나 오래 기다렸니?　　　나는 30분 동안 기다렸어.

문법 확인 Ⓐ 문장 해석하기

▶ Answer p.6

1　It **has been** cold since last Friday. → 날씨가 지난 주 금요일부터 　　　　　　　.

2　Someone **has broken** the vase. → 누가 꽃병을 깨뜨렸고, 아직도 　　　　　　　 상태이다.

3　I **have waited** for him for an hour. → 나는 한 시간 동안 그를 　　　　　.

4　She **has worked** at the hospital for 10 years. → 그녀는 그 병원에서 10년간 　　　　　.

5　I **haven't seen** Brian for two months. → 나는 두 달간 Brian을 　　　　　.

6　He **has not tried** Thai food before. → 그는 태국 음식을 이전에 　　　　　.
　　　★try 먹어보다

7　A: **Have you ever been** to New York? → A: 너는 뉴욕에 　　　　　?
　　　B: No, I haven't.　　　　　　　　　　　　 B: 아니, 가본 적이 없어.

Point 10 현재완료의 의미

❶ 계속: 과거의 특정시점부터 현재까지 계속되고 있는 동작이나 상태를 나타낸다. ('계속 ~해왔다')

She **has had** a cold **for a week**.
그녀는 일주일 동안 감기를 앓아 왔다.
Mr. Brown **has worked** at the bank **since 2017**.
Brown 씨는 그 은행에서 2017년부터 일해 왔다.

>> for(~동안), since(~이래로), How long~?(얼마나 오래~?) 등과 함께 써요. for 뒤에는 지속된 기간(a week, two years 등)이 오고, since 뒤에는 과거 시점(last night, 과거년도 등)이 와요.

❷ 경험: 과거부터 현재까지 경험을 나타낸다. ('~한 적이 있다')

Have you **ever seen** a UFO? 너는 UFO를 본 적이 있니?

I **have been** to Japan **twice**. 나는 일본에 가본 적이 두 번 있다.

>> ever(지금까지), never(절대~않는), once(한번), before(전에), often(종종) 등과 함께 써요.

❸ 완료: 과거에 시작한 어떤 동작이 현재에 막 끝났음을 나타낸다. ('막/이미/벌써 ~했다')

The last bus **has** just **left**. 마지막 버스가 막 떠났다.

We **haven't found** the solution **yet**.
우리는 아직 해결책을 찾지 못했다.

>> 'just(막, 방금), already(이미), yet(아직, 벌써) 등과 함께 써요. just, already는 have[has]와 과거분사 사이에 쓰고, yet은 주로 문장 끝에 와요.
>> 'yet은 의문에서는 '벌써', 부정문에서는 '아직'을 의미해요.

❹ 결과: 과거에 발생한 어떤 사건이 현재의 결과로 나타날 때 사용한다. ('~해버렸다 (그래서 지금은 …하다)')

She has gone to France.
그녀는 프랑스로 가버렸다. (그래서 지금 여기에 없다.)

>> have[has] gone to는 '~에 가고 없다'는 결과를 나타낸다.

문법 확인 - Ⓑ 문장 해석하기

▶ Answer p.6

1 The package **has not arrived yet**.
→ 소포가 아직 _____ .

2 **Have you ever flown** a drone?
★fly 조정하다, 날리다 (fly-flew-flown)
→ 너는 드론을 _____ .

3 I **have already watched** this movie.
→ 나는 이미 이 영화를 _____ .

4 We **have been** best friends since we were ten.
→ 우리는 10살 때부터 가장 친한 친구로 _____ .

5 John **hasn't eaten** anything since yesterday.
→ John은 어제부터 아무것도 _____ .

6 He **has visited** the Science Museum once.
→ 그는 그 과학박물관에 한 번 _____ .

7 Chris **has broken** his leg.
→ Chris는 다리가 부러졌고, 지금도 _____ .

문법 기본 Ⓐ 동사의 과거분사형 쓰기

	원형	과거분사형		원형	과거분사형		원형	과거분사형
1	lose		11	teach		21	give	
2	write		12	catch		22	hold	
3	break		13	leave		23	keep	
4	take		14	grow		24	know	
5	spend		15	go		25	see	
6	ride		16	eat		26	do	
7	make		17	find		27	bring	
8	read		18	build		28	forget	
9	live		19	come		29	be	
10	tell		20	have		30	buy	

문법 기본 Ⓑ 알맞은 형태 고르기

1 누군가 어제 내 차에 긁힌 자국을 냈다. → Somebody   scratched / has scratched   my car yesterday.

2 Watson 박사님은 그 프로젝트가 시작된 이후 바쁘시다. → Dr. Watson   was / has been   busy since the project started.

3 그녀는 평생 눈을 본 적이 없다. → She   has never seen / never has seen   snow in her life.

4 우리는 한 시간 동안 줄을 서서 기다리고 있다. → We have waited in line   for / since   an hour.

5 나는 캐나다에 한 번 가본 적이 있다. → I have   been / gone   to Canada once.

6 나는 지난 달 이후로 그에게서 연락을 받은 적이 없다. → I haven't heard from him   for / since   last month.

7 어제 몇 시에 경기가 끝났나요? → What time   did the game finish / has the game finished   yesterday?

문법 쓰기 ⓐ 현재완료를 이용하여 한 문장으로 쓰기

Example	I lost my textbook, and I still don't have it.
	→ I _have lost_ my textbook.

1 Nancy started to do ballet when she was ten. She still does ballet.

→ Nancy _____ since she was ten.

2 Jerry just went out. He is not here now.

→ Jerry _____ just _____.

3 He and I became friends ten years ago. We are still friends.

→ He and I _____ for ten years.

4 They stopped talking to each other two weeks ago. They still don't talk to each other.

→ They _____ for two weeks.

문법 쓰기 ⓑ 틀린 부분 고치기

Example	Lisa have been sick for a week.	_have_ → _has_
	Lisa는 일주일째 아프다.	

1 It has rained a lot yesterday.
어제 비가 많이 왔다. _____ → _____

2 That car was there since last week.
저 차는 지난주부터 저기에 있었다. _____ → _____

3 I have never saw such a tall tree.
나는 그렇게 큰 나무를 본 적이 없다. _____ → _____

4 When have you bought this laptop?
너는 이 노트북을 언제 샀니? _____ → _____

5 Tony has been shy when he was a kid.
Tony는 어렸을 때 수줍음이 많았다. _____ → _____

6 Have you ever gone to a fireworks festival?
너는 불꽃놀이 축제에 가본 적이 있니? _____ → _____

문법 쓰기 Ⓒ 주어진 단어와 현재완료를 활용하여 문장 완성하기

> Example 우리는 며칠 동안 이 호텔에서 머무르고 있다. (stay)
>
> → *We have stayed at this hotel for a few days.*

1 그는 어렸을 때부터 무술에 관심이 있었다. (be interested)

→ He   in martial arts since he was young.

2 우리는 너무 일찍 왔다. 빵집이 아직 문을 열지 않았다. (open, yet)

→ We came too early. The bakery   .

3 나는 그 소녀의 이름을 잊어버렸다.(그래서 지금도 기억나지 않는다.) (forget)

→ I   the girls name.

4 그는 10년 넘게 바이올린을 연주해왔다. (play, the violin, over ten years)

→

5 너는 전에 마라톤에서 뛰어본 적이 있니? (ever, run a marathon, before)

→

6 나는 벌써 일어났다. (wake up, already)

→

7 그녀는 시험에서 부정행위를 한 적이 없다. (never, cheat, on a test)

→

8 우리는 2013년 이후로 이 집에서 살아왔다. (live, in this house)

→

서술형 예제 1

다음 대화의 흐름에 맞도록 괄호 안의 말과 현재완료를 사용하여 대화를 완성하시오. 👤 Point 09

A: Fred, did you clean your room? It's still messy.

B: Sorry, Mom. I _____.

(not, clean, yet)

Teacher's guide

STEP ❶

먼저 대화의 상황으로 보아 빈칸에 알맞은 말을 생각해보세요. 청소를 했냐는 엄마의 물음에 죄송하다고 답하는 것으로 보아 빈칸에는 '아직 청소를 하지 못했다'는 대답이 알맞아요.

STEP ❷

현재완료의 부정문으로 문장을 써야 해요. 현재완료의 부정은 「have[has] + not + 과거분사(p.p.)」로 써요. 그리고 yet은 주로 문장 끝에 써요.

정답 ≫ haven't cleaned it yet

실전 연습 1

다음 대화의 흐름에 맞도록 괄호 안의 말과 현재완료를 사용하여 대화를 완성하시오. 👤 Point 09

A: _____ your phone?

(how long, use)

B: I've used it for 3 years. I want to buy a new one.

서술형 예제 2

다음 대화를 읽고, 밑줄 친 우리말을 〈조건〉에 맞게 영작하시오. 👤 Point 10

A: 너는 일본에 가본 적이 있니?

B: No, I haven't.

조건	• to Japan, ever를 이용할 것
	• 총 6단어로 쓸 것

→ _____

Teacher's guide

STEP ❶

현재완료로 대답하는 것으로 보아, 질문도 현재완료로 해야 해요. 현재완료의 의문문은 「Have[Has] + 주어 + 과거분사(p.p.) ~?」의 형태로 써요.

STEP ❷

have[has] been to는 '~에 가본 적 있다'의 뜻으로 현재완료의 경험을 나타내요. have[has] gone to는 '~에 가고 없다'의 뜻으로 현재완료의 결과를 나타내요.

정답 ≫ Have you ever been to Japan?

실전 연습 2

다음 대화를 읽고, 밑줄 친 우리말을 〈조건〉에 맞게 영작하시오. 👤 Point 10

A: Is Henry here?

B: No. <u>그는 은행에 가고 없어요.</u>

조건	• to the bank를 이용할 것
	• 총 6단어로 쓸 것

→ _____

45

내신 대비 실전 TEST

▸ **Answer p.7**

객관식 (01~10)

[01~02] 다음 빈칸에 들어갈 말로 알맞은 것을 고르시오.

♣ Point 08

01
> He _____ very fast when the accident happened.

① drives ② is driving ③ was driving
④ has driven ⑤ will drive

♣ Point 09, 10

02
> Somebody has _____ all the cookies!

① ate ② eat ③ eating
④ eaten ⑤ was eating

♣ Point 09, 10

03 다음 빈칸에 들어갈 말로 알맞은 것을 <u>모두</u> 고르면?

> My family has stayed at the resort _____.

① last year ② this week
③ yesterday ④ four times
⑤ a few years ago

♣ Point 07

04 다음 빈칸에 들어갈 말이 순서대로 짝지어진 것은?

> • It _____ a lot tomorrow.
> • He _____ soccer every morning.

① rains – practices
② will rain – will practice
③ rains – will practice
④ will rain – practices
⑤ rains – am practicing

♣ Point 08

05 다음 대화의 빈칸에 들어갈 말로 알맞은 것은?

> A: _____
> B: She is studying in her room.

① What does she do?
② Where is she studying?
③ What does she study?
④ When does she study?
⑤ What are you doing now?

♣ Point 09, 10

06 다음 대화의 빈칸에 공통으로 들어갈 말로 알맞은 것은?

> A: Have you ever been to Vietnam?
> B: Yes, I've _____ there many times.

① be ② been ③ gone
④ went ⑤ being

대표 ♣ Point 10

07 다음 우리말을 영어로 바르게 옮긴 것은?

> 그는 도서관에 가서 여기 없다.

① He didn't go to the library.
② He has been to the library.
③ He has gone to the library.
④ He has not gone to the library.
⑤ He has never been to the library.

♣ Point 10

08 다음 중 밑줄 친 부분의 쓰임이 〈보기〉와 같은 것은?

> • 보기 •
> I <u>have</u> already <u>mailed</u> the postcards.

① I <u>have seen</u> the actress before.
② She <u>has</u> just <u>got</u> a call from him.
③ How long <u>have</u> you <u>had</u> the pain?
④ The woman <u>has lost</u> her memory.
⑤ She <u>has attended</u> this class since Tuesday.

09 다음 중 어법상 <u>틀린</u> 문장을 <u>모두</u> 고르면?

① Korea has four seasons.

② Columbus found America in 1492.

③ The boy is having many toy cars.

④ It will be foggy tomorrow morning.

⑤ She's going to hold a party last weekend.

고난도   ♣ Point 09, 10

10 다음 ⓐ~ⓔ 중 어법상 옳은 문장의 개수는?

ⓐ I have visited Spain last summer.
ⓑ He has never played chess before.
ⓒ Have you ever rode a roller coaster?
ⓓ My uncle has not forgotten his first love.
ⓔ When have they moved to a new house?

① 1개   ② 2개   ③ 3개   ④ 4개   ⑤ 5개

서술형 기본 (11~19)

[11~12] 다음 괄호 안의 동사를 빈칸에 현재진행형과 현재형 중 알맞은 형태로 쓰시오.

♣ Point 08

11
Let's not play soccer. It _____ now. (rain)

♣ Point 07

12
My brother usually _____ to bed at eleven. (go)

♣ Point 07

13 다음 대화의 빈칸에 공통으로 알맞은 말을 쓰시오.

A: How _____ your trip to Hawaii last summer?
B: It _____ great. I will never forget it.

→ _____

[14~15] 다음 괄호 안의 동사를 빈칸에 알맞은 형태로 쓰시오.

♣ Point 07

14
Sam (1) _____ (go) fishing yesterday.
He (2) _____ (catch) a lot of fish.

♣ Point 07

15
Bill is 11 years old this year. He _____ (be) 12 years old next year.

[16~17] 다음 괄호 안의 말과 현재완료를 사용하여 대화를 완성하시오.

♣ Point 09

16
A: _____ scuba diving? (go, ever)
B: No, I haven't. But I want to try it someday.

♣ Point 09

17
A: Are you hungry?
B: Yes, I'm starving. I _____ anything today. (not, eat)

대표   ♣ Point 10

18 다음 두 문장을 한 문장으로 나타낼 때 빈칸에 알맞은 말을 쓰시오.

Karen started to study Spanish last summer.
She still studies Spanish.

→ Karen _____ Spanish _____ last summer.

고난도   ♣ Point 10

19 다음 우리말과 일치하도록 괄호 안의 말을 바르게 배열할 때 세 번째 오는 단어를 쓰시오.

나는 이미 숙제를 끝냈다.
(have / I / finished / my homework / already)

→ _____

서술형 심화 (20~25)

♣ Point 09

20 다음 주어진 문장을 지시에 맞게 바꿔 쓰시오.

> He has seen pandas before.

(1) 부정문 : _____

(2) 의문문 : _____

♣ Point 08

21 다음 그림을 보고, 괄호 안의 동사를 이용하여 대화를 완성하시오.

A: What were you and your brother doing?

B: _____ (play)

♣ Point 09

22 다음은 엄마가 장을 보러 가시면서 지호에게 부탁한 사항이다. 목록을 참여하여, 엄마가 장에서 돌아오셔서 지호와 나눈 대화를 〈조건〉에 맞게 완성하시오.

Things to Do	Done?
Finish cleaning the house	○
Wash the dishes	×

조건
- 현재 완료 시제로 쓸 것
- 괄호 안의 주어진 단어를 포함하여 쓸 것

> Mom: Jiho, have you finished cleaning the house?
> Jiho : Yes, Mom. I (1) _____
> _____ . (just)
> But I (2) _____
> _____ .(yet).
> Mom: That's okay. You can do it now.

♣ Point 07

23 다음 괄호 안의 말을 이용하여 대화를 완성하시오.

> A: I can't reach Amy. What happened to her?
> B: _____
> on the bus, so, she doesn't have it now.
> (leave, cellphone)

대표 ♣ Point 07

24 다음은 민호의 이번 주 토요일 일정을 나타낸 표이다. 표의 내용을 참고하여 글을 완성하시오.

	Sat.	
	Yes	No
Watch a movie	✓	
Read a book	✓	
Play online games		✓

> On Saturday, Minho (1) _____ a movie. Also, he (2) _____ a book. But he (3) _____ online games.

고난도 ♣ Point 09, 10

25 다음은 Ms. Park에 관한 정보를 나타낸 표이다. 표의 정보를 이용하여 대화를 완성하시오.

30 years ago	She was born in Seoul.
5 years ago	She started teaching math.
now	She still lives in Seoul.

A: How long has Ms. Park lived in Seoul?

B: She (1) _____ .

A: When did she start teaching math?

B: She (2) _____ .

CHAPTER 03

조동사

Get Ready

can	I can jump high.	나는 높이 뛸 수 있다. (능력)
may	You may use my phone.	너는 내 전화기를 사용해도 된다. (허가)
must	He must be hungry.	그는 배고픈 게 틀림없다. (추측)
used to	She used to collect coins.	그녀는 동전을 수집하곤 했다. (습관)
must	You must follow this rule.	너는 이 규칙을 준수해야 한다. (의무)
should	You should eat healthy.	너는 건강에 좋은 음식을 섭취해야 한다. (충고)

조동사란 말 그대로 '**동사를 돕는**' 동사로 본동사(be동사, 일반동사) 앞에서 **능력, 허가, 추측, 습관, 의무, 충고** 등의 의미를 추가하는 역할을 해요. 조동사 뒤에는 항상 동사원형이 오고 부정을 나타낼 때는 조동사 바로 뒤에 not을 붙여요.

Point 11 can과 may

① can은 능력, 허가, 요청을 나타낸다.

능력	~할 수 있다 (= be able to+동사원형)	Flamingos **can(= are able to)** stand on one leg. 홍학은 한 발로 서 있을 수 있다. She **could(= was able to)** read when she was four. 그녀는 네 살 때 읽을 수 있었다. He **will be able to** walk again in a few months. 그는 몇 달 후에는 다시 걸을 수 있을 것이다.	» can이 능력을 의미할 때 will be able to를 써서 미래를 나타내요.
허가	~해도 된다[좋다] (= may)	You **can** pay in cash. 현금으로 지불하셔도 됩니다.	
요청	~해 주시겠어요?	**Can[Could]** you lend me your camera? 당신의 카메라를 제게 빌려주시겠어요?	» could는 can 보다 좀 더 공손한 부탁을 나타내요.

② may는 허가와 불확실한 추측을 나타낸다.

허가	~해도 된다[좋다] (= can)	You **may** leave early if you wish. 너는 원한다면 일찍 가도 된다.	
불확실한 추측	~일지도 모른다	We **may[might]** be a little late. 우리는 조금 늦을지도 모른다.	» might는 may 보다 약한 추측을 나타내요.

문법 확인 Ⓐ 문장 해석하기

▶ Answer p.9

1 I **can** run 100 meters in 15 seconds. → 나는 100 미터를 15초에 _____.

2 You **cannot** take a picture here. → 여기서 사진 찍으시면 _____.

3 **Can** I have your autograph? → 제가 당신의 사인을 _____?
★autograph (유명인의) 사인

4 **May** I see your passport, please? → 제가 당신의 여권을 좀 _____?

5 He **couldn't** solve the puzzle in time. → 그는 시간 내에 퍼즐을 _____.

6 It **might** snow in the evening. → 저녁에는 _____.

7 **Could** you speak a little louder? → 좀 더 크게 _____?

8 The rumor **may** not be true. → 그 소문은 사실이 _____.

Point 12 used to와 would

❶ 「used to+동사원형」은 현재에는 더 이상 지속되지 않는 과거의 반복적인 행동 또는 과거의 상태를 나타낸다.

과거의 습관	(전에는) ~하곤 했다	I **used to** bite my fingernails when I was young. 나는 어렸을 때 손톱을 물어뜯곤 했다.
과거의 상태	(전에는) ~이었다	There **used to** be two bakeries in my town. Now there is only one. (전에는) 우리 마을에 빵집이 두 개였다. 지금은 하나밖에 없다.

❷ would는 과거의 반복적인 행동을 나타낸다.

과거의 습관	~하곤 했다 (= used to)	We **would**(= used to) swim in this river when we were kids. 우리는 어린아이였을 때 이 강에서 수영하곤 했다.

Q 조동사 would로 과거의 상태도 나타낼 수 있나요?

A 아니오, would는 used to와는 달리 과거의 반복적인 행동만 나타내고, 과거의 상태는 나타낼 수 없어요.

과거의 상태	I **would** live in Busan. (×) I **used** to live in Busan. (○) 나는 부산에 살았었다.
과거의 습관	I **would** jog every day. (○) I **used** to jog every day. (○) 나는 매일 조깅하곤 했다.

문법 확인 B **문장 해석하기**

▶ **Answer** p.9

1 She **used to** work as a nurse. → 그녀는 간호사로 _____ .

2 We **would** go for a walk after dinner. → 우리는 저녁 먹고 _____ .

3 Dad **used to** take us to the ballpark. → 아빠는 우리를 야구장에 _____ .

4 I **would** eat chocolate when I was upset. → 나는 화가 났을 때 초콜릿을 _____ .

5 Henry **used to** be a troublemaker at school. → Henry는 학교에서 _____ .
★troublemaker 말썽꾸러기, 문제아

6 Some kids **would** tease me about my name. → 어떤 아이들은 내 이름을 가지고 나를 _____ .
★tease 괴롭히다, 놀리다

7 There **used to** be a tall tree in the square. → 광장에는 키 큰 나무가 하나 _____ .

8 Whenever we were bored, we **would** play board games. → 우리는 지루할 때마다, 보드게임을 _____ .

문법 기본 Ⓐ 밑줄 친 조동사의 의미로 알맞은 것에 V 표시하기

1 <u>Can</u> you give me a ride to school? ☐ 능력 ☐ 허가 ☐ 요청

2 I <u>can</u> play the electric guitar. ☐ 능력 ☐ 허가 ☐ 요청

3 <u>Can</u> I ask you a question? ☐ 능력 ☐ 허가 ☐ 요청

4 He <u>might</u> believe your story. ☐ 능력 ☐ 허가 ☐ 추측

5 <u>May</u> I sit here, please? ☐ 능력 ☐ 허가 ☐ 추측

6 He <u>used to</u> drive to work but now he walks. ☐ 과거의 습관 ☐ 과거의 상태

7 We <u>would</u> play hide-and-seek in the house. ☐ 과거의 습관 ☐ 과거의 상태

8 The room <u>used to</u> have white wallpaper. ☐ 과거의 습관 ☐ 과거의 상태

문법 기본 Ⓑ 알맞은 조동사 고르기 (중복 선택 가능)

1 실례합니다, 문 좀 잡아주실래요? → Excuse me, can / may you hold the door for me?

2 나는 어렸을 때 어둠을 두려워했다. → When I was little, I would / used to be afraid of the dark.

3 여기서 수영하면 안 됩니다. 위험해요. → You can / can't swim here. It's dangerous.

4 Smith씨는 그의 친구들과 골프를 치곤했었다. → Mr. Smith would / used to play golf with his friends.

5 시험 볼 때 계산기를 사용해도 되나요? → Can / May I use a calculator on the test?

6 아이들은 밖에서 놀고 있을지도 모른다. → The children may / might be playing outside.

7 Emily는 예전에는 조용했었지만, 이제는 외향적이다. → Emily would / used to be quiet, but now she is outgoing.

문법 쓰기 Ⓐ 두 문장의 의미가 같도록 알맞은 조동사 쓰기

Example	She is able to speak three languages.
	→ She _____can_____ speak three languages.

1 Elephants are not able to jump. → Elephants _____ jump.

2 Is it okay if I use your computer? → _____ I use your computer?

3 We weren't able to catch the train on time. → We _____ catch the train on time.

4 Jenny was my best friend, but we aren't → Jenny _____ be my best friend.
  friends anymore.

5 Perhaps Ms. Lee is in the music room. → Ms. Lee _____ be in the music room.

문법 쓰기 Ⓑ 틀린 부분 고치기

Example	Bats can seeing in the dark.	_seeing_ → _see_
	박쥐는 어둠 속에서 볼 수 있다.	

1 Creative thinking may be not easy. _____ → _____
  창조적으로 생각하는 것은 쉽지 않을지도 모른다.

2 I used to playing chess with my brother. _____ → _____
  나는 나의 형과 체스를 두곤했다.

3 There would be a hair salon on the corner, but now _____ → _____
  it's gone. 우리말 영문 옆에 모퉁이에 미용실이 하나 있었는데, 이제 사라졌다.

4 I can't call her because my phone battery was dead. _____ → _____
  나는 전화기의 배터리가 다 되어서 그녀에게 전화할 수 없었다.

5 My father is used to go finishing every weekend. _____ → _____
  우리 아빠는 주말마다 낚시하러 가시곤 했다.

6 They might are late because of the bus strike. _____ → _____
  그들은 버스 파업으로 인해 늦을지도 모른다.

문법 쓰기 ⓒ **주어진 단어를 활용하여 문장 완성하기**

> Example 그는 물고기처럼 수영할 수 있다. (swim)
>
> → *He can swim like a fish.*

1 이 안은 좀 어둡네요. 등 좀 밝게 해주실래요? (turn up)

→ It's a little dark in here.   the light?

2 Eric은 어린 아이였을 때 많이 울곤 했다. (cry)

→ When Eric was a little child, he   a lot.

3 나는 열쇠를 구석구석 찾아봤지만 도저히 찾을 수 없었다. (can, find)

→ I looked everywhere for the key, but I   it.

4 그녀는 노래 부르기 대회에서 우승할지도 모른다. 그녀의 목소리는 굉장하다. (win)

→ She   the singing competition. Her voice is amazing.

5 이 코트를 환불 받을 수 있을까요? (get a refund, on this coat)

→

★get a refund 환불받다

6 우리는 여름마다 해변으로 가곤 했다. (go to the beach, every summer)

→

7 그 그림은 위조품일지도 모른다. (the painting, a fake)

→

★fake 위조품, 모조품

8 너는 그 쇼핑 센터에 너의 반려동물을 데려와도 된다. (bring your pet, to the mall)

→

서술형 예제 1

다음은 Sam과 Fred가 다룰 수 있는 악기를 나타낸 표이다. 표를 보고 둘의 대화를 완성하시오. (단, 빈칸에 한 단어씩 쓰기) 👤 Point 11

	Sam	Fred
드럼	×	○
기타	○	×

Sam: Fred, _____ you _____ the drums?

Fred: Yes, I _____. But I _____ _____ the guitar.

Teacher's guide

STEP ①

능력에 관한 대화이므로 조동사 can을 이용해서 써요. can의 의문문은 「Can + 주어 + 동사원형...?」의 형태입니다.

STEP ②

Can you ...?로 물었을 때 긍정의 대답은 「Yes, I can.」이에요. can의 부정문은 「주어 + cannot[can't] + 동사원형...」의 형태로 써요.

정답 ≫ can, play, can, can't play

실전 연습 1

다음은 Judy와 Ted가 말할 수 있는 외국어를 나타낸 표이다. 표를 보고 둘의 대화를 완성하시오. (단, 빈칸에 한 단어씩 쓰기) 👤 Point 11

	Judy	Ted
스페인어	○	×
일본어	×	○

Judy: Ted, _____ you _____ Spanish?

Ted: No, I _____. But I _____ _____ Japanese.

서술형 예제 2

다음 두 문장을 〈조건〉에 맞게 한 문장으로 바꿔 쓰시오. 👤 Point 12

Mike played computer games a lot, but he doesn't play them as much now.

조건	• 알맞은 조동사를 사용할 것
	• 총 8단어로 쓸 것

→ _____

Teacher's guide

STEP ①

현재에는 더 이상 지속되지 않는 과거의 상태 또는 과거의 반복적인 행동은 「used to + 동사원형」을 이용하여 써요.

STEP ②

'Mike는 컴퓨터 게임을 많이 하곤 했다'를 뜻하는 문장을 주어진 문장의 표현을 이용하여 글자 수에 맞게 써요.

정답 ≫ Mike used to play computer games a lot.

실전 연습 2

다음 두 문장을 〈조건〉에 맞게 한 문장으로 바꿔 쓰시오. 👤 Point 12

There was a convenience store near my school, but there isn't now.

조건	• 알맞은 조동사를 사용할 것
	• 총 10단어로 쓸 것

→ _____

13 must와 have to

❶ must는 의무 또는 강한 추측을 나타낸다.

의무	~ 해야 한다 (= have to)	You **must** wear a helmet. 너는 헬멧을 써야한다. You **must not** walk on the grass. 잔디 위를 걷지 마시오. 》 must의 부정은 must not으로 '~해서는 안 된다'라는 의미의 강한 금지를 나타내요.
강한 추측	~임에 틀림없다	Tom didn't have lunch. He **must** be hungry. Tom은 점심을 먹지 않았다. 그는 배고픈 것이 틀림없다. Cathy already went home. She **cannot[can't]** be at school. Cathy는 이미 집에 갔다. 그녀는 학교에 있을 리가 없다. 》 '~일 리가 없다'는 뜻의 강한 부정을 나타낼 때는 cannot be를 사용해요.

❷ have to는 의무·필요를 나타낸다. 동사 have는 주어의 수·인칭, 시제에 따라 형태가 변화한다.

긍정문	have[has] to ~해야 한다	I **have to** hurry. 나는 서둘러야 한다.
부정문	don't[doesn't] have to ~할 필요가 없다 (불필요)	You **don't have to** hurry. 너는 서두를 필요가 없다.
의문문	Do[Does]+주어+have to ~? ~해야 하나요?	**Do** we **have to** hurry? 우리는 서둘러야 하나요?
과거시제	had to ~해야 했다	They **had to** hurry. 그들은 서둘러야 했다.
미래시제	will have to ~해야 할 것이다	We **will have to** hurry. 우리는 서둘러야 할 것이다.

➕

must와 have to 둘 다 '~해야 한다'는 의미이지만, 부정문일 때는 둘의 의미가 달라지므로 주의해야 해요.

must	「주어+must not[mustn't]+동사원형」	~해서는 안 된다
have[has] to	「주어+don't[doesn't] have to+동사원형」	~할 필요가 없다 (= don't need to)

문법 확인 Ⓐ **문장 해석하기**

▶ Answer p.10

1 He **must** be a professional dancer. → 그는 전문적인 댄서임이   .

2 You **must not** cheat on a test. → 너는 시험에서   .
★cheat 부정행위하다

3 You **must** cross the street at a crosswalk. → 너는 횡단보도에서 길을   .

4 She **has to** overcome her fear. → 그녀는 그녀의 두려움을   .
★overcome 극복하다

5 He **doesn't have to** wear a suit to work. → 그는 직장에 정장을   .

6 **Do** I **have to** answer every question? → 제가 모든 질문에   ?

7 I **had to work** until 11 o'clock last night. → 나는 어젯밤 11시까지   .

Point 14 should와 had better

❶ should는 의무 · 필요 또는 충고를 나타낸다.

의무 · 필요	~해야 한다	We **should** protect the environment. 우리는 환경을 보호해야 한다. You **should not** break your promise. 너는 너의 약속을 어기면 안 된다.	≫ should는 must보다 강제성이 약하고, 주로 도덕적으로 옳거나 그렇게 하는 것이 좋을 때 사용해요. ≫ should의 부정은 should not으로 '~해서는 안 된다'라는 의미의 금지를 나타내요.
충고	~하는 것이 좋다	You look sick. You **should** go home and rest. 너는 아파 보인다. 집에 가서 쉬는 것이 좋겠어.	

❷ had better는 당연이나 강한 충고를 나타낸다.

당연 · 충고	~하는 것이 좋겠다	I **had better** leave now. It's getting dark. 나는 지금 떠나는 것이 좋겠다. 어두워지고 있다. You**'d better** go to the dentist. 너는 치과에 가보는 것이 좋겠다. You **had better not** eat too much. 너는 많이 먹지 않는 것이 좋겠다.	≫ had better는 그렇게 하지 않을 때 불이익이 따르는 경고성이 있는 상황에서 써요. ≫ 축약형은 「주어'd better」으로 써요. ≫ 부정형은 「had better not+동사원형」으로 써요.

문법 확인 ─Ⓑ 문장 해석하기

▶ **Answer p.10**

1 She **should** do more exercise.
★do exercise 운동하다
→ 그녀는 좀 더 ＿＿＿＿＿＿＿＿.

2 You**'d better** put a bandage on that cut.
→ 너는 그 상처에 반창고를 ＿＿＿＿＿＿＿＿.

3 You **should** not eat food in the library.
→ 너는 도서관에서 음식을 ＿＿＿＿＿＿＿＿.

4 You **had better** not skip meals.
★skip 거르다, 빼먹다
→ 너는 식사를 ＿＿＿＿＿＿＿＿.

5 He **should not** be so selfish.
→ 너는 그렇게 ＿＿＿＿＿＿＿＿.

6 I**'d better not** go out tonight. I'm really tired.
→ 나는 오늘밤 ＿＿＿＿＿＿＿＿. 나는 너무 피곤하다.

7 You **should** tidy up your room.
★tidy up 정리하다
→ 너는 네 방을 ＿＿＿＿＿＿＿＿.

8 You**'d better** go now before the traffic gets
too bad.
→ 너는 정체가 심해지기 전에 지금 ＿＿＿＿＿＿＿＿.

문법 기본 Ⓐ 밑줄 친 조동사의 의미로 알맞은 것에 V 표시 하기

1 You <u>must</u> fasten your seat belt.   ☐ 추측   ☐ 의무

2 You <u>must</u> be joking.   ☐ 추측   ☐ 의무

3 You <u>don't have to</u> say sorry.   ☐ 금지   ☐ 불필요

4 You <u>must not</u> make a quick decision.   ☐ 금지   ☐ 불필요

5 That <u>can't</u> be Alex.   ☐ 능력   ☐ 추측

6 I <u>have to</u> take my dog to the vet.   ☐ 의무   ☐ 추측

7 You'<u>d better</u> not eat cold food.   ☐ 불필요   ☐ 충고

8 You <u>should</u> wash your hands before meals.   ☐ 충고   ☐ 추측

문법 기본 Ⓑ 알맞은 것 고르기

1 너는 거짓말을 해서는 안 된다. → You must / must not tell lies.

2 그는 채식주의자일 리가 없다. → He must / cannot be a vegetarian.
★vegetarian 채식주의자

3 서둘러! 너는 학교에 늦으면 안 돼. → Hurry up! You must not / don't have to be late for school.

4 일요일이어서 나는 일찍 일어날 필요가 없다. → It is Sunday, so I must not / don't have to get up early.

5 너는 컴퓨터를 끄는 게 좋겠다. → You'd better / better not turn off the computer.

6 너는 가방을 거기에 두지 않는 게 좋겠다. → You'd better / better not leave your bag there.

7 그 식당은 매우 인기 있다. 너는 미리 예약을 해야 한다. → The restaurant is very popular. You should / should not make a reservation in advance.

문법 쓰기 Ⓐ 지시대로 문장 바꿔 쓰기

Example	You have to win the game. (He를 주어로)
	→ *He has to win the game.*

1 You must take the medicine. (부정문으로) →

2 Ben must work late. (과거시제로) →

3 You should travel by yourself. (부정문으로) →

4 He has to do the laundry. (부정문으로) →

5 We have to leave early. (의문문으로) →

6 We have to find another way. (미래시제로) →

문법 쓰기 Ⓑ 틀린 부분 고치기

Example	You should nice to others.	should → should be
	너는 다른 사람들에게 친절하게 대해야 한다.	

1 Passengers not must lean against the doors. →
승객들은 문에 기대면 안 된다.

2 You had better listening to his advice. →
너는 그의 충고를 듣는 것이 좋겠다.

3 Lucy have to go to bed now. →
Lucy는 이제 자러 가야 한다.

4 We had enough time. So, we don't have to hurry. →
우리는 시간이 충분했다. 그래서 우리는 서두를 필요가 없었다.

5 You should not to make any noise in the library. →
너는 도서관에서 소란을 피우면 안 된다.

6 You had better not to read your sister's diary. →
너는 네 여동생의 일기를 읽지 않는 것이 좋겠다.

문법 쓰기 ─ⓒ **주어진 단어를 활용하여 문장 완성하기**

> Example   너는 내가 없는 동안 예의바르게 행동해야 한다. (behave, yourself)
>
> → *You must behave yourself while I'm away.*

1 그것은 중요한 비밀이야. 너는 그것을 아무에게도 이야기하면 안 돼. (must, tell)

→   It's an important secret. You   anyone.

2 Tom은 Jane에 대해 이야기하는 것을 멈추지 않는다. 그는 그녀에게 반한 것이 분명하다. (be in love)

→   Tom never stops talking about Jane. He   with her.

3 그들은 쌍둥이일 리가 없다. 그들은 전혀 닮지 않았다. (be twins)

→   They   . They don't look alike at all.

★not ~ at all 조금도 …아니다

4 Sarah은 토요일에 일할 필요가 없다. (work)

→   Sarah   on Saturdays.

5 우리는 우산을 챙기는 게 좋겠어. (had better, take)

→

6 너는 너의 시간을 낭비하면 안 된다. (should, waste)

→

7 우리는 줄을 서서 기다려야하나요? (have to, wait in line)

→

★wait in line 줄을 서서 기다리다

8 그는 시험을 다시 봐야 할 것이다. (take the test, again)

→

서술형 예제 1

다음 표지판이 나타내는 의미를 〈조건〉에 맞게 완성하시오.

♣ Point 13

조건	• 표지판의 그림과 어울리는 내용으로 완성할 것
	• must, swim, in this lake를 사용할 것

→ You _____.

Teacher's guide

STEP ❶
표지판과 〈조건〉을 보니 '이 호수에서 수영하지 마시오.'라는 뜻의 문장이 되어야 해요.

STEP ❷
'~하면 안 된다'라는 뜻의 「must not + 동사원형」을 이용하여 표지판의 내용을 쓰세요.

정답 》 must not swim in this lake.

실전 연습 1

다음 표지판이 나타내는 의미를 〈조건〉에 맞게 완성하시오.

♣ Point 13

조건	• 표지판의 그림과 어울리는 내용으로 완성할 것
	• must, throw away, trash를 사용할 것

→ You _____.

서술형 예제 2

다음 우리말을 〈조건〉에 맞게 영작하시오. ♣ Point 14

너는 너의 지갑을 차 안에 두지 않는 것이 좋겠다.

조건	• had better, leave, wallet, the car를 사용할 것
	• 총 10단어로 쓸 것

→ _____

Teacher's guide

STEP ❶
우선 주어인 '너'를 영어로 바꿔 쓰세요.

STEP ❷
'~하지 않는 것이 좋겠다'는 「had better not + 동사원형」의 형태로 써요.

정답 》 You had better not leave your wallet in the car.

실전 연습 2

다음 우리말을 〈조건〉에 맞게 영작하시오. ♣ Point 14

너는 그 우유를 마시지 않는 것이 좋겠다.

조건	• had better, drink, that milk를 사용할 것
	• 총 7단어로 쓸 것

→ _____

객관식 (01~10)

[01~02] 다음 빈칸에 들어갈 말로 알맞은 것을 고르시오.

👤 Point 13

01

> Joe is smiling. He _____ be happy.

① can't   ② must   ③ may not

④ shouldn't   ⑤ had better

👤 Point 12

02

> I _____ always lose when I played chess with my father.

① may   ② can   ③ would

④ have to   ⑤ had better

👤 Point 11

03 다음 빈칸에 공통으로 들어갈 말로 알맞은 것을 모두 고르면?

> A: _____ you do me a favor?
> B: Sure. What is it?
> A: I'm going on a trip for a week. _____ you please take care of my dog?
> B: Okay. No problem.

① Can   ② May   ③ Must

④ Should   ⑤ Could

👤 Point 13

04 다음 밑줄 친 부분과 바꿔쓸 수 있는 것은?

> You <u>must</u> do your homework first.

① can   ② may   ③ used to

④ have to   ⑤ would

👤 Point 13

05 다음 우리말을 영어로 바르게 옮긴 것은?

> 네가 다음번에는 요리해야 할 것이다.

① You had to cook next time.

② You're able to cook next time.

③ You will must cook next time.

④ You will have to cook next time.

⑤ You will be able to cook next time.

[06~07] 다음 밑줄 친 조동사의 쓰임이 나머지 넷과 다른 것을 고르시오.

👤 Point 11

06 ① He <u>may</u> be sleeping.

② We <u>may</u> need this book.

③ You <u>may</u> stay here with me.

④ They <u>may</u> not like my answer.

⑤ She <u>may</u> remember your face.

👤 Point 11, 13

07 ① We <u>must</u> save energy.

② You <u>must</u> listen to your parents.

③ He <u>must</u> be tired after the long drive.

④ They <u>must</u> keep quiet in the museum.

⑤ You <u>must</u> come back as soon as possible.

대표 👤 Point 11, 13

08 다음 짝지어진 문장의 의미가 다른 것은?

① May I come in?

     = Can I come in?

② You must not hurry.

     = You don't have to hurry.

③ Maybe she is popular.

     = She may be popular.

④ Can you ski?

     = Are you able to ski?

⑤ You can't park here.

     = You must not park here.

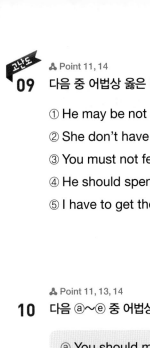

09 ♣ Point 11, 14

다음 중 어법상 옳은 것은?

① He may be not at home now.
② She don't have to call me later.
③ You must not feeding the birds.
④ He should spend more time reading.
⑤ I have to get there before everyone left.

10 ♣ Point 11, 13, 14

다음 ⓐ~ⓔ 중 어법상 옳은 문장이 모두 짝지어진 것은?

ⓐ You should more careful.
ⓑ He has to follow my advice.
ⓒ You'd better apologize to her.
ⓓ We can't sleep well last night.

① ⓐ, ⓑ   ② ⓐ, ⓓ   ③ ⓑ, ⓒ
④ ⓒ, ⓓ   ⑤ ⓐ, ⓑ, ⓒ

서술형 기본 (11~19)

[11~13] 다음 두 문장의 의미가 같도록 빈칸에 알맞은 말을 쓰시오.

11 ♣ Point 13

I'm sure she is a good teacher.
= She _____ be a good teacher.

12 ♣ Point 11

We could not see anything in the fog.
= We were _____ _____ _____
  see anything in the fog.

13 ♣ Point 12

He and I used to play soccer after school.
= He and I _____ play soccer after
  school.

14 ♣ Point 12

다음 두 문장을 한 문장으로 바꿀 때 빈칸에 알맞은 말을 쓰시오.

· Lisa was lazy.
· But she works hard these days.

→ Lisa _____ _____ _____
  lazy.

[15~17] 우리말과 일치하도록 괄호 안의 말을 이용하여 빈칸에 알맞은 말을 쓰시오.

15 ♣ Point 13

그녀는 여행을 위해 새 가방을 사야 한다.
(have to)

→ She _____ _____ _____
  a new bag for her trip.

16 ♣ Point 14

너는 패스트푸드를 너무 자주 먹으면 안 된다.
(should)

→ You _____ _____ _____
  fast food too often.

17 ♣ Point 14

너는 천천히 운전하는 것이 좋겠다.
(had better)

→ You _____ _____ _____
  slowly.

18 ♣ Point 13

다음 대화의 흐름에 맞도록 괄호 안의 말을 바르게 배열하시오.

A: How much is it?
B: _____ for it. It's free!
  (pay, have, you, to, don't)

19 ♣ Point 11

다음 문장을 조동사 may를 이용하여 바꿔 쓰시오.

Perhaps you are right.

→ _____

♣ Point 13

20 다음 우리말을 〈조건〉에 맞게 영작하시오.

(1) 그는 지난 주 토요일에 일해야 했다.

조건
• work, last Saturday를 활용할 것
• 총 6단어로 쓸 것

→ _____

(2) 제가 설거지를 해야 하나요?

조건
do the dishes를 활용할 것
총 7단어로 쓸 것

→ _____

♣ Point 11

21 다음은 Henry, Ann, Eric이 할 수 있는 것과 할 수 없는 것을 나타낸 표이다. 표를 참고하여, 〈보기〉와 같이 주어진 문장을 각각 완성하시오.

	Henry	Ann	Eric
할 수 있음	piano	Spanish	swim
할 수 없음	flute	Chinese	ski

• 보기 •
Henry can play the piano, but he can't play the flute.

(1) Ann _____.

(2) Eric _____.

♣ Point 14

22 다음 대화의 흐름에 맞도록 괄호 안의 말을 바르게 배열하시오.

A: I'm hungry.
B: Try this walnut pie. It's delicious.
A: Oh, it looks tasty. But I _____
_____. (eat, not, better, that pie, had)
B: Why not?
A: I'm allergic to nuts.

대표
♣ Point 11

23 다음 표지판을 보고, 조동사 can과 괄호 안의 말을 이용하여 금지를 나타내는 문장을 완성하시오.

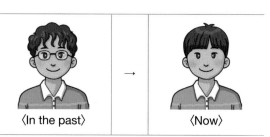

You _____ here.
(pictures)

♣ Point 12

24 다음 그림을 보고, 괄호 안의 말을 이용하여 Mike의 예전 모습을 묘사하는 문장을 완성하시오.

〈In the past〉	→	〈Now〉

(1) Mike _____ glasses. (wear)

(2) Mike _____ curly hair. (have)

고난도
♣ Point 11, 13

25 다음 일기예보표를 보고, 이번 주말 날씨를 예측하는 문장을 〈조건〉에 맞게 완성하시오.

	Chance of Rain
Friday	50%
Saturday	90%
Sunday	0%

조건
• must, cannot, may 중 알맞은 것을 사용할 것
• 비 올 가능성을 예측하는 내용으로 쓸 것

(1) On Friday, it _____.

(2) On Saturday, it _____.

(3) On Sunday, it _____.

to부정사

○ Get Ready ○

명사적 용법 **My dream is to travel around the world.**
내 꿈은 전 세계를 여행하는 것이다.

to부정사 형용사적 용법 **I have a lot of homework to do.**
나는 해야 할 숙제가 많다.

부사적 용법 **They saved money to buy a house.**
그들은 집을 사기 위해서 저축했다.

1. **to부정사**란 「to+동사원형」의 형태로서, 문장에서 명사나 형용사, 부사 역할을 해요.
2. to부정사와 함께 앞으로 배우게 될 동명사, 분사는 모두 준동사입니다. 셋 다 동사로부터 파생된 것으로서, 동사가 지닌 일부 성질을 유지하되 문장 안에서 동사가 아닌 다른 역할을 합니다.

Point
15 to부정사의 명사적 용법

to부정사는 「to＋동사원형」의 형태로, 명사처럼 쓰여 문장에서 주어, 보어, 목적어 역할을 한다.

주어 역할: ～하기는, ～하는 것은

To give advice is easy. 충고하는 것은 쉽다.

To keep promises *is* important. 약속을 지키는 것은 중요하다.　≫ to부정사가 문장에서 주어 역할을 할 경우 단수 취급해요.

보어 역할: ～하는 것(이다)

His dream is **to be** an actor. 그의 꿈은 배우가 되는 것이다.

My wish is **to compete** in the Olympics. 내 소원은 올림픽에 출전하는 것이다.

목적어 역할: ～하기를, ～하는 것을

I want **to go** back to my hometown. 나는 고향으로 돌아가기를 원한다.

We decided *not* **to move**. 우리는 이사를 하지 않기로 결정했다.　≫ to부정사의 부정은 to부정사 앞에 not[never]을 써서 나타냅니다.

to부정사를 목적어로 취하는 동사: **want, hope, plan, wish, need, decide, promise, choose, learn, expect, agree** 등

I **need to relax** for a while. (○)　　I **need relaxing** for a while. (×) 나는 잠시 휴식을 취할 필요가 있다.

문법 확인 Ⓐ 문장 해석하기　　　　　　　　　　　　　　　　　　　　　▶ **Answer** p.12

1　**To keep** a secret is not easy.

　→ ＿＿＿＿＿＿＿＿＿＿＿＿＿＿＿ 쉽지 않다.

2　Our plan was **to stay** here for two nights.

　→ 우리의 계획은 이틀 밤을 ＿＿＿＿＿＿＿＿＿＿.

3　Bill hopes **to run** his own business someday. ★run a business 사업을 하다

　→ Bill은 언젠가 ＿＿＿＿＿＿＿＿＿＿ 소망한다.

4　Her principle is **not to be** late for work.

　→ 그녀의 원칙은 ＿＿＿＿＿＿＿＿＿＿.

5　He promised **never to repeat** the same mistake. ★repeat 반복하다 mistake 실수

　→ 그는 ＿＿＿＿＿＿＿＿＿＿ 약속했다.

❶ It ~ to

주어 역할을 하는 to부정사가 길어질 경우, 보통 「It(가주어) ~ to부정사(진주어)」 형태로 쓴다.

To learn a new language is difficult.   새로운 언어를 배우는 것은 어렵다.

= **It** is difficult **to learn a new language**.
　 가주어　　　　　　　　진주어

It is fun **to watch baseball games**.   야구 경기를 보는 것은 즐겁다.

It may be dangerous **to swim in that river**.   저 강에서 수영하는 것은 위험할지도 모른다.

❷ 의문사+to부정사

「의문사+to부정사」는 명사처럼 쓰여 문장에서 주로 목적어 역할을 한다.

what+to부정사: 무엇을 ~할지	when+to부정사: 언제 ~할지	where+to부정사: 어디서[어디로] ~할지
how+to부정사: 어떻게 ~할지, ~하는 방법	who(m)+to부정사: 누구를 ~할지	which+to부정사: 어느 것을 ~할지

I didn't know **what to say**.　　　　　　　》「의문사+to부정사」는 「의문사+주어+should+동사원형」으로 바꿔 쓸 수 있어요.

= I didn't know **what I should say**.

나는 무슨 말을 해야 할지 몰랐다.

Have you decided **where to go** this vacation?　》「why+to부정사」는 쓰지 않아요.

너는 이번 방학에 어디로 갈지 결정했니?

문법 확인 ⓑ   문장 해석하기

▶ **Answer** p.12

1　**It** is important **to set goals in life**.

→ [　　　　　　　　　　　　]　중요하다.

2　Please let me know **when to call** you.

→ [　　　　　　　　　　　　]　내게 알려줘.

3　**It** may not be safe **to travel alone in the area**.

→ [　　　　　　　　　　　　]　안전하지 않을지도 모른다.

4　I don't know **who to vote** for in the election.

→ 나는 선거에서 [　　　　　　　　　　] 모르겠다.

5　They teach foreigners **how to make** kimchi.

→ 그들은 외국인들에게 [　　　　　　　　　　] 가르쳐 준다.

67

문법 기본 Ⓐ 밑줄 친 부분의 역할에 V 표시하기

1 His hobby is <u>to look</u> at webtoons.　　　　□ 주어　□ 목적어　□ 보어

2 <u>To watch</u> sci-fi movies is fun.　　　　□ 주어　□ 목적어　□ 보어

3 It is dangerous <u>to climb</u> a tall tree.　　　　□ 주어　□ 목적어　□ 보어

4 They decided <u>to get</u> married in May.　　　　□ 주어　□ 목적어　□ 보어

5 Jenny showed me <u>how to make</u> pancakes.　　　　□ 주어　□ 목적어　□ 보어

6 The important thing is <u>to begin</u> saving earlier.　　　　□ 주어　□ 목적어　□ 보어

7 It is not easy <u>to forgive</u> our enemies.　　　　□ 주어　□ 목적어　□ 보어

8 I can't decide <u>whom to cheer</u> for in this game.　　　　□ 주어　□ 목적어　□ 보어

문법 기본 Ⓑ 알맞은 말 고르기

1 사는 것은 배우는 것이다.　　→　Live / To live　is to learn.

2 다른 사람들에게 친절하게 대하는 것은 중요하다.　→　To be kind to others　is / are　important.

3 내 꿈은 조종사가 되는 것이다.　　→　My dream is　to be / to being　a pilot.

4 그는 그 질문에 답하지 않기로 선택했다.　→　He chose　to not answer / not to answer　the question.

5 나는 부모님을 실망시키기를 원하지 않는다.　→　I don't want　to disappoint / disappointing　my parents.

6 제게 어디에서 내려야 할지 알려주세요.　→　Please tell me　where to get off / where getting off　.

7 현재에 사는 것은 중요하다.　　→　It / That　is important to live in the moment.

8 나는 언제 소신을 말하고 입장을 밝혀야 하는지를 배웠다.　→　I learned　why / when　to speak up and take a stand.

문법 쓰기 Ⓐ **문장의 어순 배열하기**

Example	나는 다음에 무엇을 해야 할지 모르겠다. (next / what / do / to)
	→ I don't know *what / to / do / next* .

1 나는 그 일자리 제의를 받아들이지 않기로 결정했다. (accept / not / the job offer / to)

→ I decided _____ / _____ / _____ / _____ .

2 하루에 2리터의 물을 마시는 것은 필수적이다. (is / drink / necessary / to / it)

→ _____ / _____ / _____ / _____ two liters of water a day.

3 아이들은 식당에서 얌전하게 행동하는 법을 배울 필요가 있다. (at / how / a restaurant / to / behave)

→ Kids need to learn _____ / _____ / _____ / _____ .

4 우리의 임무는 대통령을 연단까지 호위하는 것이었다. (to the podium / escort / to / the president)

→ Our mission was _____ / _____ / _____ / _____ .

문법 쓰기 Ⓑ **틀린 부분 고치기**

Example	We decided to not go.	*to not* → *not to*
	우리는 가지 않기로 결정했다.	

1 The hardest part of her job is to training new staff.
그녀의 직업에서 가장 힘든 부분은 새 직원을 훈련하는 것이다.
_____ → _____

2 Promise me to never tell anyone about this.
이것에 대해 결코 누구에게도 이야기하지 않겠다고 내게 약속해줘.
_____ → _____

3 We agreed going out for dinner.
우리는 저녁에 외식을 하기로 동의했다.
_____ → _____

4 To travel around the world require a lot of money.
세계를 여행하는 것은 많은 돈을 필요로 한다.
_____ → _____

5 In case of fire, it's important not panic.
화재 시에는 당황하지 않는 것이 중요하다.
_____ → _____

6 Here's some advice on when to booking flights.
여기에 비행기 표를 언제 예약해야 할지에 대한 조언이 있다.
_____ → _____

문법 쓰기 ⓒ 주어진 단어와 to부정사를 활용하여 문장 완성하기

Example   Paul은 런던에서 경제학을 공부하기로 결심했다. (decide, study, economics)

→ *Paul decided to study economics in London.*

---

1 나의 올해 목표는 100권의 책을 읽는 것이다. (read, one hundred books)

→   My goal for this year is   .

2 내가 휴가를 보내는 동안 Eric은 내 개를 돌봐주기로 약속했다. (promise, take care of, dog)

→   Eric   while I am on vacation.

3 현금을 많이 들고 다니는 것은 좋은 생각이 아니다. (good idea, carry)

→   a lot of cash.

4 이 복사기를 사용하는 방법을 제게 알려주시겠어요? (use, this copy machine)

→   Can you show me   ?

5 가장 중요한 것은 포기하지 않는 것이다. (important thing, not, give up)

→

6 우리는 일찍 도착할 것이라고 예상했다. (expect, arrive early)

→

7 미래를 예견하는 것은 불가능하다. (it, impossible, predict)

→

8 나는 누구를 추천해야 할지 모르겠다. (know, recommend)

→

서술형 예제 1

다음 우리말을 〈조건〉에 맞게 영작하시오. ♣ Point 15

Sandra는 그녀의 집을 팔지 않기로 결정했다.

조건	• decide, not, sell, house를 사용할 것 • 총 7단어로 쓸 것

→ _____

Teacher's guide

STEP ❶
동사 decide는 to부정사를 목적어로 취해요. 따라서 '팔기로 결정했다'는 decided to sell로 써요.

STEP ❷
to부정사의 부정은 to부정사 앞에 not[never]을 써서 나타내요. 따라서 '팔지 않기로 결정했다'는 decided not to sell로 써요.

정답 ≫ Sandra decided not to sell her house.

실전 연습 1

다음 우리말을 〈조건〉에 맞게 영작하시오. ♣ Point 15

그는 다시는 담배를 피우지 않겠다고 약속했다.

조건	• promise, never, smoke, again을 사용할 것 • 총 6단어로 쓸 것

→ _____

서술형 예제 2

다음 우리말과 일치하도록 〈보기〉에서 필요한 단어를 골라 문장을 완성하시오. ♣ Point 16

아무도 엔진을 어떻게 시작해야 하는지 몰랐다.

• 보기 •
how, where, when, to start, starting, started, the engine

→ No one knew _____ .

Teacher's guide

STEP ❶
우선 〈보기〉에 주어진 단어들을 훑어보고, 「의문사＋to부정사」의 형태를 묻는 문제임을 파악합니다.

STEP ❷
'엔진을 어떻게 시작해야 하는지'를 「how＋to부정사」의 형태로 표현합니다.

정답 ≫ how to start the engine

실전 연습 2

다음 우리말과 일치하도록 〈보기〉에서 필요한 단어를 골라 문장을 완성하시오. ♣ Point 16

무엇을 먼저 해야 하는지 내게 말해줘.

• 보기 •
how, what, who, to do, doing, done, first

→ Please tell me _____ .

Point 17 to부정사의 의미상 주어

to부정사의 행위의 주체를 to부정사의 의미상 주어라고 한다.

❶ for+목적격

> 문장의 주어와 to부정사의 행위의 주체가 서로 다를 경우, to부정사 앞에 의미상 주어를 쓴다. to부정사의 의미상 주어는 보통 「for+목적격」 형태로 나타낸다.

It's not easy **for me to make** new friends.　≫ 문장의 주어(It)≠to부정사의 행위의 주체(me)
내가 새 친구들을 사귀는 것은 쉽지 않다.

It was hard **for her to choose** just one.
그녀가 딱 한 가지만 고르는 것은 어려웠다.

❷ of+목적격

> 사람의 성격, 태도를 나타내는 형용사(kind, nice, polite, clever, wise, silly, careful, careless, foolish, stupid, brave, rude 등)가 쓰이면, to부정사의 의미상 주어는 「of+목적격」 형태로 쓴다.

It's very *kind* **of you to help** me.　네가 나를 도와주다니 매우 친절하구나.

It was *foolish* **of him to make** the same mistake twice.　그가 같은 실수를 두 번 저지르다니 어리석었다.

의미상 주어가 막연한 일반 사람들을 가리키는 경우에는 보통 생략됩니다.

It is impossible **(for people) to live** without water.　(사람들이) 물 없이 사는 것은 불가능하다.

문법 확인 Ⓐ 문장 해석하기　　　　　　　　　　　　　　▶ Answer p.13

1　It is important **for children to play** outdoors.　→ [   ] 중요하다.

2　It was silly **of him to spend** all his money.　→ [   ] 어리석었다.

3　It was impossible **for us to get** there in time.　→ [   ] 불가능했다.

4　It was careless **of you to leave** the door open.　→ [   ] 부주의했다.

5　It is necessary **for you to learn** from mistakes.　→ [   ] 필요하다.

6　It was rude **of him to talk** back to his mom.　→ [   ] 무례했다.
　　★talk back to ~에게 말대꾸하다

7　It was brave **of you to speak** in front of people.　→ [   ] 용감했다.

8　It is natural **for you to worry** about her safety.　→ [   ] 당연하다.
　　★safety 안전

to부정사의 형용사적 용법

to부정사는 형용사처럼 쓰여 명사나 대명사를 뒤에서 수식한다.

① 명사/대명사＋to부정사

> to부정사는 형용사처럼 명사 또는 대명사를 뒤에서 수식하며, '~하는, ~할'로 해석한다.

I have a lot of work **to do** today. 나는 오늘 할 일이 많다.

I have no one **to advise** me. 내게 조언해 줄 사람이 아무도 없다.

② (대)명사＋to부정사＋전치사

> to부정사의 수식을 받는 명사가 「to부정사＋전치사」의 의미상 목적어일 경우, to부정사 뒤에 전치사를 반드시 써야 한다.

I need a pen **to write with**. 나는 가지고 쓸 펜이 필요하다. (← write **with** a pen)

There are some benches **to sit on**. 앉을 벤치가 몇 개 있다. (← sit **on** some benches)

③ 〈-thing, -one, -body〉＋형용사＋to부정사

> -thing, -one, -body로 끝나는 대명사를 형용사와 to부정사가 동시에 수식하는 경우, 「대명사＋형용사＋to부정사」의 어순이 된다.

Is there something cold **to drink**? 차가운 마실 거리가 있니?

문법 확인 ─ Ⓑ 문장 해석하기
▶ Answer p.13

1 I had no one **to talk to**.
→ 내게는   아무도 없었다.

2 Don't give him a chance **to run away**.
→ 그에게   주지 마라.

3 We are still looking for a house **to live in**.
→ 우리는 아직도   찾고 있다.

4 Bring some food **to share** with everyone.
→ 모두와 함께   가져오세요.

5 I have something exciting **to tell** you.
→ 나는 너에게   갖고 있어.

6 The children need a playground **to play in**.
★playground 운동장
→ 아이들은   필요하다.

7 Macao is a good place **to visit** in winter.
→ Macao는 겨울에   .

8 Is there anything good **to watch** on TV?
→ TV에서   있니?

문법 기본 Ⓐ 빈칸에 들어갈 말에 V 표시하기

1 It was not easy _____ her to leave her job.   □ of   □ for

2 It's very nice _____ you to show me the way.   □ of   □ for

3 It was foolish of her _____ the offer.   □ rejecting   □ to reject

4 The dog needs a toy _____ .   □ to play   □ to play with

5 The pilot looked for a safe place _____ .   □ to land   □ to landing

6 She had so many children _____ .   □ to take care   □ to take care of

7 Do you want _____ to try?   □ something new   □ new something

문법 기본 Ⓑ 알맞은 말 고르기

1 그녀에게는 부유해지고 싶은 소망이 없다.   → She has no desire to be / being rich.

2 네가 다른 사람들을 비판하기는 쉽다.   → It is easy for / of you to criticize others.

3 그가 그러한 말을 하다니 매우 무례했다.   → It was very rude for / of him to say such things.

4 우리가 앉을 의자가 하나도 없었다.   → There weren't any chairs for / of us to sit on.

5 그가 자신의 기술을 변경하다니 매우 영리했다.   → It was so clever for / of him to vary his techniques.

6 그에게는 함께 시간을 보낼 친구가 없었다.   → He had no friends to hang out / to hang out with .

7 Karen은 읽을 잡지 한 부를 샀다.   → Karen bought a magazine to read / read in .

8 따뜻한 마실거리를 드시겠어요?   → Would you like hot something / something hot to drink?

문법 쓰기 Ⓐ 문장의 어순 배열하기

Example	그는 집을 살 충분한 돈이 없었다. (money / a house / to / enough / buy)
	→ He didn't have *enough / money / to / buy / a / house* .

1 펭귄이 나는 것은 불가능하다. (fly / to / penguins / impossible / for)

→ It is _____ / _____ / _____ / _____ .

2 저를 차로 집까지 데려다 주시다니 당신은 친절하시군요. (kind / you / of / drive / to)

→ It's _____ / _____ / _____ / _____ me home.

3 그는 작업할 컴퓨터를 샀다. (to / on / a computer / bought / work)

→ He _____ / _____ / _____ / _____ .

4 그녀는 결혼식에 입고 갈 좋은 옷이 없다. (good / wear / to / nothing)

→ She has _____ / _____ / _____ to a wedding.

문법 쓰기 Ⓑ 틀린 부분 고치기

Example	I need a mat to lie.	*to lie* → *to lie on*
	나는 누울 매트가 필요하다.	

1 It is hard of me to say goodbye to you.
내가 너에게 작별인사를 하는 것은 어렵다. _____ → _____

2 Are you looking for a hotel to stay?
당신은 머무를 호텔을 찾고 있나요? _____ → _____

3 It was polite for you to apologize immediately.
네가 즉시 사과한 것은 예의바른 일이었다. _____ → _____

4 There is little water drinking in the bottle.
병에는 마실 물이 거의 없다. _____ → _____

5 It was unwise of she to lend him money.
그녀가 그에게 돈을 빌려준 것은 현명하지 않았다. _____ → _____

6 If you have nice something to say to someone, say it!
만약 누군가에게 해줄 좋은 말이 있다면, 그것을 말하세요! _____ → _____

문법 쓰기 C 주어진 단어와 to부정사를 활용하여 문장 완성하기

> Example 그 여배우는 그녀를 보호해줄 경호원을 고용했다. (hire, a bodyguard, protect)
>
> → *The actress hired a bodyguard to protect her.*

1 그가 회의에 대해 잊어버리다니 어리석었다. (silly, forget)

→ It   about the meeting.

2 그는 쓸 종이를 한 장 꺼냈다. (a piece of paper, write)

→ He took out   .

3 나는 밤에 입을 따뜻한 재킷이 필요하다. (a warm jacket, wear, at night)

→ I need   .

4 나는 너에게 보여줄 재미있는 것이 있어. (something, interesting, show)

→ I have   .

5 그가 경주를 끝내는 것은 중요했다. (important, finish, the race)

→ It   .

6 나는 함께 춤출 파트너가 필요해. (need, a partner, dance)

→

7 그녀가 버스를 잘못 타다니 부주의했다. (careless, take, the wrong bus)

→ It   .

8 그녀는 여행 중에 읽을 책을 한 권 가져왔다. (bring, read, during the trip)

→

서술형 예제 1

다음 우리말과 일치하도록 빈칸에 알맞은 말을 쓰시오.

👤 Point 17

> 그가 팔다리 없이 수영하는 것은 쉽지 않았다.

→ _____ was not easy _____ _____

_____ swim without arms and legs.

Teacher's guide

STEP 1
의미상 '그가 팔다리 없이 수영하는 것'이 문장의 주어임을 파악합니다. 그런데 이러한 우리말 뜻에 대응하는 표현인 swim without arms and legs가 문장 맨 끝에 쓰인 것으로 보아, 진주어가 문장 맨 뒤에 있는 「It ~ to-v」 문장임을 알 수 있어요.

STEP 2
형용사 easy는 사람의 성격이나 태도를 나타내는 형용사가 아니므로, to부정사의 의미상 주어는 「for + 목적격」의 형태로 to부정사 앞에 씁니다.

정답 ≫ It, for him to

실전 연습 1

다음 우리말과 일치하도록 빈칸에 알맞은 말을 쓰시오.

👤 Point 17

> 그녀가 노인에게 자리를 양보하다니 매우 친절하다.

→ _____ is very kind _____ _____

_____ give up her seat to the old man.

서술형 예제 2

다음 우리말을 〈조건〉에 맞게 영작하시오. 👤 Point 18

> 나는 내 눈을 보호해 줄 선글라스가 필요해.

조건	• need, sunglasses, protect, eyes를 사용할 것 • to부정사를 사용할 것 • 총 7단어로 쓸 것

→ _____

Teacher's guide

STEP 1
먼저 〈주어 + 동사〉에 해당하는 '나는 필요해' 부분을 I need~로 쓰세요.

STEP 2
'내 눈을 보호해 줄 선글라스'를 to부정사로 표현해요. to부정사가 명사를 수식할 때는 「명사 + to부정사」의 어순으로 써요.

정답 ≫ I need sunglasses to protect my eyes.

실전 연습 2

다음 우리말을 〈조건〉에 맞게 영작하시오. 👤 Point 18

> 그는 캠프 동안 먹을 약간의 간식을 가져왔다.

조건	• bring, some snacks, eat, during the camp를 사용할 것 • to부정사를 사용할 것 • 총 9단어로 쓸 것

→ _____

19 to부정사의 부사적 용법

to부정사는 부사처럼 쓰여 동사, 형용사, 다른 부사, 문장 전체를 수식한다.

목적: ～하기 위해서

They are standing in line **to(=in order to) buy** the tickets.   》 to 대신 in order to를 쓰면 목적의 의미가 더욱 분명해져요.
그들은 표를 사기 위해 줄을 서 있다.

감정의 원인: ～해서, ～하니

We are *happy* **to see** you again.   》 감정을 나타내는 형용사(glad, happy, pleased, sorry, surprised,
우리는 널 다시 만나게 돼서 기쁘다.   angry 등)를 수식해요.

판단의 근거: ～하다니, ～하는 것을 보니

She was foolish **to ignore** her mom's advice.   엄마의 충고를 무시하다니 그녀는 어리석었다.

결과: ～해서 (그 결과) …하다[되다]

The boy *grew up* **to be** a mighty hero.   》 결과를 나타내는 to부정사는 grow up, live, wake up 등의 동사와 자
소년은 자라서 힘센 영웅이 되었다.   주 함께 쓰여요.
He studied hard *only* **to fail** the exam.   》 to부정사가 only와 함께 쓰이면 but의 의미를 포함하여 '하지만 (결국) ～
그는 열심히 공부했지만, 시험에서 떨어졌다.   하다'의 뜻이 됩니다.

정도: ～하기에, ～하는 데

The water is *safe* **to drink**.   》 정도를 나타내는 to부정사는 easy, hard, safe, difficult, convenient
그 물은 마시기에 안전하다.   등의 형용사를 뒤에서 수식해요.

문법 확인 Ⓐ **문장 해석하기**
▶ **Answer** p.13

1 Nick saved money **to buy** a new bike.   → Nick은 새 자전거를　　　　　　　　돈을 저축했다.

2 She was surprised **to hear** the rumor.   → 그녀는 그 소문을　　　　　　　놀랐다.

3 He was wise **to seize** the opportunity.   → 그 기회를　　　　　　　그는 현명했다.
★seize 잡다

4 She lived **to see** her future generations.   → 그녀는 살아서　　　　　　　　.
★generation 세대

5 The dog was hard **to train**.   → 그 개는　　　　　　어려웠다.

6 We were disappointed **to lose** the game.   → 우리는 그 경기에서　　　　　　　실망했다.

7 Serena must be sick **to be** absent from the class.   → 수업에　　　　　　Serena는 아픈 게 틀림없다.
★absent 빠진, 결석한

8 I took a warm bath **in order to relax**.   → 나는　　　　　　　따뜻한 물에 목욕했다.

20 too ~ to / enough to

❶ too ~ to

> 「too+형용사/부사+to부정사」
> (=「so+형용사/부사+that+주어+can't/couldn't+동사원형~」)　　: 너무 ~해서 …할 수 없다, …하기에는 너무 ~하다

He is **too tired to do** his homework.　그는 너무 피곤해서 숙제를 할 수 없다.
= He is **so tired that he can't do** his homework.

I was **too shy to speak** in front of others.　나는 너무 수줍음이 많아서 다른 사람들 앞에서 이야기할 수 없었다.
= I was **so shy that I couldn't speak** in front of others.

❷ enough to

> 「형용사/부사+enough+to부정사」
> (=「so+형용사/부사+that+주어+can/could+동사원형~」)　　: …할 만큼 충분히 ~하다

He is **strong enough to carry** the box.　그는 그 상자를 옮길 만큼 충분히 힘이 세다.
= He is **so strong that he can carry** the box.

The cat ran **fast enough to catch** the mouse.　그 고양이는 쥐를 잡을 만큼 충분히 빠르게 달렸다.
= The cat ran **so fast that it could catch** the mouse.

문법 확인 ─ Ⓑ　문장 해석하기　　　　　　　　　　　　　　　▶ **Answer** p.13

1　The stadium is **big enough to hold** thousands of people.　★hold 수용하다

→ 그 경기장은 　　　　　　　　　　　　　　　　　　.

2　Julie was **too busy to hang out** with her friends.　★hang out with ~와 시간을 보내다

→ Julie는 　　　　　　　　　　　　　　　　　　.

3　The book was **interesting enough to read** twice.

→ 그 책은 　　　　　　　　　　　　　　　　　　.

4　Some games are **too violent for kids to play.**　★violent 폭력적인

→ 어떤 게임은 　　　　　　　　　　　　　　　　　　.

5　Mashed potatoes are **soft enough for babies to eat.**

→ 으깬 감자는 　　　　　　　　　　　　　　　　　　.

문법 기본 Ⓐ 밑줄 친 to부정사의 의미에 V 표시하기

1　We went to the stadium to watch a baseball game.　□ 정도　□ 목적　□ 판단의 근거

2　She was generous to share her secret recipe.　□ 목적　□ 감정의 원인　□ 판단의 근거

3　His lecture was easy to understand.　□ 목적　□ 판단의 근거　□ 정도

4　Jenny came home to find her dog dead.　□ 목적　□ 결과　□ 판단의 근거

5　I am sad to hear about Dr. Morgan's illness.　□ 정도　□ 감정의 원인　□ 판단의 근거

6　They must be rich to travel abroad so often.　□ 결과　□ 판단의 근거　□ 정도

7　He tried to stay awake, only to fall asleep.　□ 결과　□ 목적　□ 정도

문법 기본 Ⓑ 알맞은 말 고르기

1　나는 너무 겁이 나서 혼자 잘 수 없었다.　→ I was　so / too　scared to sleep alone.

2　감기에 걸리지 않도록 조심하세요.　→ Be careful not　catch / to catch　a cold.

3　피자는 만들기 쉽다.　→ Pizza is　to cook easy / easy to cook　.

4　그 문제를 풀다니 그는 똑똑한 게 틀림없다.　→ He must be smart　solving / to solve　the problems.

5　그 책은 너무 어려워서 내가 읽을 수 없었다.　→ The book was too difficult for me　to read / reading　.

6　Ted는 그의 컴퓨터가 멈추는 것을 보고 놀랐다.　→ Ted was surprised　to see / to seeing　his computer shutting down.

7　그는 나의 숙제를 도와줄 만큼 충분히 친절했다.　→ He was　kind enough / kindly enough　to help me with my homework.

▶ Answer p.14

문법 쓰기 Ⓐ to부정사를 활용하여 문장 바꿔 쓰기

Example   She visited France. She wanted to see the Eiffel Tower.

→   *She visited France to see the Eiffel Tower.*

---

1 Sam won the singing contest. He was happy.

→

2 James was so short that he couldn't take the ride.

→

3 I am so lucky. I have a friend like you.

→

4 This ladder is so strong that it can bear my weight.

→

문법 쓰기 Ⓑ 틀린 부분 고치기

Example   He was glad finishing the race.   *finishing* → *to finish*
그는 경주를 마쳐서 기뻤다.

---

1 He arrived so late to see the actors.   →
그는 너무 늦게 도착해서 배우들을 볼 수 없었다.

2 It is too cold playing outside.   →
너무 추워서 밖에서 놀 수가 없다.

3 She tried to forget him, to only fail.   →
그녀는 그를 잊으려고 노력했지만, 실패했다.

4 The bag is enough large to hold a laptop.   →
그 가방은 노트북이 들어갈 만큼 충분히 크다.

5 He went to the cash machine drawing some money.   →
그는 약간의 돈을 뽑기 위해 현금인출기로 갔다.

6 Many people tell lies in order hiding something.   →
많은 사람들은 무언가를 감추기 위해 거짓말을 한다.

81

문법 쓰기 ⓒ **주어진 단어와 to부정사를 활용하여 문장 완성하기**

> Example   아이들은 현장학습을 가서 신이 났다. (excited, go on a field trip)
>
> → *The children were excited to go on a field trip.*

1   그 교수의 질문은 대답하기에 너무 어려웠다. (difficult, answer)

→   The professor's question was   .

2   그는 그의 개를 산책시키려고 공원에 갔다. (walk, dog)

→   He went to the park   .

3   그녀는 열심히 공부했지만, 입학시험에서 떨어졌다. (fail, the entrance exam)

→   She studied hard,   .

4   이 노트북은 하루 종일 들고 다녀도 될 만큼 충분히 가볍다. (light, carry around, all day)

→   This laptop is   .

5   그녀는 아들의 편지를 받아서 기뻐했다. (pleased, receive, her son's letter)

→

6   그런 거짓말을 믿다니 그는 바보임이 틀림없다. (a fool, believe, such a lie)

→

7   Tolstoy는 자라서 유명한 소설가가 되었다. (grow up, be, a famous novelist)

→

8   그 청바지는 너무 꽉 껴서 그녀가 입을 수 없었다. (the jeans, tight, wear)

→

서술형 예제 1

다음 우리말을 〈조건〉에 맞게 영작하시오.　👤 Point 19

> Harry는 그의 새로운 일을 시작해서 기뻤다.

조건	• pleased, start, new job을 사용할 것
	• to부정사를 사용할 것
	• 총 8단어로 쓸 것

→ _____

Teacher's guide

STEP ❶
먼저 〈주어＋동사〉에 해당하는 'Harry는 기뻤다' 부분을 Harry was pleased~로 쓰세요.

STEP ❷
'그의 새로운 일을 시작해서'를 감정을 나타내는 to부정사로 표현해요. 감정을 나타내는 형용사 pleased 뒤에 to부정사구를 씁니다.

정답 》　Harry was pleased to start his new job.

실전 연습 1

다음 우리말을 〈조건〉에 맞게 영작하시오.　👤 Point 19

> 그녀는 식기세척기를 주문하기 위해 그 웹사이트에 가입했다.

조건	• join, website, order, a dishwasher를 사용할 것
	• to부정사를 사용할 것
	• 총 8단어로 쓸 것

→ _____

서술형 예제 2

다음 주어진 문장을 'so~that'을 이용하여 바꿔 쓰시오.
👤 Point 20

> The phone is too expensive for me to buy.

→ _____

Teacher's guide

STEP ❶
「too＋형용사/부사＋to부정사」는 「so＋형용사/부사＋that＋주어＋can't/couldn't＋동사원형~」으로 바꿔 써요.

STEP ❷
주어진 문장의 me는 to부정사의 의미상 주어로, 'so~that' 문장에서는 주격 I로 써요. 주어진 문장의 동사 is로 보아 현재 시제이므로, 바꿔 쓸 문장의 시제도 똑같이 현재 시제로 맞춰 주어요.

정답 》　The phone is so expensive that I can't buy it.

실전 연습 2

다음 주어진 문장을 'so~that'을 이용하여 바꿔 쓰시오.
👤 Point 20

> The test was easy enough for him to pass.

→ _____

내신 대비 실전 TEST

▶ Answer p.14

객관식 (01~10)

♣ Point 15

01 다음 빈칸에 들어갈 말로 알맞은 것은?

> My goal for this semester is _____ straight A's.

① get ② gets ③ to get
④ gotten ⑤ to getting

♣ Point 15

02 다음 문장에서 not이 들어갈 위치로 알맞은 곳은?

> David (①) promised (②) to (③) fight (④) with his brother (⑤) again.

♣ Point 16

03 다음 중 밑줄 친 부분의 쓰임이 나머지 넷과 다른 것은?

① It is not easy to take care of a baby.
② It is dangerous to jump from the desk.
③ It is his dream to be a famous singer.
④ It takes about ten minutes to the beach.
⑤ It is wrong to copy your friend's homework.

♣ Point 16

04 다음 대화의 빈칸에 들어갈 말로 알맞은 것은?

> A: Do you know _____ to buy plus-size clothes?
> B: Well, how about buying them online?

① why ② what ③ when
④ which ⑤ where

♣ Point 17

05 다음 빈칸에 들어갈 말이 나머지 넷과 다른 것은?

① It's very sweet _____ you to say so.
② It was rude _____ him to behave that way.
③ It is natural _____ you to miss your family.
④ It was brave _____ you to speak up for me.
⑤ It is honest _____ him to admit his mistake.

[06~07] 다음 밑줄 친 부분의 쓰임이 〈보기〉와 같은 것을 고르시오.

♣ Point 19

06
> • 보기 •
> We went to the station <u>to see</u> him off.

① I'm sorry <u>to trouble</u> you.
② She cannot be poor <u>to buy</u> the car.
③ Chinese is not easy <u>to learn</u>.
④ He woke up <u>to find</u> his house on fire.
⑤ The leaders met <u>to discuss</u> the problem.

♣ Point 19

07
> • 보기 •
> He must be a fool <u>to think</u> so.

① I am lucky <u>to have</u> you in my life.
② Bad habits are hard <u>to break</u>.
③ She was surprised <u>to learn</u> his secret.
④ The man lived <u>to be</u> 100 years old.
⑤ The sidewalks are dangerous <u>to walk</u> on.

대표 ♣ Point 20

08 다음 중 문장의 의미가 나머지 넷과 다른 것은?

① I am too busy to exercise.
② I am very busy, but I can exercise.
③ I am very busy, so I cannot exercise.
④ I am so busy that I can't exercise.
⑤ I can't exercise because I am so busy.

Point 20

09 다음 우리말을 영어로 바르게 옮긴 것은?

> 그 차는 여섯 명이 들어갈 수 있을 정도로 충분히 크다.

① The car is too big for six people to fit in.
② The car is too big of six people to fit in.
③ The car is big enough for six people to fit in.
④ The car is so big that six people can't fit in it.
⑤ The car is big enough of six people to fit in.

 Point 18

10 다음 ⓐ~ⓔ 중 어법상 옳은 문장의 개수는?

> ⓐ I need some crayons to draw with.
> ⓑ There are some issues to deal with.
> ⓒ Do you have special anything to do?
> ⓓ There are many ways to share culture.
> ⓔ The lady needs a comfortable chair to sit.

① 1개   ② 2개   ③ 3개   ④ 4개   ⑤ 5개

서술형 기본 (11~19)

[11~12] 다음 빈칸에 for 또는 of 중에서 알맞은 것을 쓰시오.

Point 17

11
> It was careless _____ you to leave the car unlocked.

Point 17

12
> Is it possible _____ robots to have feelings?

대표

[13~14] 다음 문장에서 어법상 <u>틀린</u> 부분을 찾아 바르게 고쳐 쓰시오.

Point 18

13
> There isn't enough snow skiing.

_____ → _____

Point 20

14
> She is enough rich to have her own limousine.

_____ → _____

[15~16] 다음 두 문장의 의미가 같도록 빈칸에 알맞은 말을 쓰시오.

Point 16

15
> I don't know who to thank for this.

= I don't know who I _____ _____ for this.

Point 20

16
> He was too shy to ask her out.

= He was so _____ _____ he _____ ask her out.

[17~18] 다음 우리말과 일치하도록 괄호 안의 말을 이용하여 빈칸에 알맞은 말을 쓰시오.

Point 19

17
> 우리는 좋은 소식을 듣고 기뻐했다. (pleased, hear)

→ We were _____ _____
_____ the good news.

Point 15

18
> 우리는 서로에게 선물을 주지 않기로 합의했다.
> (agree, give)

→ We _____
_____ _____ each other presents.

 Point 18

19 다음 우리말과 일치하도록 괄호 안의 말을 바르게 배열할 때 네 번째로 오는 단어를 쓰시오.

> 나는 너에게 말할 아주 중요한 것이 있다.
> (I, tell, important, to, something, you, have)

→ _____

♣ Point 15

20 다음 대화의 흐름에 맞도록, 괄호 안의 말을 이용하여 대화를 완성하시오.

> A: Linda, what is your dream?
> B: My dream is (1) _____ .
>   (be, a vet) How about you?
> A: I wish (2) _____ .
>   (be, a photographer)

♣ Point 16

21 다음 괄호 안의 말을 바르게 배열하여 그림 속 인물의 말을 완성하시오.

→ I can't decide _____ .
   (to, first, eat, what)

♣ Point 16, 17

22 다음 우리말을 〈조건〉에 맞게 영작하시오.

> (1) 나는 친구들을 사귀는 것이 어렵다.

> 조건 · 가주어와 의미상 주어를 사용할 것
>   · difficult, make를 사용할 것
>   · 총 8단어로 쓸 것

→ _____

> (2) 그가 자신의 열쇠를 잃어버리다니 어리석었다.

> 조건 · 가주어와 의미상 주어를 사용할 것
>   · silly, lose, key를 사용할 것
>   · 총 9단어로 쓸 것

→ _____

♣ Point 19

23 다음 두 문장을 to부정사를 이용하여 한 문장으로 바꿔 쓰시오.

> (1) She wanted to catch the first train. So she woke up early.

→ _____
  _____

> (2) He survived the crash. But he died in the desert.

→ _____
  _____

대표 ♣ Point 20

24 다음 우리말과 일치하도록 〈보기〉에서 필요한 단어를 골라 문장을 완성하시오.

> • 보기 •
> fast   too   win   the race
> enough   complicated   follow

> (1) 그 소년은 경주에서 이길 만큼 충분히 빠르게 뛰었다.

→ The boy ran _____ .

> (2) 그 설명서는 내가 따라 하기에는 너무 복잡했다.

→ The manual was _____
  _____ .

고난도 ♣ Point 18

25 민호네 가족은 등산을 가려고 한다. 괄호 안의 말을 바르게 배열하여 필요한 물건에 관해 말하는 문장을 완성하시오.

> (1) We need _____ .
>   (water, drink, to, enough)
> (2) We need _____
>   when we go hiking. (shoes, wear, comfortable, to)
> (3) We need to pack _____
>   when we rest. (to, on, a mat, sit)

동명사

Get Ready

	주어 역할	**Making new friends is exciting.** 새 친구를 사귀는 것은 신나는 일이다.
동명사의 역할	보어 역할	**My grandma's hobby is gardening.** 나의 할머니의 취미는 정원을 가꾸는 것이다.
	목적어 역할	**I like listening to music.** 나는 음악을 듣는 것을 좋아한다.

> **동명사**란 「동사원형+ing」의 형태로서, 문장에서 명사처럼 쓰여 주어, 보어, 목적어의 역할을 해요.

Point 21 동명사의 쓰임

동명사는 「동사원형+ing」의 형태로, 문장에서 명사처럼 쓰여 주어, 보어, 목적어 역할을 한다.

주어 역할: ~하기는, ~하는 것은

Finding a true friend is hard.   진정한 친구를 찾는 것은 어렵다.

Making movies *is* not easy.   영화를 만드는 것은 쉽지 않다.   》동명사(구)가 문장에서 주어 역할을 할 경우 단수 취급해요.

보어 역할: ~하는 것(이다)

His hobby is **collecting** model cars.   》동명사가 문장에서 주어나 보어로 쓰일 때는 to부정사로 바꿔 쓸 수 있어요.

그의 취미는 모형 자동차를 수집하는 것이다.

목적어 역할: ~하기를, ~하는 것을

I've finished **cleaning** my room. 〈동사의 목적어〉

나는 내 방을 청소하는 것을 끝냈다.

Thank you for **helping** me. 〈전치사의 목적어〉   》전치사의 목적어로는 명사나 동명사를 써야 하며, to부정사는 쓸 수 없어요.

저를 도와주셔서 감사합니다.

동명사의 부정형은 동명사 앞에 not이나 never를 써서 나타내요.

He regrets *not* **going** to university.   그는 대학에 가지 않은 것을 후회한다.

문법 확인 **문장 해석하기**   ▶ Answer p.16

1   **Walking** is good for your heart.   → ⬚⬚⬚⬚⬚⬚⬚ 당신의 심장에 좋다.

2   Her job is **teaching** English.   → 그녀의 일은 ⬚⬚⬚⬚⬚⬚⬚.

3   I don't mind **sitting** alone.   → 나는 ⬚⬚⬚⬚⬚⬚⬚ 신경 쓰지 않는다.

4   Eric is good at **playing** the piano.   → Eric은 ⬚⬚⬚⬚⬚⬚⬚ 잘한다.

5   His problem is **not coming** to class on time.   → 그의 문제는 정각에 ⬚⬚⬚⬚⬚⬚⬚.

6   **Drinking** too much coffee causes headaches.   → ⬚⬚⬚⬚⬚⬚⬚ 두통을 일으킨다.

7   Are you tired of **eating** the same food?   → 너는 ⬚⬚⬚⬚⬚⬚⬚ 지겹니?

8   I insisted on **not going** to the hospital.   → 나는 ⬚⬚⬚⬚⬚⬚⬚ 고집했다.
  ★insist on ~하겠다고 고집하다

Point 22 동명사와 to부정사 (1)

동명사나 to부정사, 혹은 둘 다를 목적어로 취할 수 있는지는 동사에 따라 달라진다.

❶ 동명사만을 목적어로 취하는 동사

enjoy v-ing	v하는 것을 즐기다	keep v-ing	v하는 것을 계속하다
mind v-ing	v하는 것을 꺼리다	practice v-ing	v하는 것을 연습하다
finish v-ing	v하는 것을 끝내다	imagine v-ing	v하는 것을 상상하다
stop v-ing	v하는 것을 멈추다	consider v-ing	v하는 것을 고려하다
quit v-ing	v하는 것을 그만두다	give up v-ing	v하는 것을 포기하다
avoid v-ing	v하는 것을 피하다	put off v-ing	v하는 것을 미루다

❷ to부정사만을 목적어로 취하는 동사

want to-v	v할 것을 원하다	decide to-v	v하기로 결정하다
hope to-v	v할 것을 바라다	choose to-v	v하기로 선택하다
wish to-v	v할 것을 바라다	agree to-v	v하기로 동의하다
expect to-v	v할 것을 기대하다	promise to-v	v할 것을 약속하다
plan to-v	v하기로 계획하다	pretend to-v	v한 척하다
need to-v	v할 것을 필요로 하다	learn to-v	v하는 것을 배우다

문법 확인 ─ Ⓑ 문장 해석하기

▶ Answer p.16

1 The workers **finished repairing** the street. → 일꾼들은 거리를 _____ .

2 He **chose to join** the basketball club. → 그는 농구 동아리에 _____ .

3 Would you **mind turning on** the air conditioner? → 당신은 에어컨을 _____ ?

4 We **decided to take** a taxi home. → 우리는 집에 택시를 _____ .

5 He **avoided looking at** me when he answered. → 그는 대답할 때 나를 _____ .

6 You **need to wear** a suit to the interview. → 당신은 면접에 정장을 _____ .

7 She **practiced reading** the English sentences. → 그녀는 영어 문장을 _____ .

8 He **hopes to pass** the test on the first try. → 그는 단번에 시험에 _____ .

89

▶ Answer p.16

문법 기본 Ⓐ 밑줄 친 동명사의 역할에 V 표시하기

1 Has it stopped <u>raining</u>?   ☐ 주어   ☐ 목적어   ☐ 보어

2 Thank you for <u>understanding</u> me.   ☐ 주어   ☐ 목적어   ☐ 보어

3 <u>Learning</u> a foreign language requires a lot of time.   ☐ 주어   ☐ 목적어   ☐ 보어

4 One of life's pleasures is <u>eating</u> delicious food.   ☐ 주어   ☐ 목적어   ☐ 보어

5 Would you mind <u>giving</u> me a ride home?   ☐ 주어   ☐ 목적어   ☐ 보어

6 <u>Finding</u> a parking space is quite difficult in this area.   ☐ 주어   ☐ 목적어   ☐ 보어

7 One of her duties is <u>serving</u> the customers.   ☐ 주어   ☐ 목적어   ☐ 보어

8 My favorite pastime is <u>reading</u> books.   ☐ 주어   ☐ 목적어   ☐ 보어

문법 기본 Ⓑ 알맞은 말 고르기

1 채소를 먹는 것은 여러분의 건강에 좋다. → Eating vegetables   is / are   good for your health.

2 지도자들은 경청을 잘해야 할 필요가 있다. → Leaders need to be good at   to listen / listening   .

3 나의 남동생은 액션 영화를 보는 것을 즐긴다. → My brother enjoys   watch / watching   action movies.

4 그는 Grand 호텔에서 머무는 것을 고려했다. → He   planned / considered   staying at the Grand Hotel.

5 여러분은 전기 없이 사는 것을 상상할 수 있나요? → Can you imagine   to live / living   without electricity?

6 너는 내게 전화하기로 약속했지만 하지 않았다. → You promised   to call / calling   me, but you didn't.

7 나는 아직 짐을 싸는 것을 끝내지 못했다. → I haven't finished   to pack / packing   yet.

8 열심히 공부하지 않아서 그는 시험에 낙제했다. →   Not studying hard / Studying not hard   caused him to fail the test.

문법 쓰기 Ⓐ 문장의 어순 배열하기

Example 저는 밖에서 기다려도 상관없어요. (mind / outside / don't / waiting)

→ I   *don't / mind / waiting / outside*   .

1 자기 전에 우유를 마시는 것은 당신이 잠드는 데 도움이 된다. (before / milk / drinking / bed)

→ _____ / _____ / _____ / _____ helps you to sleep.

2 내가 정말로 좋아하는 것은 다른 나라로 여행 가는 것이다. (to / traveling / countries / other)

→ What I really like is _____ / _____ / _____ .

3 여가 시간에, 그녀는 자신의 고양이와 노는 것을 즐긴다. (her cat / playing / enjoys / with)

→ In her spare time, she _____ / _____ / _____ .

4 Josh는 스페인으로 여행을 가게 되어 신이 나 있다. (a trip / going / about / on)

→ Josh is excited _____ / _____ / _____ to Spain.

문법 쓰기 Ⓑ 틀린 부분 고치기

Example Mary keeps to talk about her problems.   *to talk*   →   *talking*

Mary는 자신의 문제에 대해 계속 말한다.

1 Smoking cause lung cancer.
흡연은 폐암을 유발한다.
_____ → _____

2 He left without to say goodbye.
그는 작별 인사도 하지 않고 떠났다.
_____ → _____

3 I'm thinking of going not to their party.
나는 그들의 파티에 가지 않을 생각이다.
_____ → _____

4 I haven't finished paint the wall yet.
나는 아직 벽에 페인트를 칠하는 것을 끝내지 못했다.
_____ → _____

5 Respect each other is very important.
서로를 존중하는 것은 매우 중요하다.
_____ → _____

6 The old man avoided to meet people.
그 노인은 사람들을 만나는 것을 피했다.
_____ → _____

91

문법 쓰기 ─C   주어진 단어와 동명사를 활용하여 문장 완성하기

> Example   나는 바다에서 수영하는 것을 즐긴다. (enjoy, swim)
>
> →   *I enjoy swimming in the sea.*

1   너무 빨리 먹는 것은 그에게 배탈을 일으켰다. (eat, too quickly)

→ _____ gave him an upset stomach.

2   그의 나쁜 습관은 긴장할 때 입술을 깨무는 것이다. (bite, lips)

→   His bad habit is _____ when he is nervous.

3   내가 들어가자, 모두가 이야기하는 것을 멈췄다. (stop, talk)

→   When I came in, everybody _____.

4   내가 네 전화를 받지 못해서 미안해. (answer, call)

→   I'm sorry for _____.

5   사람들 앞에서 말하는 것은 나를 긴장하게 만든다. (speak, in front of, make, nervous)

→ _____

6   그의 임무는 암호를 푸는 것이다. (mission, solve, secret codes)

→ _____

7   당신의 이름을 제게 말씀해주시겠습니까? (would, mind, tell)

→ _____

8   실수를 저지르는 것을 두려워하지 마라. (be afraid of, make, mistakes)

→ _____

서술형 예제 1

다음 우리말을 〈조건〉에 맞게 영작하시오. 👤 Point 21

Tony는 퍼즐 푸는 것을 잘한다.

조건	• be good at, solve, puzzles를 사용할 것
	• 총 6단어로 쓸 것

→ _____

Teacher's guide

STEP ❶

영어 문장은 보통 〈주어 + 동사〉로 시작해요. 먼저 'Tony는'과 '잘한다'를 영어로 옮겨 써서, 'Tony is good at'으로 문장을 시작하세요.

STEP ❷

'퍼즐 푸는 것'을 전치사 at의 목적어로 씁니다. 이때 전치사의 목적어로는 동명사를 써야 하므로 solving puzzles의 형태로 씁니다.

정답 ≫ Tony is good at solving puzzles.

실전 연습 1

다음 우리말을 〈조건〉에 맞게 영작하시오. 👤 Point 21

나는 학교로 돌아가는 것이 긴장된다.

조건	• be nervous about, go back to school을 사용할 것
	• 총 8단어로 쓸 것

→ _____

서술형 예제 2

다음 〈보기〉에서 알맞은 말을 골라 주어진 우리말을 영작하시오. 👤 Point 22

• 보기 •

do, put off, one's homework, need

(1) 그는 자신의 숙제를 하는 것을 미뤘다.

→ _____

(2) 그는 자신의 숙제를 해야 할 필요가 있다.

→ _____

Teacher's guide

STEP ❶

(1) '미루다'라는 뜻의 put off는 동명사만을 목적어로 취하는 동사이므로, '자신의 숙제를 하는 것'을 동명사구로 표현합니다.

STEP ❷

(2) '필요가 있다'라는 뜻의 need는 to부정사만을 목적어로 취하는 동사이므로, '자신의 숙제를 해야 할'을 to부정사구로 표현합니다.

정답 ≫ (1) He put off doing his homework.
(2) He needs to do his homework.

실전 연습 2

다음 〈보기〉에서 알맞은 말을 골라 주어진 우리말을 영작하시오. 👤 Point 22

• 보기 •

consider, study, abroad, decide

(1) 그녀는 외국에서 공부하기로 결정했다.

→ _____

(2) 그녀는 외국에서 공부하는 것을 고려한다.

→ _____

23 동명사와 to부정사 ⑵

동명사와 to부정사 모두 목적어로 취할 수 있는 동사도 있다.

❶ 동명사와 to부정사를 모두 목적어로 취할 수 있는 동사 〈의미 차이 없음〉

start, begin, like, love, prefer, hate, continue 등
She began **crying[to cry]** in a loud voice. 그녀는 큰 소리로 울기 시작했다. The boy hates **eating[to eat]** broccoli. 그 소년은 브로콜리를 먹는 것을 싫어한다.

❷ 동명사와 to부정사를 모두 목적어로 취할 수 있는 동사 〈의미 차이 있음〉

remember+동명사: (과거에) ~한 것을 기억하다 remember+to부정사: (앞으로) ~할 것을 기억하다	forget+동명사: (과거에) ~한 것을 잊다 forget+to부정사: (앞으로) ~할 것을 잊다
regret+동명사: (과거에) ~한 것을 후회하다 regret+to부정사: (앞으로) ~하게 되어 유감이다	try+동명사: (시험 삼아, 한번) ~해보다 try+to부정사: ~하려고 노력하다
I remember **taking** my umbrella. 나는 내 우산을 챙긴 것을 기억한다.	I remember **to take** my umbrella. 나는 내 우산을 챙길 것을 기억한다.

stop은 동명사만 목적어로 취하는 동사예요. stop 뒤에 나오는 to부정사는 목적어가 아니라, 부사적 용법(목적)으로 쓰인 to부정사로서 '~하기 위해'라고 해석합니다.

「stop+동명사」	~하는 것을 멈추다	He stopped **smoking**. 그는 담배 피던 것을 멈췄다.
「stop+to부정사」	~하기 위해 멈추다[멈추고 ~하다]	He stopped **to smoke**. 그는 담배 피기 위해 멈췄다.

문법 확인 Ⓐ 문장 해석하기

▶ Answer p.17

1 We **started to sing** the national anthem. → 우리는 국가를 _____ .

2 He **continued working** until he was 70. → 그는 70세까지 _____ .

3 Mark clearly **remembers locking** the car. → Mark는 분명 차를 _____ .

4 **Remember to close** the door when you go out. → 나갈 때 문을 _____ .

5 Ted **regrets going** to the meeting. → Ted는 회의에 _____ .

6 I **regret to inform** you of the news. → 저는 당신에게 그 소식을 _____ .

7 I will never **forget winning** the race. → 나는 경기에서 _____ 못할 것이다.

8 I **forgot to save** the file and closed it. → 나는 파일을 _____ 닫아버렸다.

동명사의 관용 표현

go -ing	~하러 가다	I'd like to **go skiing**. 나는 스키 타러 가고 싶다.
be busy -ing	~하느라 바쁘다	The kids **are busy practicing** for the Christmas play. 아이들은 크리스마스 연극을 준비하느라 바쁘다.
feel like -ing	~하고 싶다	I **feel like going** for a walk. 나는 산책하러 가고 싶다.
look forward to -ing	~하기를 고대하다	I'm **looking forward to meeting** new friends. 나는 새 친구들을 만나기를 고대하고 있다.
be worth -ing	~할 가치가 있다	The movie **is worth seeing** twice. 그 영화는 두 번 볼 가치가 있다.
have trouble -ing	~하는 데 어려움을 겪다	She **had trouble getting** a visa. 그녀는 비자를 발급받는 데 어려움을 겪었다.
spend+시간/돈+-ing	~하는 데 시간/돈을 쓰다	He **spent two hours trying** to repair his bike. 그는 자신의 자전거를 수리하려고 애쓰면서 두 시간을 썼다.
cannot help -ing	~하지 않을 수 없다	I **cannot help falling** in love with you. 나는 당신과 사랑에 빠지지 않을 수 없다.
be used to -ing	~하는 데 익숙하다	He **is used to living** alone. 그는 혼자 사는 데 익숙하다.
It's no use -ing	~해도 소용없다	**It's no use crying** over spilt milk. 엎질러진 우유 앞에서 울어봐도 소용없다. (이미 엎질러진 물이다.)
on[upon] -ing	~하자마자	**On hearing** the news, he turned pale. 그 소식을 듣자마자, 그는 파랗게 질렸다.
How/What about -ing?	~하는 게 어때?	**How about going** to the movies this Friday? 이번 주 금요일에 영화 보러 가는 게 어때?

문법 확인 ⓑ 문장 해석하기

▶ Answer p.17

1 The museum **is worth visiting**. → 그 박물관은 _____ .

2 Do you **have trouble getting up** in the morning? → 당신은 아침에 _____ ?

3 Sometimes I **feel like crying** for no reason. → 때때로 나는 이유 없이 _____ .

4 The children **went swimming** in the river. → 아이들은 강으로 _____ .

5 **It's no use asking** for his help. → 그의 도움을 _____ .

6 Alex **is used to sleeping** on the floor. → Alex는 바닥에서 _____ .

7 She **spends an hour reading** the newspaper. → 그녀는 신문을 _____ .

8 They **couldn't help laughing** when they saw the → 그들은 아이들이 춤추는 것을 보고

kids dancing. _____ .

문법 기본 Ⓐ 빈칸에 들어갈 말에 V 표시하기 (중복 표시 가능)

1 Remember _____ me up at 6 a.m.   ☐ to wake   ☐ waking

2 I hate _____ housework.   ☐ to do   ☐ doing

3 I regret _____ so badly last night.   ☐ to behave   ☐ behaving

4 I prefer _____ outside.   ☐ to play   ☐ playing

5 Don't forget _____ hello for me if you see him.   ☐ to say   ☐ saying

6 I'm not used _____ for myself.   ☐ to speak   ☐ speaking   ☐ to speaking

7 The phone is not worth _____.   ☐ to buy   ☐ buying   ☐ to buying

8 I look forward _____ you soon.   ☐ to see   ☐ seeing   ☐ to seeing

문법 기본 Ⓑ 알맞은 말 고르기

1 나는 밤에 별을 보는 것을 좋아한다. → I love look / looking at the stars at night.

2 나는 결혼식 계획을 짜느라 바쁘다. → I am busy to make / making plans for my wedding.

3 나는 Karen에게 내 비밀을 말한 것을 후회한다. → I regret telling / to tell Karen my secret.

4 역에 도착하자마자, 그는 택시를 찾기 시작했다. → On to arrive / arriving at the station, he began to look for a taxi.

5 그는 악천후에 대해 계속 불평했다. → He continued complaining / to complaining about the bad weather.

6 나는 왼손으로 글을 쓰려고 열심히 노력했지만 그렇게 할 수 없었다. → I tried hard to write / writing with my left hand, but I couldn't.

7 그는 그 사고가 있기 전에 터널에서 운전한 것을 기억할 수 있다. → He can remember to drive / driving in the tunnel before the accident.

문법 쓰기 Ⓐ 문장의 어순 배열하기

> Example   그녀는 케이크를 사야 할 것을 기억했다. (buy / to / a cake / remembered)
>
> → She   _remembered / to / buy / a / cake_   .

1 그는 집에 혼자 있는 것을 싫어한다. (hates / alone / being / at home)

→ He _____ / _____ / _____ / _____ .

2 우리는 곧 당신으로부터 소식을 들을 것을 고대하고 있습니다. (looking / hearing / to / forward / are)

→ We _____ / _____ / _____ / _____ from you soon.

3 이 오래된 옷들은 가지고 있을 가치가 없다. (are / keeping / worth / not)

→ These old clothes _____ / _____ / _____ .

4 나는 표를 구하려고 노력했지만, 표는 이미 다 팔리고 없었다. (to / get / tried / a ticket)

→ I _____ / _____ / _____ , but they were already sold out.

문법 쓰기 Ⓑ 틀린 부분 고치기

> Example   I regret say that you have failed your test.   _say_   →   _to say_
>
> 당신이 시험에서 떨어졌다고 말하게 되어 유감이네요.

1 I remember to buy my first car when I was in college.   _____   →   _____
내가 대학을 다닐 때 첫 자동차를 샀던 것을 기억한다.

2 My dad goes hiked every weekend.   _____   →   _____
나의 아빠는 주말마다 등산하러 가신다.

3 My grandmother stopped drive when she was 70.   _____   →   _____
나의 할머니는 70살이 되셨을 때 운전하기를 그만두셨다.

4 After graduating, he had trouble to find a job.   _____   →   _____
졸업 후에, 그는 직장을 찾는 데 어려움을 겪었다.

5 He couldn't sleep, so he tried to drink some hot milk.   _____   →   _____
그는 잠을 잘 수가 없어서, 시험 삼아 따뜻한 우유를 좀 먹어보았다.

6 I can't help think that you are hiding something.   _____   →   _____
나는 네가 뭔가를 숨기고 있다고 생각하지 않을 수 없다.

문법 쓰기 C 주어진 단어와 동명사 또는 to부정사를 활용하여 문장 완성하기

> Example   그녀는 버스를 잡으려고 노력했지만, 빨리 달릴 수 없었다. (try, catch, run, fast)
>
> → *She tried to catch the bus, but couldn't run fast.*

1   나는 5살 때 병원에 입원했던 것을 기억한다. (remember, be in the hospital)

→   I _____ when I was 5 years old.

2   너는 이번 주말에 외식하고 싶니? (feel, eat out)

→   Do you _____ this weekend?

3   만약 커피가 너무 뜨거우면, 그 안에 약간의 얼음을 한번 넣어보세요. (try, put, some ice)

→   If your coffee is too hot, _____ in it.

4   그들은 살 곳을 찾는 데 어려움을 겪었다. (have, trouble, find)

→   They _____ a place to live.

5   나한테 전화하는 것을 잊지 마. (forget, call)

→

6   그녀는 비 올 때 운전하는 것이 익숙하지 않았다. (used, drive, in the rain)

→

7   그 아이들은 눈사람을 만들기 시작했다. (kids, start, make, a snowman)

→

8   그는 책을 사는 데 많은 돈을 쓴다. (spend, a lot of money, buy, books)

→

서술형 예제 **1**

다음 우리말을 〈조건〉에 맞게 영작하시오.   ♣ Point 23

> 그는 자신의 교과서를 가져오는 것을 잊어버렸다.

조건	• 동명사 또는 to부정사 중 알맞은 것을 사용할 것 • forget, bring, textbook을 사용할 것 • 총 6단어로 쓸 것

→ _____

Teacher's guide

STEP ❶
영어 문장은 보통 〈주어＋동사〉로 시작해요. 먼저 '그는'과 '잊어버렸다'를 영어로 옮겨 써서 He forgot으로 나타내요.

STEP ❷
'(앞으로) ~할 것을 잊다'라는 뜻의 문장이므로, 동사 forgot의 목적어로 to부정사를 써야 합니다. 이에 따라 to부정사구 to bring his textbook을 목적어로 씁니다.

정답 》 He forgot to bring his textbook.

실전 연습 **1**

다음 우리말을 〈조건〉에 맞게 영작하시오.   ♣ Point 23

> 나는 알람시계를 끈 것을 기억한다.

조건	• 동명사 또는 to부정사 중 알맞은 것을 사용할 것 • remember, turn off, the alarm clock을 사용할 것 • 총 7단어로 쓸 것

→ _____

서술형 예제 **2**

다음 그림의 상황을 나타내는 문장을 〈조건〉에 맞게 영작하시오.   ♣ Point 24

조건
• 현재 시제로 쓸 것 • 동명사를 사용할 것 • busy, prepare, for dinner를 사용할 것

→ Mom _____ .

Teacher's guide

STEP ❶
우선 그림을 보고, '엄마가 저녁 식사를 준비하느라 바쁜' 상황임을 파악하세요.

STEP ❷
'~하느라 바쁘다'라는 뜻의 동명사를 이용한 관용 표현 「be busy -ing」를 활용해 영작하세요.

정답 》 is busy preparing for dinner

실전 연습 **2**

다음 그림의 상황을 나타내는 문장을 〈조건〉에 맞게 영작하시오.   ♣ Point 24

조건	• 현재 시제로 쓸 것 • 동명사를 사용할 것 • trouble, sleep, at night를 사용할 것

→ The boy _____ .

객관식 (01~10)

대표 👤 Point 22, 23

01 다음 빈칸에 들어갈 말로 알맞지 <u>않은</u> 것은?

> Judy _____ singing the song.

① began　　② kept　　③ liked
④ learned　　⑤ practiced

👤 Point 21

02 다음 문장에서 not이 들어갈 위치로 알맞은 곳은?

> Mina (①) regretted (②) taking (③) enough pictures (④) during the school field trip (⑤).

[03~04] 다음 빈칸에 들어갈 말이 순서대로 짝지어진 것을 고르시오.

👤 Point 22

03
> • He promised _____ late.
> • Have you finished _____ your hair yet?
> • I was hungry, so I considered _____ dinner early.

① not being – washing – eating
② not to be – washing – eating
③ not being – to wash – to eat
④ not to be – to wash – eating
⑤ not to be – washing – to eat

👤 Point 23

04
> • He stopped _____ because he was sleepy.
> • He stopped _____ a rest because he was sleepy.

① to study – having　　② studying – having
③ to study – to have　　④ studying – to have
⑤ to studying – to have

[05~06] 다음 대화의 밑줄 친 부분을 어법에 맞게 고친 것을 고르시오.

👤 Point 23

05
> A: Peter, did you bring my book?
> B: Yes, I remembered <u>bring</u> your book! Here it is.

① bring　　② to bring　　③ bringing
④ brought　　⑤ to bringing

👤 Point 23

06
> A: Have we really studied this topic before?
> B: Yes, we have. I think you've forgotten <u>read</u> about it.

① read　　② reads　　③ to read
④ reading　　⑤ to reading

[07~09] 다음 우리말을 영어로 바르게 옮긴 것을 고르시오.

👤 Point 21

07
> 코끼리를 사냥하는 것이 태국에서는 불법이다.

① Hunt elephants is illegal in Thailand.
② Hunt elephants are illegal in Thailand.
③ Hunting elephants is illegal in Thailand.
④ Hunting elephants are illegal in Thailand.
⑤ To hunting elephants are illegal in Thailand.

👤 Point 24

08
> 나는 해변에 가고 싶다.

① I feel like go to the beach.
② I feel like going to the beach.
③ I feel like to go to the beach.
④ I feel like for going to the beach.
⑤ I feel like to going to the beach.

09
♣ Point 24

Bob은 트럭을 운전하는 것에 익숙하지 않다.

① Bob used not to drive a truck.

② Bob didn't use to drive a truck.

③ Bob is not used to drive a truck.

④ Bob is not used to driving a truck.

⑤ Bob didn't used to driving a truck.

10 다음 ⓐ~ⓔ 중 어법상 옳은 문장의 개수는?
♣ Point 21, 22, 23

ⓐ My favorite hobby is cooking.

ⓑ I need to make a phone call.

ⓒ Don't be afraid of to get hurt.

ⓓ She continued to read the letter.

ⓔ He is considering to work abroad.

① 1개   ② 2개   ③ 3개   ④ 4개   ⑤ 5개

서술형 기본 (11~19)

[11~12] 다음 문장에서 어법상 틀린 부분을 찾아 바르게 고쳐 쓰시오.

♣ Point 21
11

Growing plants are not easy.

_____ → _____

♣ Point 21
12

Having not enough sleep makes you feel hungrier the next day.

_____ → _____

[13~14] 다음 우리말과 일치하도록 괄호 안의 말을 이용하여 빈칸에 알맞은 말을 쓰시오.

♣ Point 22
13

해발 2,000미터에서 사는 것을 상상해 보아라. (imagine, live)

→ _____ at 2,000 meters above sea level.

14
♣ Point 22

우리는 며칠 더 머물기로 동의했다. (agree, stay)

→ We _____ for a few more days.

15
♣ Point 23
다음 두 문장의 의미가 같도록 괄호 안의 말을 알맞은 형태로 쓰시오.

Please remember that you should pick up the laundry on your way home.
= Please remember (pick) up the laundry on your way home.

→ _____

[16~17] 다음 글의 흐름에 맞도록 괄호 안의 말을 동명사 또는 to부정사 중 알맞은 형태로 쓰시오.

♣ Point 23
16

I regret (be) late for the interview. I didn't get the job because I was late.

→ _____

♣ Point 23
17

I rang the doorbell several times, but there was no answer. Then I tried (knock) on the door, but there was still no answer.

→ _____

[18~19] 다음 우리말과 일치하도록 괄호 안의 말을 바르게 배열할 때 네 번째로 오는 단어를 쓰시오.

♣ Point 24
18

나는 집에 돌아가기를 고대한다.
(to / look / going / I / home / back / forward)

→ _____

♣ Point 24
19

그것에 대해 불평해도 소용없다.
(use / it / about / complaining / it / no / is)

→ _____

서술형 심화 (20~25)

♣ Point 21

20 다음 그림 속 인물의 말을 괄호 안의 말을 이용하여 완성하시오.

→ I am proud of _____.

(get straight A's)

♣ Point 22

21 다음 우리말과 일치하도록 괄호 안의 말을 이용하여 빈칸에 알맞은 말을 쓰시오.

(1) 채널을 바꿔도 괜찮으실까요? (mind, change, the channel)

→ Would you _____?

(2) 우리는 그녀를 위해 깜짝 파티를 열어주기로 계획했다. (plan, hold, a surprise party)

→ We _____ for her.

대표 **♣ Point 24**

22 다음 그림을 보고, 괄호 안의 말을 이용하여 대화를 완성하시오.

Woman: Why didn't you answer my call?
Man: I'm sorry I missed it.
   I _____.
   (busy, clean, the house)

고난도 **♣ Point 23**

23 다음 우리말과 일치하도록 〈조건〉에 맞게 문장을 완성하시오.

(1) 나는 선반 위에 내 가방을 놓았던 것이 기억난다.

조건 • to부정사나 동명사를 사용할 것
• put, bag, shelf를 사용할 것
• 총 6단어로 쓸 것

→ I remember _____.

(2) 저는 그의 갑작스러운 죽음을 알리게 되어 유감입니다.

조건 • to부정사나 동명사를 사용할 것
• announce, sudden death를 사용할 것
• 총 5단어로 쓸 것

→ I regret _____.

♣ Point 23

24 다음 그림을 보고, 괄호 안의 말을 이용하여 빈칸에 알맞은 말을 쓰시오.

→ Don't _____

after you come back. (forget, wash, hands)

♣ Point 24

25 다음 우리말과 일치하도록 괄호 안의 말을 바르게 배열하시오. (단, 괄호 안의 단어 중 하나의 형태를 알맞게 바꿀 것)

(1) Nancy는 스마트폰을 사용하며 많은 시간을 보낸다. (a lot of, use, Nancy, her smartphone, spends, time)

→ _____

(2) Daniel은 잠들지 않을 수 없었다. (could, fall, Daniel, not, asleep, help)

→ _____

CHAPTER 06

분사와 분사구문

Get Ready

분사

현재분사 **Look at the flying birds.**
날고 있는 새들을 봐.

과거분사 **He fixed the broken chair.**
그는 부서진 의자를 고쳤다.

분사구문

때 **Arriving at the station, I called her.**
역에 도착했을 때, 나는 그녀에게 전화했다.

이유 **Feeling tired, I went to bed early.**
피곤해서, 나는 일찍 잠자리에 들었다.

조건 **Turning to the right, you can find it.**
오른쪽으로 돌면, 당신은 그것을 찾을 수 있다.

동시동작 **He jogged listening to music.**
그는 음악을 들으면서 조깅했다.

1. **분사**란 동사원형에 -ing나 -(e)d를 붙여 형용사처럼 쓰는 말이에요. 분사에는 현재 분사(v-ing)와 과거분사(v-(e)d)가 있어요.
2. **분사구문**은 「접속사＋주어＋동사 ～」 형태의 '부사절'을 분사가 이끄는 '부사구'로 줄여 쓴 구문을 말해요.

Point 25 분사의 쓰임과 형태

❶ 현재분사

「동사원형+-ing」: ① 능동(~하는) ② 진행(~하고 있는)		
명사 수식	She hugged the **crying** child. └ 능동 관계 ┘ 그녀는 울고 있는 아이를 안아주었다. The boy **wearing a red cap** is my brother. 빨간 모자를 쓰고 있는 소년이 내 남동생이다.	≫ 분사가 단독으로 명사를 수식할 때는 명사 앞에 옵니다. ≫ 분사가 목적어나 보어, 부사(구)와 함께 쓰일 때는 명사 뒤에 옵니다.
보어 역할	The laser show was really **exciting**. 〈주격 보어〉 그 레이저 쇼는 정말 흥미진진했다.	≫ 분사는 주어나 목적어를 보충 설명해주는 보어로 쓰입니다.

❷ 과거분사

「동사원형+-(e)d / 불규칙」: ① 수동(~된, ~해진) ② 완료(~한)	
명사 수식	She threw away the **burnt** cookies. 그녀는 타버린 쿠키를 버렸다. └ 수동 관계 ┘	≫ 수식받는 명사와 수식하는 분사의 관계가 '능동'일 때는 현재분사를, '수동'일 때는 과거분사를 씁니다.
보어 역할	She found her laptop **gone**. 〈목적격 보어〉 그녀는 자신의 노트북이 없어진 것을 알았다.	

	현재분사 (형용사 역할)	동명사 (명사 역할)
명사 앞	'~하는, ~하고 있는'의 의미로 명사를 수식한다. a **sleeping** baby 자고 있는 아기	'~하기 위한'의 뜻으로 뒤에 오는 명사의 용도를 나타낸다. a **sleeping** bag 침낭(잠을 자기 위한 가방)
문장 속	be동사와 결합하여 진행형을 만든다. He is **dancing**. 그는 춤추고 있다.	'~하기, ~하는 것'의 뜻으로 주어, 목적어, 보어로 쓰인다. I enjoy **dancing**. 나는 춤추기를 즐긴다.

 문법 확인 Ⓐ 문장 해석하기

▶ Answer p.19

1 **Barking** dogs seldom bite. → ＿＿＿＿ 개는 좀처럼 물지 않는다.
★bark 짖다

2 **Frozen** yogurt tastes like ice cream. → ＿＿＿＿ 요구르트는 아이스크림 같은 맛이 난다.
★freeze 얼리다(-froze-frozen)

3 There is no food **left** on the plate. → 접시 위에는 ＿＿＿＿ 음식이 없다.

4 The girl **sitting** next to Alex is his girlfriend. → Alex 옆에 ＿＿＿＿ 소녀는 그의 여자친구이다.

5 The woman is **leaning** against the wall. → 그 여자는 벽에 ＿＿＿＿ .
★lean 기대다

6 The player got **injured** during the game. → 그 선수는 경기 도중에 ＿＿＿＿ .
★injure 부상을 입히다

7 Here are some photos **taken** at the party. → 여기에 파티에서 ＿＿＿＿ 몇 장의 사진이 있다.

8 The police found the **torn** receipt in his car. → 경찰은 그의 차에서 ＿＿＿＿ 영수증을 발견했다.
★tear 찢다(-tore-torn)

26 감정을 나타내는 분사

감정을 나타내는 동사로 만든 분사는 형용사처럼 쓰인다. 주어가 감정을 일으키면 현재분사를, 감정을 느끼면 과거분사를 쓴다.

현재분사(v-ing): ~한 감정을 일으키는	The news was really **shocking**. 그 소식은 정말 충격적이었다.	≫ 현재분사는 주로 사물이 주어일 때 써요.
과거분사(v-(e)d): ~한 감정을 느끼는	I was really **shocked**. 나는 정말 충격을 받았다.	≫ 과거분사는 주로 사람이 주어일 때 써요.

현재분사	과거분사	현재분사	과거분사
exciting 신나게 하는	excited 신이 난	boring 지루하게 하는	bored 지루한
amazing 놀라운	amazed 놀란	disappointing 실망스러운	disappointed 실망한
interesting 흥미로운	interested 흥미로워하는	surprising 놀라게 하는	surprised 놀란
annoying 짜증나게 하는	annoyed 짜증난	depressing 우울하게 하는	depressed 우울한
confusing 혼란스럽게 하는	confused 혼란스러워 하는	satisfying 만족시키는	satisfied 만족한
terrifying 겁나게 하는, 무서운	terrified 무서워하는	relaxing 편안하게 하는	relaxed 느긋한, 여유 있는
pleasing 즐거운	pleased 기뻐하는	touching 감동적인	touched 감동한

문법 확인 Ⓑ 문장 해석하기

▸ **Answer** p.19

1 Some **excited** fans rushed onto the stage.
→ 몇몇   팬들이 무대 위로 난입했다.

2 The novel was very **interesting**.
→ 그 소설은 매우   .

3 Angela looks **depressed** when it rains.
→ 비가 올 때 Angela는   .

4 The students found his lecture **boring**.
→ 학생들은 그의 강의가   .

5 The **surprised** boy fell backwards.
→   소년은 뒤로 넘어졌다.

6 What is your roommate's most **annoying** habit?
→ 네 룸메이트의 가장   습관은 뭐니?

7 He was **disappointed** when he heard the news.
→ 그는 그 소식을 듣고   .

8 People came to see the **amazing** show.
→ 사람들이 그   쇼를 보러 왔다.

문법 기본 Ⓐ 밑줄 친 부분의 쓰임에 V 표시하기

1 My favorite food is <u>fried</u> rice.　　□ 명사 수식어　　□ 보어

2 The audience became <u>bored</u>.　　□ 명사 수식어　　□ 보어

3 I heard him <u>calling</u> my name.　　□ 명사 수식어　　□ 보어

4 There was no one in the <u>waiting</u> room.　　□ 현재분사　　□ 동명사

5 Don't wake up the <u>sleeping</u> giant.　　□ 현재분사　　□ 동명사

6 My uncle's hobby is <u>collecting</u> sneakers.　　□ 현재분사　　□ 동명사

7 <u>David</u> felt very relaxed after his bath.　　□ 감정을 일으키는 원인　　□ 감정을 느끼는 주체

8 I heard a touching <u>story</u> on the radio.　　□ 감정을 일으키는 원인　　□ 감정을 느끼는 주체

문법 기본 Ⓑ 알맞은 말 고르기

1 그녀는 떨리는 목소리로 말했다.　→ She spoke in a shaking / shaken voice.

2 나는 점심으로 스테이크와 구운 감자를 먹었다.　→ I ate the steak and a baking / baked potato for lunch.

3 나는 내게 배송된 소포를 열어보았다.　→ I opened the package delivering / delivered to me.

4 연설을 하고 있는 남자는 교장 선생님이다.　→ The man giving / given a speech is the principal.

5 우리는 말다툼하고 있는 커플을 보았다.　→ We saw a couple had / having an argument.

6 당신의 질문은 매우 흥미롭군요.　→ Your question is so interesting / interested .

7 내 개가 실종되어서 나는 우울하다.　→ I'm depressing / depressed because my dog is lost.

8 그것은 아이들에게 흥미로운 경험이 될 것입니다.　→ It will be an exciting / excited experience for the kids.

문법 쓰기 Ⓐ   주어진 동사로 빈칸 완성하기

Example	**amaze**	그녀는 놀라운 재능을 갖고 있다.	→ She has an *amazing* talent.
		우리는 그녀의 성공에 놀랐다.	→ We were *amazed* by her success.

1 fall   너는 떨어지고 있는 나뭇잎들이 보이니?   → Do you see the _____ leaves?

그는 떨어진 나뭇잎들을 쓸었다.   → He swept the _____ leaves.

2 make   이것들은 천으로 만들어진 가방이다.   → These are bags _____ of cloth.

소란을 피우고 있는 몇 명의 아이들이 있었다.   → There were some kids _____ a noise.

3 annoy   그 짜증나는 소리는 우리를 깨어 있게 했다.   → The _____ noise kept us awake.

그녀는 한 짜증난 남자의 전화를 받았다.   → She got a call from an _____ man.

4 relax   나는 목욕을 한 후 편안함을 느꼈다.   → I felt _____ after my bath.

나는 자기 전에 편안한 음악을 듣는다.   → I listen to _____ music before bed.

문법 쓰기 Ⓑ   틀린 부분 고치기

Example	*Scream* is a terrify film.	*terrify* → *terrifying*
	〈Scream〉은 무서운 영화이다.	

1 Karen is bore of her job.
Karen은 자신의 일에 질렸다.   _____ → _____

2 I heard some surprise news on the radio.
나는 라디오에서 놀라운 소식을 들었다.   _____ → _____

3 He took a picture of the girl sat on a swing.
그는 그네에 앉아 있는 소녀의 사진을 찍었다.   _____ → _____

4 The old man has a dog calls Sandy.
그 노인에게는 Sandy라고 불리는 개가 있다.   _____ → _____

5 The instructions on the bottle are confuse.
그 병에 적힌 설명은 헷갈린다.   _____ → _____

6 The steal car was found on Downing Street.
그 도난당한 차량은 Downing가에서 발견되었다.   _____ → _____

▶ Answer p.19

문법 쓰기 ⓒ **주어진 단어와 분사를 활용하여 문장 완성하기**

> Example 나의 조카는 그 개를 무서워했다. (niece, terrify, of, the dog)
>
> → *My niece was terrified of the dog.*

1 우리 호텔에서 머물고 있는 투숙객들만이 이 주차장을 사용할 수 있습니다. (guests, stay, at our hotel)

→ Only _____ can use this parking lot.

2 바람이 부서진 창문을 통해 집 안으로 불어 들어 왔다. (break, window)

→ Winds blew into the house through the _____ .

3 나는 내 새로운 집에 만족한다. (satisfy, with my new house)

→ I am _____ .

4 그의 시험 결과는 좀 실망스러웠다. (a little, disappoint)

→ His exam results were _____ .

5 국수를 끓는 물에 넣어라. (put, the noodles, in, boil)

→ _____

6 내 차 옆에 주차된 몇 대의 버스가 있었다. (there, a few, park, by)

→ _____

7 인생은 놀라운 여행이다. (life, amaze, journey)

→ _____

8 그 자매는 서로에게 짜증이 났다. (be, annoy, with each other)

→ _____

서술형 예제 1

다음 대화를 읽고, 어법상 틀린 부분을 찾아 바르게 고쳐 쓰시오. ♣ Point 25

> A: Who is the woman waving to you?
> B: That's my Aunt naming Sally.

_____ → _____

Teacher's guide

STEP ❶
A의 말에서 waving 이하는 현재분사구로서, 앞의 명사 the woman을 수식합니다. 여자(the woman)가 손을 흔드는(wave) 행위를 하고 있는 상황이므로, 능동·진행의 의미를 나타내는 현재분사 waving의 쓰임은 적절합니다.

STEP ❷
B의 말은 의미상 '저분은 Sally라는 이름을 가진 나의 고모이셔.'입니다. 나의 고모(my Aunt)가 Sally라고 '이름 붙여진' 것이므로, 현재분사 naming을 수동의 의미를 나타내는 과거분사 named로 고쳐 써야 합니다.

정답 ≫ naming → named

실전 연습 1

다음 대화를 읽고, 어법상 틀린 부분을 찾아 바르게 고쳐 쓰시오. ♣ Point 25

> A: There is a letter addressing to you.
> B: Oh, I've been waiting for that letter!

_____ → _____

서술형 예제 2

다음 우리말을 〈조건〉에 맞게 영작하시오. ♣ Point 26

> 그 도로 표지판은 매우 혼란스럽다.

| 조건 | • road sign, very, confuse를 사용할 것
• 총 6단어로 쓸 것 |

→ _____

Teacher's guide

STEP ❶
'A는 B이다'라는 뜻의 2형식 문장이므로, 주어 뒤에는 be동사를 씁니다.

STEP ❷
보어 자리에는 형용사나 명사가 와야 합니다. 따라서 감정을 나타내는 동사 confuse(혼란스럽게 하다)에 -ing나 -d를 붙여 분사로 만듭니다. 주어(The road sign)가 혼란스러운 감정을 일으키는 주체이므로, 동사 confuse를 현재분사 confusing으로 바꿔 씁니다.

정답 ≫ The road sign is very confusing.

실전 연습 2

다음 우리말을 〈조건〉에 맞게 영작하시오. ♣ Point 26

> 사장은 그 소식에 기뻐했다.

| 조건 | • the president, please, with, the news를 사용할 것
• 총 7단어로 쓸 것 |

→ _____

27 분사구문의 개념과 형태

분사구문이란 「접속사＋주어＋동사 ~」 형태의 부사절을 분사가 이끄는 부사구(v-ing~)로 줄여 쓴 구문이다.

❶ 분사구문 만드는 법

When I received her text message, I was so happy. 　　　　부사절　　　　　　　　　　　주절	그녀의 문자메시지를 받았을 때, 나는 매우 기뻤다.
→ ~~When~~ I received her text message, I was so happy.	① 부사절의 접속사를 생략한다. (단, 명확한 의미 전달이 필요한 경우에는 남겨둔다.)
→ <u>I</u> received her text message, <u>I</u> was so happy.	② 부사절의 주어와 주절의 주어가 같은 경우, 부사절의 주어를 생략한다.
→ **Receiving** her text message, I was so happy.	③ 부사절과 주절의 시제가 같은 경우, 부사절의 동사를 현재분사(v-ing)로 바꾼다.

❷ 다양한 분사구문

As I **didn't know** what to do, I just stood there. → **Not knowing** what to do, I just stood there. 무엇을 해야 할지 몰라서, 나는 그냥 거기 서 있었다.	≫ 분사구문의 부정은 분사 앞에 not 또는 never를 씁니다.
While he **was walking** down the street, he saw a dog. → **(Being) Walking** down the street, he saw a dog. 길을 걸어가고 있는 동안, 그는 개 한 마리를 보았다.	≫ 분사구문이 「being＋분사/형용사~」 형태인 경우, being을 생략할 수 있어요.
The man, **smiling brightly**, welcomed his guests. 그 남자는 밝게 웃으면서 손님들을 맞았다.	≫ 분사구문은 문장 앞이나 중간, 또는 뒤에 쓰여 문장 전체를 수식해요.

문법 확인 Ⓐ 밑줄 친 부분 분사구문으로 바꿔 쓰기

▶ **Answer p.20**

1 <u>While he took a shower</u>, he sang a song. →

2 <u>Because I got enough sleep</u>, I felt refreshed. →

3 <u>After he finished his homework</u>, he went out to play. →

4 <u>As he waved his hands</u>, the boy came toward me. →

5 <u>When you cross the road</u>, you should look both ways. →

6 <u>Since it contains caffeine</u>, coffee helps you stay awake. →

7 <u>As I didn't feel well</u>, I stayed in bed. →

8 <u>Because she was surprised</u>, she couldn't say a word. →

분사구문의 의미

분사구문은 시간, 이유, 조건, 동시동작, 연속동작 등의 여러 가지 의미로 쓰인다.

시간	∼할 때(when) ∼전에(before) ∼후에(after)	**Entering the kitchen**, Mom saw a huge bouquet of flowers. 부엌에 들어갔을 때, 엄마는 큰 꽃다발을 보았다. **Finishing dinner**, he went out to walk his dog. 저녁을 먹은 후에, 그는 개를 산책시키러 나갔다.
이유	∼때문에(because, as, since)	**Having the flu**, I just stayed home. 독감에 걸렸기 때문에, 나는 그냥 집에 있었다.
조건	∼라면(if)	**Buying one**, you can get another one for free. 하나를 산다면, 당신은 하나 더 무료로 받을 수 있습니다.
동시동작	∼하면서(as, while) ∼하는 동안(while)	She was washing the dishes, **listening to the radio**. 그녀는 라디오를 들으면서 설거지를 하고 있었다.
연속동작	그리고 ∼하다(and)	He turned off his computer, **leaving the office**. 그는 컴퓨터를 끄고 나서 사무실을 떠났다.

문법 확인 -Ⓑ **문장 해석하기**

▶ **Answer p.20**

1   **Having a stomachache**, I took some medicine.

→ _____ , 나는 약을 좀 먹었다.

2   **Traveling to Japan**, I will eat a lot of sushi.

→ _____ , 나는 초밥을 많이 먹을 것이다.

3   **Hearing the news**, my hands trembled.

→ _____ , 내 손은 떨렸다.

4   She was talking on the phone, **taking notes**. ★take notes 메모를 하다

→ 그녀는 _____ , 전화 통화를 하고 있었다.

5   I took off my shoes, **walking into the water**.

→ 나는 신발을 벗고, _____ .

6   **Coming back home**, Ms. Smith found her bag empty.

→ _____ , Smith 씨는 자신의 가방이 비어 있는 것을 알았다.

문법 기본 (A) **자연스러운 문장이 되도록 연결하기**

1 Seeing the bear,   ·   · I started to cook.

2 Being a vegetarian,   ·   · the child couldn't ride the roller coaster.

3 Washing my hands,   ·   · they ran away.

4 Not being tall enough,   ·   · my grandma never eats meat.

5 Loving animals,   ·   · looking at webtoons on her phone.

6 They left for Busan at six, ·   · Robin wants to be a vet.

7 She lay on the sofa,   ·   · we can win this game.

8 Doing our best,   ·   · arriving there at ten.

문법 기본 (B) **알맞은 말 고르기**

1 피곤함을 느껴서 그는 따뜻한 물로 목욕을 했다. → Feel / Feeling tired, he took a warm bath.

2 나는 팝콘을 먹으면서 영화를 보았다. → I watched a movie eaten / eating some popcorn.

3 그는 자신의 차를 주차하고 나서 상점으로 급히 갔다. → He parked his car, hurried / hurrying to the store.

4 환하게 웃으며 그녀는 자신의 손을 내밀었다. → She smiling / Smiling brightly, she held out her hand.

5 정각에 도착하지 못해서 우리는 극장에 들어갈 수 없었다. → Not arriving / Arriving not on time, we couldn't enter the theater.

6 나의 삼촌은 내 남동생과 나를 기다리면서 바베큐를 요리했다. → My uncle barbecued, waited / waiting for my brother and me.

7 클래식 음악을 들으면서 그녀는 자신의 방을 깔끔하게 정리했다. → Listening to classical music, she tidying / tidied up her room.

▶ Answer p.20

문법 쓰기 Ⓐ 분사구문을 활용하여 문장 바꿔 쓰기

Example   He fell asleep while he was watching the movie.
→ He fell asleep   *(being) watching the movie* .

1 If she catches the train, she will be on time.

→ ＿＿＿＿＿＿＿＿＿＿＿＿ , she will be on time.

2 Since I didn't have a car, I couldn't get around easily.

→ ＿＿＿＿＿＿＿＿＿＿＿＿ , I couldn't get around easily.

3 While I was waiting for Cathy, I made some tea.

→ ＿＿＿＿＿＿＿＿＿＿＿＿ , I made some tea.

4 The bomb exploded, and it destroyed the building.

→ The bomb exploded, ＿＿＿＿＿＿＿＿＿＿＿＿ .

문법 쓰기 Ⓑ 틀린 부분 고치기

Example   Heard the doorbell, the dog ran to the door.   *Heard* → *Hearing*
초인종 소리를 듣고, 그 개는 현관으로 달려갔다.

1 Exercise regularly, you will feel more energetic.
규칙적으로 운동하면, 당신은 더욱 기운차게 느낄 것이다.

2 Waved his hand, the president got on the plane.
손을 흔들면서, 대통령은 비행기에 탔다.

3 Knowing not what to do, I asked for her help.
무엇을 해야 할지 몰라서, 나는 그녀의 도움을 요청했다.

4 Been so sleepy, the driver didn't see the stop sign.
너무 졸려서, 운전자는 정지 표지판을 보지 못했다.

5 Sit in the library, I did school homework.
나는 도서관에 앉아서, 학교 숙제를 했다.

6 She opened the envelope, she finding two tickets.
그녀는 봉투를 열고, 두 장의 표를 발견했다.

113

문법 쓰기 ⓒ 주어진 단어와 분사구문을 활용하여 문장 완성하기

> Example   화가 나서, 그녀는 전화를 끊었다. (be angry, hang up, the phone)
>
> → *Being angry, she hung up the phone.*

1 정말로 배고파서, 나는 먹을 것을 찾으러 부엌에 갔다. (be really hungry)

→ _____ , I went to the kitchen to get something to eat.

2 오늘 아침에 출근할 때, 나는 사고를 목격했다. (go to work, this morning)

→ _____ , I witnessed an accident.

3 기뻐 소리 지르며, 아이들은 펄쩍펄쩍 뛰었다. (scream, with joy)

→ _____ , the children jumped up and down.

4 기차는 10시에 출발해서, 두 시간 후에 도착한다. (arrive, two hours later)

→ The train leaves at ten, _____ .

5 잔디 위에 누워서, 우리는 하늘을 쳐다보았다. (lie, on the grass, look at, the sky)

→ _____

6 충분한 돈이 없어서, 그는 그 자전거를 살 수 없다. (have, enough money, can buy, the bicycle)

→ _____

7 그녀는 자신의 차례를 기다리면서 만화책을 읽었다. (read, a comic book, wait for, turn)

→ _____

8 창문 밖을 보면, 너는 호수를 볼 수 있다. (look out, the window, can see, the lake)

→ _____

서술형 예제 1

다음 우리말과 일치하도록 〈조건〉에 맞게 빈칸에 알맞은 말을 쓰시오. ♣ Point 27

신데렐라는 계단을 뛰어가는 동안 자신의 신발 한 짝을 잃어버렸다.

조건 • (a)는 부사절로, (b)는 분사구문으로 쓸 것
• be running down the stairs를 사용할 것

(a) Cinderella lost her shoe _____.
(b) Cinderella lost her shoe _____.

Teacher's guide

STEP ❶
부사절은 「접속사+주어+동사~」형태로 씁니다.

STEP ❷
분사구문은 부사절의 접속사를 생략하고, 부사절과 주절의 주어가 같으므로 주어도 생략한 후, 부사절의 동사를 「동사원형+-ing」의 형태로 바꿔서 씁니다.

정답 ≫ (a) while she was running down the stairs
(b) (being) running down the stairs

실전 연습 1

다음 우리말과 일치하도록 〈조건〉에 맞게 빈칸에 알맞은 말을 쓰시오. ♣ Point 27

안경을 벗은 후에, 그는 재빨리 자신의 망토를 입었다.

조건 • (a)는 부사절로, (b)는 분사구문으로 쓸 것
• remove his glasses를 사용할 것

(a) _____, he rapidly put on his cape.
(b) _____, he rapidly put on his cape.

서술형 예제 2

다음 두 문장을 분사구문을 이용하여 한 문장으로 바꿔 쓰시오. ♣ Point 28

I arrived at the post office. And I found it closed.

→ _____

Teacher's guide

STEP ❶
두 문장을 한 문장으로 바꿔 쓰면, 의미상 '나는 우체국에 도착하였고, 그곳이 닫힌 것을 알았다.'라는 뜻의 문장이 됩니다.

STEP ❷
두 번째 절에서 접속사 And와 주어 I를 생략합니다. 그런 다음에 동사 found를 「동사원형+-ing」의 형태로 바꿔서 씁니다.

정답 ≫ I arrived at the post office, finding it closed.
[Arriving at the post office, I found it closed.]

실전 연습 2

다음 두 문장을 분사구문을 이용하여 한 문장으로 바꿔 쓰시오. ♣ Point 28

She found her lost backpack. So she was very happy.

→ _____

115

객관식 (01~09)

♣ Point 27

01 다음 빈칸에 들어갈 말로 알맞은 것은?

_____ upset, he walked out of the room.

① Be   ② Is   ③ Was

④ Being   ⑤ Been

♣ Point 25

02 다음 우리말과 일치하도록 할 때, 'arriving over there'가 들어갈 위치로 알맞은 곳은?

우리는 저기 도착하고 있는 셔틀버스를 타야 해.
→ We (①) have (②) to (③) take the (④) shuttle bus (⑤).

♣ Point 26

03 다음 (A), (B), (C)의 괄호 안에서 알맞은 것끼리 바르게 짝지어진 것은?

• I will never watch that (A) [depressing / depressed] movie.
• Mosquitoes are (B) [annoying / annoyed] to most people.
• The (C) [terrifying / terrified] children screamed for help.

(A)	(B)	(C)
① depressing	– annoying	– terrifying
② depressed	– annoyed	– terrifying
③ depressing	– annoyed	– terrified
④ depressed	– annoying	– terrified
⑤ depressing	– annoying	– terrified

대표   ♣ Point 25

04 다음 밑줄 친 부분의 쓰임이 나머지 넷과 다른 것은?

① The singer is in the waiting room.

② These running shoes are so comfortable.

③ He pointed at the burning tree.

④ Did you bring your swimming cap?

⑤ I bought some cooking tools at the shop.

♣ Point 28

05 다음 두 문장의 의미가 같을 때, 빈칸에 들어갈 말로 알맞은 것은?

Having a big test tomorrow, Brian is studying now.
= _____ he has a big test tomorrow, Brian is studying now.

① If   ② While   ③ When

④ Because   ⑤ After

♣ Point 28

06 다음 밑줄 친 부분의 의미가 〈보기〉와 같은 것은?

• 보기 •
Looking closely, you can see everything.

① Trying to lift the box, he hurt his back.

② She studied English, listening to pop songs.

③ He left in the morning, returning at night.

④ Living alone, the man had no one to talk to.

⑤ Eating too much cold food, you will get sick.

♣ Point 27

07 다음 밑줄 친 부분을 분사구문으로 바르게 바꿔 쓴 것은?

As I didn't have any energy left, I just sat there.

① Not had any energy left

② Not having any energy left

③ Doing not have any energy left

④ Not to have any energy left

⑤ Having not any energy left

08 다음 중 어법상 **틀린** 것은?

🔒 Point 27, 28

① Been too embarrassed, I couldn't say anything.
② Looking down from above, you can see the entire landscape.
③ Living next to her house, I often see her.
④ Surprised by my question, Ms. Raymond blushed.
⑤ Climbing slowly, we approached the top of the hill.

🔒 Point 25, 26, 27

09 다음 ⓐ~ⓔ 중 어법상 옳은 문장의 개수는?

ⓐ I stood waiting for the taxi.
ⓑ We found his speech bored.
ⓒ He was satisfying with his new job.
ⓓ You should try these boiled beans.
ⓔ Who is the girl wearing the green dress?

① 1개   ② 2개   ③ 3개   ④ 4개   ⑤ 5개

서술형 기본 (10~18)

대표
[10~12] 다음 괄호 안의 말을 빈칸에 알맞은 형태로 쓰시오.

🔒 Point 25

10
The _____ sun gives hope. (rise)

🔒 Point 26

11
Rosa always complains. She is never _____ with anything. (satisfy)

🔒 Point 26

12
I'm reading an _____ adventure story at the moment. (excite)

[13~14] 다음 문장에서 어법상 **틀린** 부분을 찾아 바르게 고쳐 쓰시오.

🔒 Point 27

13
Knowing not what to say, she just held Ann quietly.

_____ → _____

🔒 Point 26

14
Waiting for the play to begin, the children grew bore.

_____ → _____

[15~16] 다음 우리말과 일치하도록 괄호 안의 말을 빈칸에 알맞은 형태로 쓰시오.

🔒 Point 25

15
나는 그 웹사이트에 보도된 기사를 읽었다. (report)

→ I read an article _____ on the website.

🔒 Point 27, 28

16
이 쿠폰을 사용하면, 당신은 20퍼센트의 할인을 받으실 수 있습니다. (use)

→ _____ this coupon, you can get a 20 percent discount.

🔒 Point 27

17 다음 밑줄 친 부분을 분사구문으로 바꿔 쓰시오.

A fire broke out, and it left two people dead.

→ A fire broke out, _____.

🔒 Point 25

18 다음 우리말과 일치하도록 괄호 안의 말을 바르게 배열할 때 네 번째로 오는 단어를 쓰시오.

빨간 티셔츠를 입은 사람들이 한국 축구팀을 응원했다. (wearing, cheered for, the red T-shirts, people, the Korean soccer team)

→ _____

♣ Point 25

19 다음 우리말을 〈조건〉에 맞게 영작하시오.

> (1) 나는 내 도난당한 자전거를 찾았다.

조건 · find, steal, bike를 사용할 것
· 총 5단어로 쓸 것

→ _____

> (2) 사진을 찍고 있는 남자가 나의 삼촌이다.

조건 · the man, take a picture를 사용할 것
· 총 8단어로 쓸 것

→ _____

대표

♣ Point 27

20 다음 주어진 문장을 분사구문을 이용하여 바꿔 쓰시오.

> (1) When he(= the dog) saw me, the dog started to bark at me.

→ _____
_____

> (2) Because he didn't hear the alarm clock, he slept in.

→ _____
_____

♣ Point 25

21 다음 우리말과 일치하도록 괄호 안의 말을 바르게 배열하시오.

> 그 소녀는 분홍색으로 칠해진 벤치에 앉아 있다.
> (pink, painted, the bench, in)

→ The girl is sitting on _____
_____ .

고난도

♣ Point 26

22 다음 ①~⑤ 중 어법상 틀린 것을 골라 바르게 고쳐 쓰시오.

> A: ① Which movie do you want to see?
> B: I want ② to see *Ghost Hunters*.
> A: Well, I'm not ③ interested in horror movies.
> B: Then how about *Space War Ⅲ*?
> A: Sounds great. I heard the special effects are ④ amazing.
> B: Yeah, but I heard the acting is ⑤ disappointed. Anyway, let's watch the movie and find out.

( ) _____

♣ Point 25, 26

23 다음 두 문장을 분사를 이용하여 한 문장으로 바꿔 쓰시오.

> (1) My sister told me a story. It was shocking.

→ _____

> (2) Here are some of the pictures. They were taken during the trip.

→ _____

♣ Point 28

24 다음 밑줄 친 분사구문을 〈보기〉에서 알맞은 접속사를 골라 부사절로 바꿔 쓰시오.

> • 보기 •
> | because | if | while |

> (1) <u>Not getting up right now</u>, you'll be late.

→ _____ ,
you'll be late.

> (2) <u>Talking on the phone</u>, she got on the bus.

→ _____ ,
she got on the bus.

> (3) <u>Needing Chinese for his job</u>, he studies it every day.

→ _____ ,
he studies it every day.

수동태

◦ Get Ready ◦

태	능동태	**A dog bit the boy.** S(동작의 주체)	개가 소년을 물었다.
	수동태	**The boy was bitten by a dog.** S(동작의 대상)	소년은 개에 의해 물렸다.

• **The song was sung by a boys' choir.** 그 노래는 소년 합창단에 의해 불려졌다.

• **The party room will be decorated by the staff.** 그 파티룸은 직원에 의해 장식될 것이다.

• **Rice must be washed in cold water before cooking.** 쌀은 조리되기 전에 찬물에 세척되어야 한다.

1. **태**란 주어가 동작을 직접 하는지, 아니면 당하는지에 대한 정보를 동사를 통해 나타내는 것을 말해요.

2. **능동태**는 동작을 직접 하는 주체를 주어로 두는 동사 형태이고, **수동태**는 동작의 영향을 받거나 당하는 대상을 주어로 두는 동사 형태입니다. 시제, 문장의 종류, 조동사의 유무 등에 따라 바뀌는 형태도 잘 알아두어야 해요!

29 수동태의 개념과 형태

❶ 능동태와 수동태

능동태는 주어가 동작을 직접 할 때, 수동태는 주어가 동작의 영향을 받거나 당할 때 쓴다.		
능동태	(주어가) ~하다	My mom **makes** the fruit juice. 우리 엄마는 과일 주스를 만드신다. S(동작의 주체)
수동태	(주어가) ~되다[당하다]	The fruit juice **is made** by my mom. 과일 주스가 우리 엄마에 의해 만들어진다. S(동작의 대상)

❷ 수동태의 기본 형태

「be동사+과거분사(p.p.) ~ (by+행위자)」: (…에 의해) ~되다[당하다]

This restaurant **is visited** by many tourists.
이 식당은 많은 관광객들에 의해 방문된다.

The hotel rooms **are cleaned** every day.
호텔 방은 매일 청소된다.

≫ 수동태의 행위자가 일반인일 때, 또는 불분명하거나 중요하지 않을 때는 「by+행위자」를 생략할 수 있어요.

❸ 능동태를 수동태로 바꾸는 법

Many children **love** chocolate. 〈능동태〉

Chocolate **is loved** by many children. 〈수동태〉
　　주어　　be동사+p.p.　　by+행위자
초콜릿은 많은 아이들에 의해 사랑받는다.

① 능동태의 목적어를 수동태의 주어로 쓴다.
② 능동태의 동사를 「be동사+p.p.」의 형태로 바꾸고, 시제는 능동태의 시제와 일치시킨다.
③ 능동태의 주어를 「by+행위자」의 형태로 문장 마지막에 쓴다. 능동태의 주어가 대명사이면 목적격으로 쓴다.

문법 확인 Ⓐ 문장 해석하기

▶ Answer p.23

1 Her books **are read** by many children.

→ 그녀의 책은 ＿＿＿＿＿＿＿＿＿＿.

2 Lunch **is served** by the volunteers.
★serve 제공하다 volunteer 자원봉사자

→ 점심은 ＿＿＿＿＿＿＿＿＿＿.

3 Some cars **are parked** in a row.

→ 몇 대의 차가 일렬로 ＿＿＿＿＿＿＿.

4 Our bread **is baked** every morning.

→ 우리의 빵은 매일 아침 ＿＿＿＿＿＿.

5 These computers **are used** by students.

→ 이 컴퓨터들은 학생들에 의해 ＿＿＿＿＿.

6 Fresh milk **is delivered** to my house every day.

→ 신선한 우유가 매일 나의 집으로 ＿＿＿＿.

7 This award **is given** to the best player.

→ 이 상은 최고의 선수에게 ＿＿＿＿＿＿.

8 The gates **are locked** at 7:30 every evening.

→ 출입구는 매일 저녁 7시 30분에 ＿＿＿＿.

Point 30 수동태의 시제

❶ 과거시제 수동태

「was[were]+p.p. ~ (by+행위자)」: (…에 의해) ~되었다[당했다]

The forest **was destroyed** by a big fire.
그 숲은 큰 화재에 의해 파괴되었다.
The cherry trees in the area **were planted** in the late 1800's.
그 지역의 벚나무는 1800년대 후반에 심겨졌다.

》 be동사의 형태를 바꾸어 현재시제 수동태와 과거시제 수동태를 표현합니다.

❷ 미래시제 수동태

「will be+p.p. ~ (by+행위자)」: (…에 의해) ~될[당할] 것이다

Today's game **will be watched** by millions of people.
오늘의 경기는 수백만 명의 사람들에 의해 시청될 것이다.
His new album **will be released** next month.
그의 새 앨범은 다음 달에 발매될 것이다.

》 가까운 미래에 일어날 일을 표현할 경우, will 대신에 be going to를 쓸 수도 있어요.

Q 모든 동사를 수동태로 쓸 수 있나요?

A 목적어를 취하지 않는 자동사(happen, exist, appear, disappear, seem, look 등)와 상태나 소유를 나타내는 타동사(become, resemble, have 등)는 수동태로 쓸 수 없어요.
The accident **was happened** yesterday. (×)
The accident **happened** yesterday. (○) 그 사고는 어제 일어났다.

문법 확인 Ⓑ 문장 해석하기

▶ Answer p.23

1 It **was painted** by a famous artist.
→ 그것은 _____ .

2 Your phone **will be repaired** in an hour.
★repair 수리하다
→ 당신의 전화기는 한 시간 내에 _____ .

3 The windows **were cleaned** by my dad.
→ 창문은 _____ .

4 The building **will be completed** next year.
→ 그 건물은 내년에 _____ .

5 The palace **was built** in the 15th century.
→ 그 궁은 15세기에 _____ .

6 Your book **will be delivered** tomorrow.
→ 당신의 책은 내일 _____ .

7 Blue jeans **were** first **made** in America.
→ 청바지는 미국에서 처음 _____ .

8 Your question **will be answered** soon.
→ 당신의 질문은 곧 _____ .

문법 기본 Ⓐ 빈칸에 들어갈 말에 V 표시하기

1 Dollars _____ almost everywhere. ☐ use ☐ are using ☐ are used

2 My computer _____ next Tuesday. ☐ will deliver ☐ will is delivered ☐ will be delivered

3 The fruits _____ several times. ☐ washed ☐ were washing ☐ were washed

4 This purse _____ by Adrian. ☐ designed ☐ was designed ☐ were designed

5 The boys _____ their father. ☐ resembled ☐ was resembled ☐ were resembled

6 The church _____ in 1815. ☐ builts ☐ is built ☐ was built

7 One of the windows _____. ☐ were broke ☐ is broken ☐ were broken

8 People in Cuba _____ Spanish. ☐ speak ☐ spoken ☐ are spoken

문법 기본 Ⓑ 알맞은 동사형 고르기

1 나비가 거미줄에 걸려 있다. → The butterflies catch / are caught in the spider web.

2 Antoni Gaudi가 그 건물을 설계했다. → Antoni Gaudi designed / was designed the building.

3 한 용감한 시민이 그 남자아이를 구조했다. → A brave citizen rescued / was rescued the boy.

4 그 밴드는 십 대 소녀들에 의해 사랑받는다. → The band loves / is loved by teenage girls.

5 그 마술사는 갑자기 사라졌다. → The magician suddenly disappeared / was disappeared .

6 그 영화는 지난주 금요일에 개봉되었다. → The movie is released / was released last Friday.

7 그 식당은 다음 주에 문을 닫을 것이다. → The restaurant was closed / will be closed next week.

8 결과는 우리의 웹사이트에 게시될 것이다. → The results will post / will be posted on our website.

문법 쓰기 Ⓐ 수동태 문장으로 바꿔 쓰기

| Example | My cat broke the vase. | → The vase _was broken_ by my cat. |

1 My brother feeds the dog. → The dog _____ by my brother.

2 The children made a big snowman. → A big snowman _____ by the children.

3 A guest musician will play the harp. → The harp _____ by a guest musician.

4 The gardener waters the flowers. → The flowers _____ by the gardener.

5 They blocked the streets for the event. → The streets _____ for the event.

6 A bridge will connect the two islands. → The two islands _____ by a bridge.

문법 쓰기 Ⓑ 틀린 부분 고치기

| Example | The bike was fix by a neighbor.
그 자전거는 한 이웃사람에 의해 수리되었다. | _fix_ → _fixed_ |

1 The website updates regularly by the staff.
그 웹사이트는 직원에 의해 정기적으로 업데이트 된다. →

2 The poor man was looked tired and hungry.
그 불쌍한 남자는 피곤하고 배고파 보였다. →

3 All the bags were packing last night.
모든 가방은 어젯밤에 꾸려졌다. →

4 The walls of the room was decorated by children.
그 방의 벽들은 아이들에 의해 꾸며졌다. →

5 A department store will build on this site next year.
백화점이 내년에 이 장소에 지어질 것이다. →

6 A lot of money will be spend on advertising.
많은 돈이 광고에 들 것이다. →

123

문법 쓰기 ⓒ 주어진 단어를 활용하여 수동태 문장 완성하기

Example   축구는 영국 사람들에 의해 사랑 받는다. (soccer, love, people in Britain)

→   *Soccer is loved by people in Britain.*

---

1   나의 봉급은 매달 지급된다. (pay, every month)

→   My salary   .

2   그 오렌지들 중 대부분이 California의 농부들에 의해 재배된다. (grow, the farmers)

→   Most of the oranges   in California.

3   그 사원은 약 1,000년 전에 지어졌다. (build)

→   The temple   about 1,000 years ago.

4   깜짝 파티가 Carol을 위하여 금요일에 열릴 것이다. (throw)

→   A surprise party   for Carol on Friday.

5   손님들은 파티의 주최자에 의해 환영 받았다. (the guests, welcome, the host of the party)

→

6   그 약은 많은 환자들에 의해 필요로 된다. (the medicine, need, many patients)

→

7   수업은 바깥의 큰 소음에 의해 방해 받았다. (the lesson, disturb, a loud noise outside)

→

8   그들의 집은 몇몇 자원봉사자들에 의해 수리될 것이다. (house, repair, several volunteers)

→

서술형 예제 1

다음 그림의 상황을 나타내는 문장을 〈조건〉에 맞게 두 가지 방식으로 완성하시오.　👤 Point 29

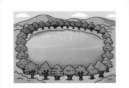

조건
• 단순현재형으로 쓸 것
• 동사 surround를 사용할 것

(1) Trees ＿＿＿＿＿＿＿＿＿＿ the lake.
(2) The lake ＿＿＿＿＿＿＿＿＿＿ by trees.

Teacher's guide

STEP ❶
(1)의 문장에서 주어 Trees는 동사 surround(둘러싸다)의 주체이므로, 동사 형태를 능동태로 나타냅니다.

STEP ❷
(2)의 문장에서 주어 The lake는 동사 surround의 대상이므로, 동사 형태를 수동태로 나타냅니다. 수동태는 「be동사＋p.p.」의 형태로 씁니다.

정답 ≫　(1) surround　(2) is surrounded

실전 연습 1

다음 그림의 상황을 나타내는 문장을 〈조건〉에 맞게 두 가지 방식으로 완성하시오.　👤 Point 29

조건　• 과거시제로 쓸 것
　　　• 동사 break를 사용할 것

(1) Kevin ＿＿＿＿＿＿＿＿＿＿ the window.
(2) The window ＿＿＿＿＿＿＿＿ by Kevin.

서술형 예제 2

다음 우리말을 〈조건〉에 맞게 영작하시오.　👤 Point 30

당신의 컴퓨터는 내일까지 수리될 것입니다.

조건　• computer, repair, by를 사용할 것
　　　• 총 7단어로 쓸 것

→ ＿＿＿＿＿＿＿＿＿＿＿＿＿＿＿

Teacher's guide

STEP ❶
우선 주어인 '당신의 컴퓨터'를 영어로 바꿔 쓰세요.

STEP ❷
동사는 '수리될 것입니다'라는 뜻의 미래시제 수동태로 써야 합니다. 미래시제 수동태는 「will be＋p.p.」의 형태로 씁니다. by는 '~까지'라는 뜻의 전치사로 뒤에 기한을 써요.

정답 ≫　Your computer will be repaired by tomorrow.

실전 연습 2

다음 우리말을 〈조건〉에 맞게 영작하시오.　👤 Point 30

그 프로젝트는 다음 달까지 완료될 것입니다.

조건　• project, complete, by를 사용할 것
　　　• 총 8단어로 쓸 것

→ ＿＿＿＿＿＿＿＿＿＿＿＿＿＿＿

31 수동태의 부정문과 의문문

❶ 수동태의 부정문

「be동사+not+p.p. ~ (by+행위자)」: (…에 의해) ~되지 않다

This road **is** *not* **used** very often.   이 길은 그다지 자주 사용되지는 않는다.

The letter **was** *not* **written** by Brian.   그 편지는 Brian에 의해 쓰이지 않았다.

❷ 수동태의 의문문

「(의문사+) be동사+주어+p.p. ~ (by+행위자) ?」: (…에 의해) ~되니?

A: **Are** you **invited** to the party?
B: Yes, I am. / No, I'm not.
A: 너는 그 파티에 초대받았니?
B: 응, 초대받았어. / 아니, 초대받지 않았어.

A: Where **was** your necklace **found** by him?
B: It was found in the office.
A: 당신의 목걸이가 그에 의해 어디에서 발견되었나요?
B: 그것은 사무실에서 발견되었어요.

문법 확인 Ⓐ 문장 해석하기

▶ **Answer p.23**

1 The breakfast **is not included** in the price.
★include 포함하다
→ 조식은 비용에   .

2 **Are** all the windows **locked**?
→ 모든 창문이   ?

3 The muffins **were not made** by my mom.
→ 머핀은 나의 엄마에 의해   .

4 **Was** the boy **taken** to the hospital?
→ 그 소년은 병원으로   ?

5 The book **was not returned** to the library.
→ 그 책은 도서관에   .

6 **Were** the cars **parked** in the parking lot?
→ 차들이 주차장에   ?

7 When **were** the photos **taken** by you?
→ 그 사진들이 당신에 의해 언제   ?

8 How **was** the rock band **organized**?
★organize 결성[조직]하다
→ 그 록밴드는 어떻게   ?

Point 32 조동사가 있는 수동태

❶ 수동태 문장에서 조동사가 쓰일 경우 be동사는 원형을 사용한다.

> 「조동사(can / may / must / should / will 등)+be+p.p. ~ (by+행위자)」

This food **can be cooked** in three minutes.   이 음식은 3분 안에 조리될 수 있다.

The school rules **should be followed** by every student.   학교 규칙은 모든 학생들에 의해 지켜져야 한다.

❷ 조동사가 있는 수동태의 부정문과 의문문

부정문	의문문
「조동사+not+be+p.p. ~ (by+행위자)」	「(의문사+) 조동사+주어+be+p.p. ~ (by+행위자) ?」
This medicine **must** *not* **be taken** by children. 이 약은 아이들에 의해 복용되어서는 안 된다. Your story **may** *not* **be believed**. 네 이야기는 믿어지지 않을지도 모른다.	**Can** this problem **be solved** easily? 이 문제가 쉽게 해결될 수 있을까요? *How often* **should** these flowers **be watered**? 이 꽃들은 얼마나 자주 물을 줘야 하나요?

문법 확인 B 문장 해석하기   ▶ **Answer** p.23

1 Your privacy **must be protected**.
　★protect 보호하다
→ 당신의 사생활은 　　　　　　　.

2 Loud music **can be heard** from far away.
→ 시끄러운 음악은 멀리서도 　　　　　　　.

3 This day **will be remembered** forever!
→ 이 날은 영원히 　　　　　　　!

4 These products **should not be sold** online.
→ 이 제품들은 온라인상으로 　　　　　　　.

5 Bacteria **cannot be seen** by the naked eye.
→ 박테리아는 육안으로 　　　　　　　.

6 **Should** the plants **be moved** indoors?
→ 그 식물들이 실내로 　　　　　　　?

7 When **will** the next meeting **be held**?
→ 다음 회의가 언제 　　　　　　　?

8 What **should be checked** at each stage?
　★What은 의문사이면서 동시에 문장의 주어입니다.
→ 각 단계에서 무엇이 　　　　　　　?

문법 기본 Ⓐ 빈칸에 들어갈 말에 V 표시하기

1 _____ the items sold at a high price? ☐ Did ☐ Was ☐ Were

2 Will the cars _____ produced in Korea? ☐ be ☐ is ☐ are

3 The password may _____ easily. ☐ forget ☐ are forgotten ☐ be forgotten

4 This product must _____ by children. ☐ not use ☐ be not used ☐ not be used

5 Can the lake _____ from your house? ☐ see ☐ seen ☐ be seen

6 The toothbrush _____ until 1938. ☐ wasn't invent ☐ wasn't invented

7 _____ yesterday? ☐ Did the office clean ☐ Was the office cleaned

8 The package _____ . ☐ was not delivered ☐ not was delivered

문법 기본 Ⓑ 알맞은 말 고르기

1 주소가 봉투에 적혀 있나요? → Does / Is an address written on the envelope?

2 그 문제는 해결되지 않았다. → The problem was not / not was solved.

3 부서 회의는 취소되었나요? → Was the department meeting cancel / canceled ?

4 어린이들은 폭력으로부터 보호되어야 한다. → Children should protect / be protected from violence.

5 저 그림들은 만지면 안 된다. → Those paintings must not be / be not touched.

6 드럼은 음악실로 옮겨졌나요? → Were the drums move / moved to the music room?

7 상자는 여러 방법으로 재활용될 수 있다. → Boxes can recycled / be recycled in many ways.

8 그것은 냉장고에 보관되어야 하나요? → Should it be stored / was stored in the refrigerator?

문법 쓰기 Ⓐ 주어진 동사를 활용하여 빈칸 완성하기

| Example | tear | 그 책은 찢기지 않았다. | → The book _was not torn_ . |
| | | 그 책은 찢겼니? | → _Was_ the book _torn_ ? |

1 clean 그 방은 매일 청소되지는 않는다. → The room _____ every day.
그 방은 매일 청소되니? → _____ the room _____ every day?

2 damage 그 차는 손상되지 않았다. → The car _____ .
그 차는 손상되었니? → _____ the car _____ ?

3 take 그 사진들은 Nick에 의해 찍히지 않았다. → The photos _____ by Nick.
그 사진들은 Nick에 의해 찍혔니? → _____ the photos _____ by Nick?

4 do 그 일은 그녀에 의해 행해질 수 없다. → The work _____ by her.
그 일이 그녀에 의해 행해질 수 있니? → _____ the work _____ by her?

문법 쓰기 Ⓑ 틀린 부분 고치기

| Example | The money not was found in his bag.
그 돈은 그의 가방에서 발견되지 않았다. | _not was_ → _was not_ |

1 Did these steaks cooked on a grill?
이 스테이크는 그릴 위에서 조리되었니?

2 The shoes were not make for dancing.
그 신발은 무용을 위해 만들어지지 않았다.

3 The trees along the street will not cut.
거리를 따라 서 있는 나무들은 베이지 않을 것이다.

4 These stickers will be not removed easily.
이 스티커들은 쉽게 제거되지 않을 것이다.

5 Is wildlife threaten by light pollution?
야생동물은 빛 공해의 위협을 받니?

6 Can sound is changed into electricity?
소리가 전기로 바뀔 수 있니?

문법 쓰기 C   주어진 단어를 활용하여 수동태 문장 완성하기

> Example   그 편지는 한국어로 쓰이지 않았다. (the letter, write)
>
> → *The letter was not written in Korean.*

1   그 음식은 나에 의해 주문되지 않았다. (order)

→   The food   by me.

2   두 명의 강도들이 경찰에 의해 체포되었습니까? (the two robbers, arrest)

→   by the police?

3   모두가 동등하게 대우받아야 한다. (should, treat)

→   Everyone   equally.

4   이 비밀은 다른 누구에게도 말해져서는 안 된다. (must, tell)

→   This secret   to anybody else.

5   그 히트곡은 Rodney에 의해 만들어지지 않았다. (the hit song, produce)

→

6   눈이 인도에서 치워졌나요? (the snow, clear, from the pavement)

→

7   너는 용서받을지도 모른다. (may, forgive)

→

8   이 프린터가 고쳐질 수 있을까요? (can, this printer, fix)

→

서술형 예제 1

다음 우리말과 일치하도록 괄호 안의 말을 이용하여 대화를 완성하시오. ♣ Point 31

> A: 그 도서관에서는 (1) 음식과 음료가 허용되나요?
> (food and drinks, allow)
> B: 아뇨. 도서관에서 (2) 그것들은 허용되지 않아요.

A: (1) _____ in the library?

B: No. (2) _____ in the library.

Teacher's guide

STEP ①
일단 A와 B가 나누는 대화가 현재시제임을 파악합니다. A의 말은 '(주어가) ~되나요?'라는 뜻으로, 수동태의 의문문임을 알 수 있습니다. 따라서 「be동사＋주어＋p.p. ~?」의 형태로 씁니다.

STEP ②
B의 말은 '(주어가) ~되지 않는다'라는 뜻으로, 수동태의 부정문임을 알 수 있습니다. 따라서 「주어＋be동사＋not＋p.p.~」의 형태로 씁니다.

정답 >> (1) Are food and drinks allowed (2) They are not allowed

---

실전 연습 1

다음 우리말과 일치하도록 괄호 안의 말을 이용하여 대화를 완성하시오. ♣ Point 31

> A: (1) 그 집은 허리케인에 의해서 파손되었니?
> (the house, damage, the hurricane)
> B: 아니. 다행히도, (2) 그것은 파손되지 않았어.

A: (1) _____ ?

B: No. Fortunately, (2) _____ .

서술형 예제 2

다음 우리말을 〈조건〉에 맞게 영작하시오. ♣ Point 32

고구마는 냉장고에 보관되어서는 안 된다.

| 조건 | • sweet potatoes, should, keep, the refrigerator를 사용할 것
• 총 9단어로 쓸 것 |

→ _____

Teacher's guide

STEP ①
우선 주어인 '고구마는'을 영어로 바꿔 쓰세요.

STEP ②
동사 부분인 '보관되어서는 안 된다'의 의미로 비추어볼 때, 조동사 should와 동사 keep을 활용하여 수동태의 부정문으로 써야 합니다. 조동사가 있는 수동태의 부정문은 「조동사＋not＋be＋p.p.」의 형태로 씁니다.

정답 >> Sweet potatoes should not be kept in the refrigerator.

실전 연습 2

다음 우리말을 〈조건〉에 맞게 영작하시오. ♣ Point 32

어떤 음식들은 전자레인지에서 조리되어서는 안 된다.

| 조건 | • some foods, must, cook, the microwave를 사용할 것
• 총 9단어로 쓸 것 |

→ _____

Point 33 동사구의 수동태

〈동사＋전치사〉 또는 〈동사＋부사〉 형태의 동사구는 하나의 동사처럼 함께 묶어서 수동태로 바꾼다.

laugh at (= make fun of)	~을 비웃다[놀리다]	He **was laughed at** by his classmates. 그는 학급 친구들에 의해 놀림을 당했다.
take care of (= look after)	~을 돌보다	The children **were taken care of** by their grandmother. 그 아이들은 할머니에 의해 돌보아졌다.
put off	~을 미루다[연기하다]	The soccer match **was put off** due to the storm. 축구 시합은 폭풍우로 인해 연기되었다.
deal with	~을 다루다[처리하다]	The problem should **be dealt with** carefully. 그 문제는 조심스럽게 처리되어야 한다.
bring up	~을 기르다[양육하다]	He **was brought up** in the country. 그는 시골에서 길러졌다.
hand in	~을 제출하다	Your homework must **be handed in** by tomorrow. 여러분의 숙제는 내일까지 제출되어야 합니다.
run over	(차가) ~을 치다	The dog **was run over** by a truck. 그 개는 트럭에 의해 치였다.
pay for	~을 지불하다	The expenses **were paid for** by the company. 비용은 회사에 의해 지불되었다.
look up to	~을 존경하다	The mayor **is looked up to** by many people. 그 시장은 많은 사람들에 의해 존경받는다.
look down on	~을 얕보다[멸시하다]	In those days, they **were looked down on** in society. 그 시절에 그들은 사회에서 멸시 당했다.

문법 확인 Ⓐ 문장 해석하기

▶ Answer p.24

1 The room **was paid for** in advance.
→ 방 값은 선불로 _____.

2 The festival **was put off** at the last minute.
→ 축제는 마지막 순간에 _____.

3 Harry **was brought up** by his aunt.
→ Harry는 그의 이모에 의해 _____.

4 The report **was handed in** on time.
→ 그 보고서는 시간 맞춰 _____.

5 He **is looked up to** by his children.
→ 그는 그의 자녀들에게 _____.

6 He **was made fun of** because of his accent.
→ 그는 그의 억양 때문에 _____.

7 The baby **was looked after** by the nurses.
→ 그 아기는 간호사들에 의해 _____.

8 The complaint **was dealt with** by the manager.
→ 그 불만 사항은 관리자에 의해 _____.

by 이외의 전치사를 쓰는 수동태

수동태 문장에서 행위자를 나타낼 때 by 이외의 전치사를 쓰기도 한다.

be interested in	~에 관심이 있다	Many foreigners **are interested in** Korean culture. 많은 외국인들이 한국 문화에 관심이 있다.
be covered with	~로 덮여 있다	His pants **were covered with** dust. 그의 바지는 먼지로 덮여 있었다.
be filled with	~로 가득 차다	The store **was filled with** toys for the holiday sale. 그 상점은 휴일 판매를 위한 장난감들로 가득 찼다.
be satisfied with	~에 만족하다	I **am satisfied with** my life. 나는 내 삶에 만족한다.
be disappointed with[at]	~에 실망하다	The fans **were disappointed with** the game. 팬들은 그 경기에 실망했다.
be surprised at	~에 놀라다	I **was surprised at** the news. 나는 그 소식에 놀랐다.
be made of[from]	~로 만들어지다	The desk **is made of** pine. / Cheese **is made from** milk. 그 책상은 소나무로 만들어진 것이다. / 치즈는 우유로 만들어진다. 》 be made가 전치사 of와 함께 쓰이면 물리적 변화를, 전치사 from과 함께 쓰이면 화학적 변화를 나타냅니다.
be known as	~로 알려져 있다	The Nile **is known as** the longest river in the world. 나일강은 세계에서 가장 긴 강으로 알려져 있다.
be known for	~로 유명하다	Belgium **is known for** its chocolate. 벨기에는 초콜릿으로 유명하다.
be known to	~에게 알려져 있다	The singer **is known to** many people. 그 가수는 많은 사람들에게 알려져 있다.

문법 확인 - Ⓑ 문장 해석하기

▶ Answer p.24

1 The boots **were covered with** mud. → 그 부츠는 _____.

2 The shelf **was filled with** books. → 그 책장은 _____.

3 Everyone **was surprised at** his skill. → 모두가 _____.

4 Wine **is made from** grapes. → 와인은 _____.

5 I **was disappointed with** his attitude. → 나는 _____.
　　★attitude 태도, 자세

6 The bakery **is known for** its pies. → 그 제과점은 _____.

7 The place **is known to** many travelers. → 그 장소는 _____.

8 It **is known as** the fastest animal in the world. → 그것은 _____.

133

▶ Answer p.24

문법 기본 ─Ⓐ **<보기>에서 빈칸에 들어갈 전치사 고르기 (중복 사용 가능)**

┌─ 보기 ───┐
│ at   in   as   to   for   with   from │
└──┘

1 ~에 관심이 있다   be interested _____

2 ~에 만족하다   be satisfied _____

3 ~으로 유명하다   be known _____

4 ~에 놀라다   be surprised _____

5 ~으로 덮여 있다   be covered _____

6 ~에게 알려져 있다   be known _____

7 ~로 만들어지다   be made _____

8 ~에 실망하다   be disappointed _____

9 ~로 가득 차다   be filled _____

10 ~으로 알려져 있다   be known _____

문법 기본 ─Ⓑ **알맞은 말 고르기**

1 Fred는 그의 할머니에 의해 양육되었다. → Fred brought up / was brought up by his grandma.

2 그 고양이는 그에 의해 돌보아졌다. → The cat was looked / was looked after by him.

3 나의 남동생은 공룡에 관심이 매우 많다. → My little brother is very interested in / by dinosaurs.

4 콘서트는 일주일 연기되었다. → The concert was put / was put off for a week.

5 당신의 요구는 즉시 처리될 것입니다. → Your request will deal with / be dealt with immediately.

6 그 길은 모래와 흙으로 덮여 있었다. → The road was covered of / with sand and earth.

7 그 거지는 아이들에게 놀림을 당했다. → The beggar laughed at / was laughed at by the children.

8 너는 네 직업에 만족하니? → Are you satisfied to / with your job?

문법 쓰기 Ⓐ 수동태 문장으로 바꿔 쓰기

| Example | His behavior surprised me. → I *was surprised at* his behavior. |

1 Snow covered the ground. → The ground _____ snow.

2 A train ran over the dog. → The dog _____ by a train.

3 Politics doesn't interest me. → I'm not _____ politics.

4 Robin handed in his paper late. → Robin's paper _____ late.

5 Smoke filled the room. → The room _____ smoke.

6 She paid for the damaged books. → The damaged books _____ by her.

문법 쓰기 Ⓑ 밑줄 친 부분 고치기

| Example | Chocolate is made <u>by</u> cocoa beans. 초콜릿은 코코아 콩으로 만들어진다. | *by* → *from* |

1 Cinderella looked down on <u>by</u> her sisters. →
신데렐라는 그녀의 언니들에 의해 멸시 당했다.

2 The singer is known <u>by</u> her unique voice. →
그 가수는 독특한 목소리로 유명하다.

3 My sister was taken care <u>by of</u> the nurse. →
나의 언니는 그 간호사에 의해 돌봄을 받았다.

4 We were surprised <u>of</u> his sudden death. →
우리는 그의 갑작스러운 죽음에 놀랐다.

5 The outdoor concert <u>put off</u> due to the typhoon. →
야외 콘서트는 태풍으로 인해 취소되었다.

6 The city is known <u>to</u> the home of pizza. →
그 도시는 피자의 고향으로 알려져 있다.

135

문법 쓰기 ─ⓒ **주어진 단어를 활용하여 수동태 문장 완성하기**

Example 그 집은 벽돌로 만들어졌다. (the house, make, bricks)

→ *The house was made of bricks.*

---

1 모글리는 한 무리의 늑대들에 의해 길러졌다. (bring up)

→ Mowgli _____ a herd of wolves.

2 나는 팀에서의 내 역할에 만족한다. (satisfy)

→ I _____ my role on the team.

3 그 의사는 마을 사람들에 의해 존경받았다. (look up to, the villagers)

→ The doctor _____ .

4 만약 네가 TV에 나온다면, 너는 많은 사람들에게 알려질 것이다. (will, know)

→ If you are on television, you _____ a lot of people.

5 나는 그녀의 반응에 놀랐다. (surprise, reaction)

→ _____

6 과제물은 금요일까지 제출되어야 한다. (the paper, must, hand in, by Friday)

→ _____

7 Julia는 새로운 것들을 배우는 것에 관심이 있다. (interest, learning new things)

→ _____

8 그 문제는 전문가에 의해 다뤄졌다. (the problem, deal with, an expert)

→ _____

서술형 예제 1

다음 우리말을 〈조건〉에 맞게 영작하시오.　♣ Point 33

> 그 코치는 모든 선수들에게 존경 받는다.

조건	• the coach, look up to, all the players를 사용할 것
	• 총 10단어로 쓸 것

→ _____

Teacher's guide

STEP ❶
우선 주어인 The coach를 쓰세요.

STEP ❷
주어인 The coach는 동사구 look up to의 대상이므로, 동사 형태를 수동태로 씁니다. 동사구는 하나의 동사처럼 함께 묶어서 수동태로 바꾸어야 하므로, 「be looked up to」의 형태로 씁니다. 이때 시제, 주어의 인칭과 수에 주의하여 be동사를 쓰도록 하세요.

정답 ≫　The coach is looked up to by all the players.

실전 연습 1

다음 우리말을 〈조건〉에 맞게 영작하시오.　♣ Point 33

> 그 햄스터들은 나의 여동생에 의해 돌보아졌다.

조건	• the hamsters, take care of, my sister를 사용 할 것
	• 총 9단어로 쓸 것

→ _____

서술형 예제 2

다음 괄호 안의 말을 이용하여 그림의 상황을 나타내는 문장을 완성하시오.　♣ Point 34

I bought a big cake for my sister. The top of the cake (1) _____ chocolate. (cover) She (2) _____ the cake. (satisfy)

Teacher's guide

STEP ❶
그림과 괄호 안의 단어로 보아, (1)에는 '~로 덮여 있다'라는 뜻의 be covered with가 들어가야 합니다.

STEP ❷
(2)에는 '~에 만족하다'라는 뜻의 be satisfied with가 들어가야 합니다.

정답 ≫　(1) was covered with　(2) was satisfied with

실전 연습 2

다음 괄호 안의 말을 이용하여 그림의 상황을 나타내는 문장을 완성하시오.　♣ Point 34

Tom got his report card yesterday.
He (1) _____ his grades. (disappoint) His eyes (2) _____ tears. (fill)

객관식 (01~09)

♣ Point 29, 30

01 다음 빈칸에 들어갈 말로 알맞은 것은?

> The mirror was _____ by David.

① break   ② broke   ③ breaking

④ broken   ⑤ to break

♣ Point 32

02 다음 문장에서 not이 들어갈 위치로 알맞은 곳은?

> The door (①) must (②) be (③) opened (④) without permission (⑤).

♣ Point 33

03 다음 우리말을 영어로 바르게 옮긴 것은?

> 나의 할머니는 나의 엄마에 의해 돌봐졌다.

① My grandma took care of my mom.

② My grandma took care of by my mom.

③ My grandma was taken care by my mom.

④ My grandma was taken care of my mom.

⑤ My grandma was taken care of by my mom.

♣ Point 29, 30

04 다음 빈칸에 들어갈 말이 순서대로 짝지어진 것은?

> • A big fire _____ the jungle.
> • The movie _____ by a famous director.

① destroyed – directed

② was destroyed – was directing

③ destroyed – was directed

④ was destroyed – was directed

⑤ was destroyed – directed

[05~06] 다음 주어진 문장을 수동태로 알맞게 바꾼 것을 고르시오.

♣ Point 31

05

> Susan didn't design this dress.

① This dress is not designed by Susan.

② This dress does not design by Susan.

③ This dress was not designed by Susan.

④ This dress not was designed by Susan.

⑤ This dress did not be designed by Susan.

♣ Point 31

06

> Did the children follow the woman?

① Was the woman followed the children?

② Was the woman followed by the children?

③ Were the children follow by the woman?

④ Were the children followed by the woman?

⑤ Were the children following by the woman?

♣ Point 29, 30, 33

07 다음 중 문장 전환이 <u>잘못된</u> 것은?

① Jake will put off the task.

  → The task will be put by off Jake.

② Jack threw the ball.

  → The ball was thrown by Jack.

③ People spend a lot of money on education.

  → A lot of money is spent on education.

④ Mr. Park collected the test papers.

  → The test papers were collected by Mr. Park.

⑤ Many people will visit the new park.

  → The new park will be visited by many people.

08 ♣ Point 30, 32

다음 중 어법상 틀린 것은?

① The house has to be cleaned today.
② Henry will not be invited to the party.
③ The fence will be repaired next week.
④ The fire alarm system must tested regularly.
⑤ The flowers will be planted by my grandma.

09 대표 ♣ Point 34

다음 빈칸에 들어갈 말이 나머지 넷과 다른 것은?

① The classroom was filled _____ students.
② Fred is satisfied _____ his new hairstyle.
③ The lake was covered _____ ice and snow.
④ We were surprised _____ the size of the room.
⑤ I was disappointed _____ the service of the restaurant.

서술형 기본 (10~18)

10 ♣ Point 29, 31

다음 대화의 흐름에 맞도록, 괄호 안의 말을 빈칸에 알맞은 형태로 쓰시오.

A: Is Spanish (1) _____ in Canada? (use)
B: No, it's not (2) _____ there. (speak)

[11~12] 다음 주어진 문장을 수동태로 바꿀 때, 빈칸에 알맞은 말을 쓰시오.

11 ♣ Point 29

Many people love vanilla ice cream.

→ Vanilla ice cream _____ by many people.

12 ♣ Point 30

Guests will use this room.

→ This room _____ by guests.

[13~14] 다음 빈칸에 알맞은 전치사를 쓰시오.

13 ♣ Point 34

The airport was filled _____ fans and reporters.

14 ♣ Point 34

The durian is known _____ its strong smell.

[15~16] 대표 다음 우리말과 일치하도록 괄호 안의 말을 이용하여 빈칸에 알맞은 말을 쓰시오.

15 ♣ Point 33

깨진 안경은 그 소년의 엄마에 의해 변상되었다. (pay for)

→ The broken glasses _____ by the boy's mom.

16 ♣ Point 33

Ann은 빨간 머리 때문에 놀림을 당했다. (make fun of)

→ Ann _____ because of her red hair.

17 ♣ Point 31

다음 대화의 흐름에 맞도록, 괄호 안의 말을 이용하여 대화를 완성하시오.

A: Did you go to Jenny's party last night?
B: No, I _____ _____ _____ to her party. (invite) So, I didn't go.

18 ♣ Point 32

다음 주어진 문장을 수동태로 바꿀 때 네 번째로 오는 단어를 쓰시오.

You should not wash carpets in the washing machine.

→ _____

♣ Point 30

19 다음 우리말을 〈조건〉에 맞게 영작하시오.

그 노래는 Beyonce에 의해 불려졌다.

조건 · the song, sing을 사용할 것
· 총 6단어로 쓸 것

→ _____

♣ Point 33

20 다음 주어진 문장을 수동태로 바꿔 쓰시오.

(1) The girl looked after the kitten.

→ _____

(2) His fiancee put off the wedding.

→ _____

대표 ♣ Point 29

21 다음 ①~⑤ 중 어법상 <u>틀린</u> 것을 골라 바르게 고쳐 쓰시오.

A lot of trees ① are cut down and ② make into paper. Then the paper ③ is sent to a printing house. Stories ④ are printed on the paper, and they ⑤ are turned into books.

( ) _____

♣ Point 32

22 다음 괄호 안의 말을 바르게 배열하여 그림의 상황을 나타내는 문장을 완성하시오.

_____ in the refrigerator.
(not, should, bananas, kept, be)
They turn black in the refrigerator.

♣ Point 30, 31

23 다음 음악실 청소 일정표를 참고하여 〈조건〉에 맞게 대화를 완성하시오.

날짜	음악실 청소 여부
Yesterday (Monday)	×
Today (Tuesday)	×
Tomorrow (Wednesday)	○

조건 · 수동태로 쓸 것
· the music room, clean을 사용할 것

A: (1) _____
yesterday? (어제 음악실이 청소되었니?)
B: No. (2) _____. (아니.
그곳은 청소되지 않았어.)
A: (3) _____ tomorrow?
(내일 그곳이 청소될까?)
B: Yes. (4) _____ tomorrow.
(응. 내일 그곳은 청소될 거야.)
(5) _____ every Wednesday.
(그곳은 매주 수요일에 청소되거든.)

고난도 ♣ Point 34

24 다음 우리말과 일치하도록 (A)와 (B)에서 필요한 단어를 하나씩 골라 문장을 완성하시오.

(A)	(B)
interest	to
fill	in
know	with

(1) 나는 팝송에 관심이 있다.

→ I _____ pop songs.

(2) 네 재능은 세상에 알려질 거야.

→ Your talent _____ the world.

(3) 그 유리병은 동전으로 가득 차 있다.

→ The glass jar _____ coins.

대명사

Get Ready

부정대명사

I lost my watch, so I have to buy one.　　　나는 손목시계를 잃어버려서, 하나 사야한다.

He ate a sandwich and ordered another.　　그는 샌드위치 하나를 먹고 또 하나를 주문했다.

All the people looked happy.　　　　　　　모든 사람이 행복해 보였다.

Each name has a meaning.　　　　　　　각각의 이름에는 그 뜻이 있다.

재귀대명사

I know myself.　　　　　　　　　　　　나는 내 자신을 안다.

I myself baked the cake.　　　　　　　내가 직접 그 케이크를 구웠다.

부정대명사란 정해져 있지 않은 막연한 사물이나 사람을 지칭하는 대명사에요. 재귀대명사는 인칭대명사의 소유격 또는 목적격에 -self[selves]를 붙인 형태로 '~자신'이라는 의미에요.

35 부정대명사 (1)

❶ one은 앞에 나온 명사와 같은 종류의 사람이나 사물을 가리키며, 복수형은 ones이다.

> I don't have an eraser. Can you lend me **one**? (one = an eraser) 나는 지우개가 없어. 네가 하나 빌려줄래?
> My glasses are broken. I should buy new **ones**. (ones = glasses) 내 안경이 부러졌다. 나는 새 것을 사야한다.

> ※ one은 앞서 언급한 것과 같은 종류의 것을 지칭하는 반면, it은 앞서 언급한 '바로 그것'을 지칭해요.
> I like your new bag. Where did you buy it? (it = your new bag) 나는 네 새 가방이 마음에 들어. 너는 그것을 어디에서 샀니?

❷ another는 앞에서 언급된 명사와 같은 종류의 또 다른 것을 가리킨다.

> This skirt is too tight for me. Can you show me **another**? 이 치마는 저에게 너무 꽉 끼네요. 다른 것을 보여주시겠어요? (대명사)
> Can I have **another** cup of tea? 차를 한 잔 더 마실 수 있을까요? (형용사) » another는 '또 다른 하나(의)'라는 의미로, 대명사와 형용사로 모두 쓰여요.

❸ 짝을 이루어 쓰는 부정대명사

one, the other (둘 중) 하나는, 또 하나는	He has two cars. **One** is new, and **the other** is old. 그는 두 대의 자동차가 있다. 하나는 새 것이고, 또 하나는 오래된 것이다.
one, another, the other (셋 중) 하나는, 또 하나는, 나머지 하나는	I have three cats. **One** is white, **another** is black, and **the other** is brown. 나는 세 마리의 고양이가 있다. 하나는 흰 색, 또 하나는 검정색, 나머지 하나는 갈색이다.
one, the others (셋 이상 중에서) 하나는, 나머지 전부는	She has five children. **One** is a girl, and **the others** are boys. 그녀는 다섯 명의 아이들이 있다. 한 명은 여자 아이고, 나머지는 남자 아이들이다.
some, others (많은 것 중에서) 일부는, 또 다른 일부는	**Some** like summer, and **others** like winter. 어떤 사람들은 여름을 좋아하고, 다른 사람들은 겨울을 좋아한다.
some, the others (많은 것 중에서) 일부는, 나머지 전부는	**Some** came to the party, but **the others** didn't. 일부는 파티에 왔지만, 나머지 전부는 오지 않았다.

문법 확인 ─Ⓐ 문장 해석하기

▶ **Answer p.26**

1 My bag is worn out, so I have to buy **one**. → 내 가방이 다 닳아서 　　　　　　　 사야한다.
★worn out 닳아서 못 쓰게 된

2 Would you like **another** cookie? → 쿠키를 　　　　　　　 먹을래?

3 **One** of them was a swan, and **the others** were ducks. → 그것들 중 한 마리는 백조이고, 　　　　　　　 는 오리들이었다.

4 I don't like this room. I'll ask for **another**. → 나는 이 방이 마음에 안 들어요. 　　　　　　　 을 달라고 할게요.

5 **One** of the twins is a boy. **The other** is a girl. → 쌍둥이 중에 한 명은 남자아이이다. 　　　　　　　 은 여자아이이다.

6 **Some** people like coffee, and **others** like tea. → 어떤 사람들은 커피를 좋아하고, 　　　　　　　 은 차를 좋아한다.

부정대명사 (2)

❶ all과 both는 둘 다 대명사와 형용사로 쓰인다.

all 모두, 모든 ~	「all (of)+복수 명사+복수 동사」	**All** (of) his **friends like** him. 그의 모든 친구들은 그를 좋아한다.
	「all (of)+단수 명사+단수 동사」	**All** (of) my **hope is** in you. 내 모든 희망은 당신에게 있다.
both 둘 다, 양쪽의 ~	「both (of)+복수 명사+복수 동사」	**Both** (of) my **parents are** busy. 나의 부모님은 두 분 다 바쁘시다.

》 both는 항상 복수 취급하고, all은 뒤에 나오는 명사에 따라 단수 또는 복수 취급해요.

❷ each는 대명사와 형용사로 모두 쓰이고, every는 형용사로만 쓰인다.

each 각각, 각각의 ~	「each of+복수 명사+단수 동사」	**Each of the caps is** a different color. 그 모자들은 각각 색이 다르다. 》 each 뒤에 of가 올 때는 명사 앞에 관사나 소유격 등의 수식어가 붙어요.
	「each+단수 명사+단수 동사」	**Each child is** special. 각각의 아이들은 특별하다.
every 모든 ~	「every+단수 명사+단수 동사」	**Every country has** its unique culture. 모든 나라에는 독특한 문화가 있다.

》 each와 every는 둘 다 단수 취급해요. everyone, everybody, everything도 단수 취급해요.

+

「every + 숫자 + 기간」은 '~마다'의 의미에요.

The World Cup is held every four years. 월드컵은 4년마다 열린다.

문법 확인 **문장 해석하기**

▶ Answer p.26

1 **All** the light is gone. → [   ] 빛이 사라졌다.

2 **Both** of these restaurants are very good. → 이 [   ] 식당 모두 아주 좋다.

3 **All** my efforts paid off. → 내 [   ] 노력은 결실을 맺었다.
★pay off 성과를 올리다

4 **Both** candidates look confident. → [   ] 후보 모두 자신감 있어 보인다.
★candidate 후보자

5 **Each** of the answers is worth 10 points. → 정답은 [   ] 10점이다.

6 **Every** end is a new beginning. → [   ] 끝은 새로운 시작이다.

7 **Every** seat in the theater was taken. → 그 극장의 [   ] 좌석에는 주인이 있었다.

문법 기본 Ⓐ 빈칸에 알맞은 말에 V 표시하기

1 This bus is crowded. Let's wait for the next _____. □ it □ one □ ones

2 These cupcakes taste so good. Where did you buy _____? □ it □ them □ ones

3 _____ of us are fifteen years old. □ All □ Each □ Every

4 _____ house on the street looks the same. □ All □ Both □ Every

5 Don't speak ill of _____ behind their backs. □ other □ others □ another

6 She has three sons. One is tall, and _____ are short. □ another □ others □ the others

7 Some are from Asia, and _____ are from Europe. □ other □ others □ another

8 Tom bought two dolls. He gave one to Amy, and _____ □ other □ another □ the other
to Tina.

문법 기본 Ⓑ 알맞은 말 고르기

1 모든 규칙에는 예외가 있다. → Every rule have / has an exception.

2 이 가방을 다른 것으로 교환해주시겠어요? → Can you exchange this bag for other / another
one?

3 그녀의 두 아들 모두 독일에서 공부하고 있다. → Both of her sons is / are studying in Germany.

4 모든 가구가 도착했다! → All the furniture have / has arrived!

5 모든 개는 자기 날을 갖는다.(쥐구멍에도 볕들 날 있다.) → All / Every dog has its day.

6 학생들은 각각 관심사가 다르다. → Each of student / the students has different
interests.

7 각각의 방에는 킹사이즈 침대가 있다. → Each / Every of the rooms has a king-size bed.

문법 쓰기 Ⓐ 주어진 동사로 빈칸 완성하기

| Example | **look** | 그 소년들은 둘 다 행복해 보인다. | → Both the boys | *look* | happy. |
| | | 모든 소년은 행복해 보인다. | → Every boy | *looks* | happy. |

1 **be** 그 모든 돈은 교육을 위해 쓰였다. → All the money _____ used for education.

모든 학생들은 강당에 있었다. → All the students _____ in the auditorium.

2 **need** 모든 아이들은 사랑을 필요로 한다. → Every child _____ love.

각 아이는 사랑을 필요로 한다. → Each child _____ love.

3 **have** 우리 둘은 다른 견해를 갖고 있다. → Both of us _____ different views.

우리는 각자 다른 견해를 갖고 있다. → Each of us _____ a different view.

4 **get** 모든 회원은 회원증을 받는다. → All members _____ membership cards.

모든 회원은 회원증을 받는다. → Every member _____ a membership card.

문법 쓰기 Ⓑ 틀린 부분 고치기

| Example | All the guests has left. | *has* | → | *have* |
| | 손님들 모두가 떠났다. | | | |

1 These shoes are too small. Do you have larger one?
이 신발은 너무 작아요. 큰 것 있어요?
_____ → _____

2 Is this your pen? Do you mind if I use one?
이거 네 펜이니? 내가 그걸 써도 될까?
_____ → _____

3 Each member are given one vote.
회원 각자에게는 한 표씩 주어집니다.
_____ → _____

4 He can speak three languages. One is English,
another is Spanish, and other is Chinese.
그는 3개 국어를 할 수 있다. 하나는 영어고, 또 하나는 스페인어고, 나머지 하나는 중국어이다.
_____ → _____

5 Some like horror movies. Other like action movies.
일부는 공포 영화를 좋아한다. 또 다른 일부는 액션 영화를 좋아한다.
_____ → _____

문법 쓰기 C 주어진 단어를 활용하여 문장 완성하기

> Example   한 학생은 찬성했고, 나머지 전부는 반대했다. (disagree)
>
> →   *One student agreed, but the others disagreed.*

1   선글라스는 좀 비싸네요. 더 싼 것도 있나요? (cheaper)

     →   These sunglasses are too expensive. Do you have   ?

2   그녀에게는 두 마리의 새끼 고양이가 있다. 한 마리는 검정색이고 나머지 한 마리는 흰 색이다. (white)

     →   She has two kittens. One is black and   .

3   그 버터가 다 녹을 때까지 가열하세요. (all, the butter, melt)

     →   Heat until   .

4   이 수건은 젖었어요. 저에게 다른 것을 주세요. (hand, please)

     →   This towel is wet.

         ★hand 건네주다

5   그들 중 일부는 제 시간에 왔다. 하지만 나머지 전부는 늦었다. (but, late)

     →   Some of them came on time.

6   우리 둘 다 여행을 좋아한다. (of, enjoy, traveling)

     →

7   각 페이지에는 동물 그림이 있다. (page, have, a picture of an animal)

     →

8   모든 호텔은 깨끗하고 편안했다. (all, the hotels, clean and comfortable)

     →

         ★comfortable 편안한

서술형 예제 1

다음 그림의 상황을 설명하는 문장을 〈보기〉에서 알맞은 말을 골라 완성하시오. 👤 Point 35

• 보기 •
one / another / other / the other / the others

→ There are two girls waiting for the bus. One has short hair, and _____.

Teacher's guide

STEP ❶
주어진 그림은 '두 명의 소녀들 중 하나는 머리가 짧고, 나머지 하나는 머리가 긴' 상황이에요.

STEP ❷
'(둘 중에서) 하나는 ~, 나머지 하나는 …'은 「one ~, the other …」로 표현해요.

정답 ≫ the other has long hair

실전 연습 1

다음 그림의 상황을 설명하는 문장을 〈보기〉에서 알맞은 말을 골라 완성하시오. 👤 Point 35

• 보기 •
one / another / other / the other / the others

→ There are three pens on the desk. One is red, _____,

and _____.

서술형 예제 2

다음 우리말을 〈조건〉에 맞게 영작하시오. 👤 Point 36

선수 각자는 5장의 카드를 갖는다.

조건 • of, the players, have, five cards를 사용하되 필요하면 형태를 바꿔 쓸 것
• 총 7단어로 쓸 것

→ _____

Teacher's guide

STEP ❶
주어진 조건에 있는 of와 player를 사용하여 '선수 각자'는 each of the players로 표현합니다.

STEP ❷
each는 단수 취급하므로 동사도 단수동사를 씁니다. 따라서 주어진 복수동사 have를 단수동사 has로 형태를 바꿔 씁니다.

정답 ≫ Each of the players has five cards.

실전 연습 2

다음 우리말을 〈조건〉에 맞게 영작하시오. 👤 Point 36

각 방에는 발코니가 있다.

조건 • of, the rooms, have, a balcony를 사용하되 필요하면 형태를 바꿔 쓸 것
• 총 7단어로 쓸 것

→ _____

147

37 재귀대명사의 용법

❶ 재귀대명사는 인칭대명사의 소유격 또는 목적격에 -self[selves]를 붙인 형태로 '〜자신', '〜자체'를 의미한다.

인칭	단수	복수
1인칭	myself	ourselves
2인칭	yourself	yourselves
3인칭	himself / herself / itself	themselves

❷ 재귀대명사의 용법

재귀 용법	She looked at **herself** in the mirror. (She = herself) 그녀는 거울 속에 있는 그녀 자신을 보았다. People often talk to **themselves**. (People = themselves) 사람들은 종종 혼잣말을 한다. It's not your fault. Don't blame **yourself**. 그것은 네 잘못이 아니다. 스스로를 탓하지 마라.	» 주어와 목적어가 가리키는 대상이 같을 때 목적어로 재귀대명사를 써요. 이 때 재귀대명사는 생략이 불가능해요.
강조 용법	I (**myself**) repaired my bike. (주어 강조) 내가 (직접) 내 자전거를 고쳤다. Did you see the queen (**herself**)? (목적어 강조) 네가 (바로) 그 여왕을 봤니? The girl was the princess (**herself**) (보어 강조) 그 소녀가 (바로) 공주 자신이었다.	» 주어와 목적어를 강조할 때 쓰며 '직접', '스스로'를 뜻해요. 강조하는 말 바로 뒤 또는 문장 맨 끝에 와요. 이 때 재귀대명사는 생략이 가능해요.

문법 확인 Ⓐ 문장 해석하기

▶ Answer p.27

1 Be careful. You may hurt **yourself**. → 조심해라. 너는   다치게 할지도 모른다.

2 I baked this bread **myself**. → 내가   이 빵을 구웠다.

3 Their garden is huge, but their house **itself** is quite small. → 그들의 정원은 엄청나게 크지만, 그들의 집   꽤 작다.

4 Tom found **himself** lying on the bathroom floor. → Tom은 욕실 바닥에 누워있는   발견했다.

5 They were proud of **themselves** for going to the finals. → 그들은 결승에 진출해서   자랑스러웠다.

6 I said to **myself**, "I can do it." → 나는   "난 할 수 있어"라고 말했다.

재귀대명사의 관용적 표현

by oneself	① 혼자, 다른 사람 없이 (= alone)	The man lived **by himself** in an enormous house. 그 남자는 거대한 저택에서 혼자 살았다.
	② 혼자 힘으로, 스스로 (= without other's help) (= for oneself)	The children got dressed **by themselves**. 아이들이 스스로 옷을 입었다.
by itself	저절로	The door opened **by itself**. 문이 저절로 열렸다.
in itself	그것 자체가[본질적으로]	**In itself**, it's not a difficult problem to solve. 그것이 본질적으로 해결하기 어려운 문제는 아니다.
between ourselves	우리끼리 이야기지만, 이것은 비밀이지만	**Between ourselves**, I don't think her story is true. 우리끼리 이야기지만, 나는 그녀의 이야기가 사실인 것 같지 않아.
beside oneself	(격정·흥분으로) 이성을 잃고	Her mom was **beside herself** with worry. 그녀의 엄마는 걱정으로 제 정신이 아니었다.
enjoy oneself	즐거운 시간을 보내다	All the guests are **enjoying themselves**. 손님들 모두가 즐거운 시간을 보내고 있다.
behave oneself	예의바르게 행동하다	You must **behave yourself** while I'm away. 너는 내가 없는 동안 예의바르게 행동해야 한다.
help oneself to	~을 마음껏 먹다	**Help yourself to** these cookies. 이 쿠키를 마음껏 드세요.
make oneself at home	(집처럼) 편하게 지내다	Just **make yourself** at home. 집처럼 편하게 지내세요.

문법 확인 ─ B   문장 해석하기   ▶ Answer p.27

1 The kids **enjoyed themselves** in the pool. → 아이들은 수영장에서 ＿＿＿＿＿＿＿.

2 She prepared the whole meal **by herself**. → 그녀는 ＿＿＿＿＿＿＿ 그 모든 식사를 준비했다.

3 **In itself**, the plan is not bad. → 그 계획은 ＿＿＿＿＿＿＿ 나쁘지 않다.

4 We **made ourselves** at home at his place. → 우리는 그의 집에서 ＿＿＿＿＿＿＿.

5 **Between ourselves**, I know Jake likes Nancy. → ＿＿＿＿＿＿＿, 나는 Jake가 Nancy를
seconds.   좋아하는 것을 알고 있어.

6 Susan wanted her children to **behave** → Susan은 그녀의 아이들이 ＿＿＿＿＿＿＿를
themselves.   바랐다.

149

문법 기본 A 밑줄 친 재귀대명사의 용법에 V 표시하기

1 She was angry with <u>herself</u>.　　　　　　　　□ 재귀 용법　　□ 강조 용법

2 Andre <u>himself</u> designed this uniform.　　　　□ 재귀 용법　　□ 강조 용법

3 I wrote this letter <u>myself</u>.　　　　　　　　　□ 재귀 용법　　□ 강조 용법

4 The cat scratched <u>itself</u>.　　　　　　　　　　□ 재귀 용법　　□ 강조 용법

5 We should believe in <u>ourselves</u>.　　　　　　□ 재귀 용법　　□ 강조 용법

6 They took pictures with the actress <u>herself</u>.　□ 재귀 용법　　□ 강조 용법

7 Do geniuses think of <u>themselves</u> as geniuses?　□ 재귀 용법　　□ 강조 용법

8 The car <u>itself</u> was clean and in good condition.　□ 재귀 용법　　□ 강조 용법

문법 기본 B 알맞은 것 고르기

1 걱정하지 마. 그들이 너를 돌봐줄거야.　　→ Don't worry. They will take care of you / yourself .

2 당신 자신을 돌보세요.　　→ Please take care of you / yourself .

3 Kevin은 혼자 점심을 먹고 있다.　　→ Kevin is eating lunch by / of himself.

4 친구의 숙제를 베끼지 말아라. 네 스스로 해라.　→ Don't copy your friend's homework. Do it myself / yourself

5 너와 너의 친구들은 콘서트에서 즐길 것이다.　→ You and your friends will enjoy yourselves / themselves at the concert.

6 우리가 직접 클럽을 만들어 다른 사람을 가입시키자.　→ Let's make a club yourselves / ourselves and have others join.

7 내가 당신을 위해 스프를 만들었어요. 마음껏 드세요.　→ I made some soup for you. Help itself / yourself .

문법 쓰기 Ⓐ 문장의 어순 배열하기

Example	창문이 저절로 열렸다. (itself / opened / of)
	→ The window ⎡ *opened / of / itself* ⎤ .

1 Hamlet은 자신의 행동 때문에 자신을 비겁자라고 부른다. (a / coward / Hamlet / himself / calls)

→ _____ / _____ / _____ / _____ for his actions.

2 그 소년은 게임을 하는 동안 다쳤다. (himself / during / hurt / the / game)

→ The boy _____ / _____ / _____ / _____ .

3 그들은 화가 나서 제 정신이 아니었다. (themselves / anger / beside / were / with)

→ They _____ / _____ / _____ / _____ .

4 정원에서 딴 딸기를 마음껏 드세요. (to / help / the / strawberries / yourself)

→ _____ / _____ / _____ / _____ from the garden.

문법 쓰기 Ⓑ 틀린 부분 고치기

Example	I grew these vegetables me.	*me* → *myself*
	내가 직접 이 채소를 재배했다.	

1 We've brought us something to eat.
우리는 우리가 먹을 것을 챙겨왔다. _____ → _____

2 Do you sometimes talk to you?
너는 가끔 혼잣말을 하니? _____ → _____

3 Jane and I enjoyed herself at the music festival.
Jane과 나는 음악 축제에서 즐거운 시간을 보냈다. _____ → _____

4 The candle went out by himself.
촛불이 저절로 꺼졌다. _____ → _____

5 Brian, sit down and behave himself.
Brian, 앉아서 점잖게 행동하렴. _____ → _____

6 I didn't like the movie it, but I liked the acting.
나는 영화 자체는 마음에 들지 않았지만, 연기는 마음에 들었다. _____ → _____

문법 쓰기 C 주어진 단어와 재귀대명사를 활용하여 문장 완성하기

> Example 그녀는 학교에 다니지 않았다. 그녀는 독학했다. (teach)
>
> → **The girl didn't go to school. *She taught herself.***

1 그 소년은 스스로 씻을 수 있을 만큼 충분히 나이가 들었다. (wash)

→ The boy is old enough to   .

2 Lisa는 매우 이기적이다. 그녀는 오직 자기 자신만을 생각한다. (think about)

→ Lise is very selfish. She only   .

3 부모들은 자녀들의 행동 방식 때문에 종종 자신들을 탓한다. (blame)

→ Parents often   for the way their children behave.

4 재킷을 벗으시고 집처럼 편히 쉬십시오. (at home)

→ Take off your jacket and   .

　★take off 벗다

5 그녀는 혼자 집으로 걸어갔다. (walk home)

→

6 그 칼을 조심해. 너는 칼에 배일지도 몰라. (might, cut)

→ Be careful with that knife.

7 그는 자기 자신이 불쌍하다고 느꼈다. (feel sorry for)

→

　★feel sorry for ~을 안쓰럽게 여기다

8 샌드위치와 케이크를 마음껏 드세요. (help, the sandwiches and cake)

→

서술형 예제 1

다음 그림의 상황을 나타내는 문장을 〈조건〉에 맞게 완성하시오.　　🙎 Point 37

조건	• 과거 시제로 쓸 것
	• look at, he를 사용하되 필요하면 단어의 형태를 바꿀 것

→ Narcissus _____ in the water.

Teacher's guide

STEP ❶
그림으로 보아 'Narcissus는 물속의 자기 자신을 쳐다보았다.'라는 뜻의 문장으로 완성해야 합니다.

STEP ❷
주어와 목적어가 가리키는 대상이 같으므로 목적어로는 재귀대명사 himself를 써야 합니다.

정답 ≫　looked at himself

실전 연습 1

다음 그림의 상황을 나타내는 문장을 〈조건〉에 맞게 완성하시오.　　🙎 Point 37

조건	• 과거 시제로 쓸 것
	• introduce, she를 사용하되 필요하면 단어의 형태를 바꿀 것

→ The professor _____

　　to her students in her first class.

서술형 예제 2

다음 우리말을 〈조건〉에 맞게 영작하시오.　　🙎 Point 38

이 쿠키를 마음껏 먹으렴.

조건	• 재귀대명사를 사용할 것
	• help, these cookies를 이용할 것
	• 총 5단어로 쓸 것

→ _____

Teacher's guide

STEP ❶
우선 '~을 마음껏 먹다'에 해당하는 재귀대명사의 관용적 표현을 생각해 보세요. '~을 마음껏 먹다'는 help oneself to로 표현합니다.

STEP ❷
어떤 재귀대명사를 써야하는지를 주어로 판단하세요. 명령문에서 생략된 주어가 you이므로 재귀대명사는 yourself를 써야 합니다.

정답 ≫　Help yourself to these cookies.

실전 연습 2

다음 우리말을 〈조건〉에 맞게 영작하시오.　　🙎 Point 38

그들은 파티에서 즐거운 시간을 보냈다.

조건	• 재귀대명사를 사용할 것
	• enjoy, at the party를 이용할 것
	• 총 6단어로 쓸 것

→ _____

객관식 (01~10)

[01~03] 다음 빈칸에 들어갈 말로 알맞은 것을 고르시오.

♣ Point 35

01
> Kevin doesn't have a laptop. He'll buy _____ soon.

① it ② one ③ the other
④ another ⑤ others

♣ Point 35

02
> When we look up into the night sky, we see lots of stars. Some stars are bright, and _____ are dim.

① other ② the other ③ another
④ others ⑤ all

♣ Point 37

03
> Jack and I introduced _____ to our new neighbor.

① myself ② yourself ③ himself
④ ourselves ⑤ themselves

♣ Point 37

04 다음 중 밑줄 친 부분의 쓰임이 나머지 넷과 다른 것은?

① I hurt myself playing soccer.
② Let's paint the house ourselves.
③ You should be proud of yourself.
④ History repeats itself.
⑤ They are taking photos of themselves.

♣ Point 37

05 다음 밑줄 친 부분 중 생략할 수 있는 것을 모두 고르면?

① Tom usually cuts his hair himself.
② Socrates said, "Know yourself."
③ She found herself caught in the trap.
④ Don't compare yourself with others.
⑤ The village itself was clean and quiet.

♣ Point 38

06 다음 빈칸에 들어갈 말이 순서대로 짝지어진 것은?

> • We must keep this _____ ourselves. Don't tell anyone about this.
> • Kelly has lost her dog at a park. She is now _____ herself with worry.

① for – by ② with – for
③ between – for ④ with – beside
⑤ between – beside

대표 ♣ Point 36

07 다음 우리말을 영어로 바르게 옮긴 것을 모두 고르면?

> 그 물건들은 각기 색깔이 다르다.

① Each of the items has a different color.
② Each items have different colors.
③ Each of the item has a different color.
④ Each item has a different color.
⑤ Each of item have different colors.

♣ Point 38

08 다음 두 문장의 의미가 같을 때 빈칸에 들어갈 말로 알맞은 것은?

> The man lives alone in a cabin in the woods.
> = The man lives _____ himself in a cabin in the woods.

① in ② by ③ of
④ beside ⑤ between

대표

09 ♣ Point 35, 36
다음 중 밑줄 친 부분의 쓰임이 **잘못된** 것은?

① I have a red cap and two black ones.

② Dad bought me a bike, but I've lost it.

③ He lost both of his legs in the war.

④ One of my two aunts is married, but the other isn't.

⑤ Waiter, this glass is not clean. Could you get me other?

고난도

10 ♣ Point 36
다음 ⓐ~ⓔ 중 어법상 옳은 문장의 개수는?

ⓐ All man dies.
ⓑ Both of them were late.
ⓒ Every second are precious.
ⓓ Each artist sees things differently.
ⓔ Each of you has to write a book review.

① 1개   ② 2개   ③ 3개   ④ 4개   ⑤ 5개

서술형 기본 (11~20)

[11~13] 다음 빈칸에 알맞은 말을 〈보기〉에서 골라 쓰시오. (중복 사용 가능)

• 보기 •
one   the other   another   others   the others

11 ♣ Point 35

I need a ruler. Do you have _____?

12 ♣ Point 35

Charlotte bought two bags at a store. _____ was a shoulder bag, and _____ was a backpack.

13 ♣ Point 35

I have four uncles. _____ lives in Busan, _____ lives in Suwon, and _____ live in Seoul.

[14~16] 다음 우리말과 일치하도록 괄호 안의 말을 이용하여 빈칸에 알맞은 말을 쓰시오.

14 ♣ Point 36

그 극장의 모든 좌석은 비어있었다. (seat, be)

→ All the _____ in the theater _____ empty.

15 ♣ Point 38

Jake와 그의 친구들은 해변에서 즐거운 시간을 보냈다. (enjoy)

→ Jake and his friends _____ _____ at the beach.

대표

16 ♣ Point 38

얘들아, 나는 너희들이 예의바르게 행동하기를 바란다. (behave)

→ Kids, I want you to _____ _____.

[17~18] 다음 밑줄 친 문장에서 어법상 **틀린** 부분을 찾아 바르게 고치시오.

17 ♣ Point 37
It's not your fault, Brian. Don't blame you.

_____ → _____

18 ♣ Point 37
I've just cut me with a knife. It really hurts.

_____ → _____

19 ♣ Point 35
다음 두 문장의 의미가 같도록 빈칸에 알맞은 말을 쓰시오.

Would you like one more cup of coffee?
= Would you like _____ cup of coffee?

♣ Point 36

20 다음 우리말에 맞도록 괄호 안의 단어들을 바르게 배열할 때 세 번째 오는 단어를 쓰시오.

> 이 책 두 권 다 베스트셀러이다.
> (best sellers, these, are, of, both, books)

→ _____

서술형 심화 (21~25)

♣ Point 36

21 다음 주어진 문장을 지시에 맞게 바꿔 쓰시오.

> (1) All children have the right to play.

조건
• every로 시작할 것
• 총 7단어로 쓸 것

→ _____

> (2) My grandfather is healthy.
> My grand mother is healthy, too.

조건
• 두 문장을 both로 시작하는 한 문장으로 쓸 것
• grandparents를 포함하여 총 6단어로 쓸 것.

→ _____

♣ Point 37

22 괄호 안의 표현과 알맞은 재귀대명사를 이용하여 다음 문장을 완성하시오.

Jennifer likes to _____
in the mirror. (look at)

♣ Point 38

23 다음 대화의 밑줄 친 우리말을 괄호 안의 말을 이용하여 영작하시오.

> Girl: 이 케이크를 마음껏 먹어. (help, this cake)
> I baked it myself.
> Boy: Wow, it tastes wonderful.

→ _____

대표 ♣ Point 35

24 다음 문맥상 빈칸에 알맞은 말을 괄호 안의 말을 이용하여 쓰시오.

> Canada has two official languages. One is English and _____
> (French).

 ♣ Point 35

25 다음은 A반과 B반 학생들이 좋아하는 활동을 나타낸 표이다. 표의 내용과 일치하도록 빈칸에 알맞은 말을 쓰시오.

	reading books	watching movies	drawing pictures
Class A	7	9	4
Class B	10	12	0

(1) There are 20 students in class A. Some like reading books, and _____ like watching movies.

(2) There are 22 students in class B. Some like reading books, and _____ like watching movies.

비교 구문

CHAPTER

09

Get Ready

원급 비교		
	Today is as cold as **yesterday.**	오늘은 어제만큼 춥다.
	Your room is twice as large as **mine.**	네 방은 내 방보다 두 배만큼 크다.

비교급 비교		
	I am taller than **my sister.**	나는 내 여동생보다 키가 더 크다.
	The older **we grow,** the wiser **we become.**	우리는 더 나이가 들수록, 더 현명해진다.
	It is getting hotter and hotter.	날씨가 점점 더 더워지고 있다.

최상급 비교		
	He is the tallest in his family.	그는 그의 집안에서 가장 키가 크다.
	Ally is one of the smartest girls in the class.	Ally는 반에서 가장 똑똑한 여학생들 중 한 명이다.

> **원급**은 '~한[하게]'라는 의미를 가지는 **형용사나 부사의 기본 형태**를 말해요. **비교 구문**은 둘 이상의 대상의 성질, 상태, 수량, 또는 정도를 비교하는 구문으로 형용사나 부사의 형태를 변형하여 **비교급, 최상급**으로 표현할 수 있어요.

Point
39 원급을 이용한 비교 구문

1 원급 비교

「as＋형용사[부사]의 원급＋as」: '～만큼 …한[하게]'의 의미로 쓰며, 두 대상의 동등함을 나타낸다.

Kevin is **as tall as** Brian. Kevin은 Brian만큼 키가 크다.

Answer me **as soon as possible**. 가능한 한 빨리 내게 답장해주세요.
= Answer me **as soon as you can**.

Your problem is **not as[so] serious as** mine.
너의 문제는 내 문제만큼 심각하지 않다.

>> 「as ~ as possible」은 「as ~ as+주어+can[could]」로 바꿔 쓸 수 있어요.

>> 원급 비교의 부정은 「not+as[so]+형용사[부사]의 원급+ as」로 '~만큼 …하지 않은[않게]'로 해석해요.

2 배수 비교

「배수사＋as＋원급＋as」: '～보다 몇 배만큼 …한[하게]'의 의미로 로 쓴다.

His score is **twice as high as** mine. 그의 점수는 내 점수보다 두 배만큼 높다.

These dumbbells are **five times as heavy as** those ones. 이 아령은 저 아령보다 다섯 배만큼 무겁다.

➕

비교구문에서 비교되는 두 대상은 대등한 성질이나 상태를 비교하는 것이므로 격이 같아야 해요.

His cellphone is twice as expensive as <u>mine</u>(= my cellphone). 그의 휴대전화는 내 것의 두 배 만큼 비싸다.

me (×)

문법 확인 Ⓐ 문장 해석하기

▶ Answer p.29

1 I can jump **as high as** you. → 나는 ⬜⬜⬜ 뛸 수 있다.

2 Earth is **twice as big as** Mars. → 지구는 ⬜⬜⬜ 크다.
★Mars 화성

3 Superman can run **as fast as** a train. → 슈퍼맨은 ⬜⬜⬜ 달릴 수 있다.

4 The restaurant was **ten times as crowded as** usual. → 그 식당은 평상시보다 ⬜⬜⬜.

5 The second race was **not as easy as** the first one. → 두 번째 경주는 첫 번째 것 만큼 ⬜⬜⬜.

6 He earns **three times as much money as** I do. → 그는 내가 버는 것보다 ⬜⬜⬜ 번다.

7 Alex is **not singing as loudly as** he can. → Alex는 ⬜⬜⬜ 노래 부르지 않고 있다.

8 Honey is almost **twice as sweet as** sugar. → 꿀은 설탕의 거의 ⬜⬜⬜.

158 Chapter 09 비교 구문

40 비교급·최상급 만드는 법

① 규칙 변화

형용사 / 부사의 비교급, 최상급 만드는 법		원급	비교급	최상급
대부분의 형용사 / 부사	+-er/-est	fast	fast**er**	fast**est**
		high	high**er**	high**est**
		cold	cold**er**	cold**est**
-e로 끝나는 단어	+-r/-st	wise	wise**r**	wise**st**
		large	large**r**	large**st**
		nice	nice**r**	nice**st**
〈단모음+단자음〉으로 끝나는 단어	마지막 자음+er/-est	big	big**ger**	big**gest**
		hot	hot**ter**	hot**test**
		thin	thin**ner**	thin**nest**
〈자음+-y〉로 끝나는 단어	y를 i로 고치고 -er/-est	easy	eas**ier**	eas**iest**
		heavy	heav**ier**	heav**iest**
		lazy	laz**ier**	laz**iest**
3음절 이상이거나 –ive, -ful, -ly, -ous, -ing, -ed 등으로 끝나는 2음절 단어	more/most+원급	important	**more** important	**most** important
		creative	**more** creative	**most** creative
		beautiful	**more** beautiful	**most** beautiful
		expensive	**more** expensive	**most** expensive

② 불규칙 변화

원급	비교급	최상급
good (좋은) well (건강한, 잘)	better	best
many (〈수〉 많은) much (〈양〉 많은)	more	most
bad (나쁜) badly (나쁘게) ill (병든, 건강이 나쁜)	worse	worst
little	less	least

③ 의미에 따라 비교급과 최상급이 달라지는 단어

원급	의미	비교급	최상급
late	〈시간〉 늦은	later	latest
	〈순서〉 나중	latter	last
far	〈거리〉 먼	farther	farthest
	〈정도〉 심한	further	furthest
old	〈나이〉 많은	older	oldest
	〈순수〉 손위의	elder	eldest

문법 기본 Ⓐ 형용사/부사의 비교급 최상급 쓰기

	원급	비교급	최상급		원급	비교급	최상급
1	close			11	warm		
2	bad			12	lucky		
3	thin			13	clean		
4	happy			14	good		
5	loud			15	useful		
6	many			16	deep		
7	popular			17	fat		
8	busy			18	dangerous		
9	creative			19	long		
10	little			20	amazing		

문법 기본 Ⓑ 알맞은 형태 고르기

1 8월은 한 해 중에서 가장 더운 달이다. → August is the hotest / hottest month of the year.

2 Jack은 내가 아는 가장 재미있는 사람이다. → Jack is the funniest / funnyst man I've ever known.

3 Peter는 Jason만큼 열심히 일한다. → Peter works as hard / harder as Jason.

4 달리는 것은 자전거를 타는 것보다 빠르지 않다. → Running is not as fast as to bike / biking .

5 달은 해만큼 멀리 있지 않다. → The moon is as not / not as far as the sun.

6 이 대기 줄은 다른 줄의 두 배만큼 길다. → This waiting line is two / twice as long as the other one.

7 핀란드는 한국의 약 세 배 만큼 크다. → Finland is about three time / times as large as Korea.

8 그들은 평소만큼 연주를 잘하지는 못했다. → They didn't play as well / best as they usually do.

문법 쓰기 A 문장의 어순 배열하기

Example	Tony는 코끼리만큼 많이 먹는다. (much / an / elephant / as / as / eats)
	→ Tony *eats* / *as* / *much* / *as* / *an* / *elephant* .

1 나는 가능한 한 빨리 올 수 있니? (soon / possible / come / as / as)

→ Can you _____ / _____ / _____ / _____ ?

2 내 생각에는, 역사는 지리만큼 어렵다.(difficult / as / as / is / geography)

→ In my opinion, history _____ / _____ / _____ / _____ .

3 그들의 정원은 우리 것보다 세 배만큼 크다. (large / as / times / as / three)

→ Their garden is _____ / _____ / _____ / _____ our garden.

4 오늘은 어제만큼 바람 불지는 않는다. (yesterday / as / as / windy / not)

→ Today it's _____ / _____ / _____ / _____ .

문법 쓰기 B 틀린 부분 고치기

Example	You look slimer in that suit.	*slimer* → *slimmer*
	너는 그 드레스를 입으니 더 날씬해 보인다.	

1 The situation got badder.
상황이 더 나빠졌다. →

2 You should eat littler sugar.
너는 설탕을 덜 먹어야 한다. →

3 Cotton isn't as softer as silk.
면은 실크만큼 부드럽지 않다. →

4 Health is the importantest of all.
건강이 모든 것 중에서 제일 중요하다. →

5 Muscle burns three times as more calories as fat.
근육은 지방의 세 배 만큼의 칼로리를 연소한다. →

6 Without my glasses, I am so blind as a bat.
안경이 없으면 나는 박쥐처럼 눈이 어둡다. →

문법 쓰기 ─C 주어진 단어를 활용하여 문장 완성하기

Example 내 가방은 네 것만큼 무겁다. (heavy)

→ *My bag is as heavy as yours.*

---

1 이번 겨울은 지난 겨울만큼 춥다. (cold, last winter)

→ This winter is .

2 그 날은 내 인생에서 가장 행복한 날이었다. (happy, day)

→ It was of my life.

3 좀 더 빨리 걸을 수 있겠니? (walk, a little, fast)

→ Can you ?

4 이곳은 마을에서 최고의 레스토랑이다. (good, restaurant)

→ This place is the in town.

5 그 재킷은 저렴했다. 나는 그것이 더 비쌀 것이라고 예상했었다. (be, expensive)

→ The jacket was cheap. I expected it to .

6 우리는 더 큰 아파트를 원한다. 이곳은 공간이 부족하다. (want, big, apartment)

→ We don't have enough space here.

7 나의 형의 용돈은 내 용돈의 두 배이다. (my brother's allowance, twice, much)

→

★allowance 용돈

8 은은 금만큼 무겁지 않다. (silver, as, heavy, gold)

→

서술형 예제 1

다음 두 문장을 〈조건〉에 맞게 한 문장으로 바꿔 쓰시오.

👤 Point 39

> Tony is 172 centimeters tall.
> Kevin is 172 centimeters tall, too.

조건 · as ~ as 구문을 이용할 것
· Tony와 Kevin의 키를 비교하는 문장으로 쓸 것

→ _____

Teacher's guide

STEP ❶
Tony와 Kevin이 둘 다 172cm로 키가 동등한 상황임을 파악합니다.

STEP ❷
두 대상이 동등함을 나타낼 때는 '~만큼 …한[하게]'를 뜻하는 「as + 형용사[부사]의 원급 + as」를 씁니다. 주어진 상황은 키가 동등한 상황이므로 형용사는 tall을 써요.

정답 ≫ Tony is as tall as Kevin.

실전 연습 1

다음 두 문장을 〈조건〉에 맞게 한 문장으로 바꿔 쓰시오.

👤 Point 39

> Julie is 15 years old.
> Jessica is 15 years old, too.

조건 · as ~ as 구문을 이용할 것
· Julie와 Jessica의 나이를 비교하는 문장으로 쓸 것

→ _____

서술형 예제 2

다음 우리말을 〈조건〉에 맞게 영작하시오.   👤 Point 40

> 너는 더 많은 책을 읽어야 한다.

조건 · read, should, books, many를 사용하되 필요하면 단어의 형태를 바꿔 쓸 것.
· 총 5단어로 쓸 것

→ _____

Teacher's guide

STEP ❶
우선 주어인 '너는'과 동사인 '읽어야 한다'를 영어로 바꿔 쓰세요.

STEP ❷
'더 많은 책'을 형용사가 명사를 수식하는 형태로 씁니다. 이때 '더 많은'은 형용사 many의 비교급인 more로 씁니다.

정답 ≫ You should read more books.

실전 연습 2

다음 우리말을 〈조건〉에 맞게 영작하시오.   👤 Point 40

> 너는 더 좋은 성적을 받을 것이다.

조건 · get, good, will, grades를 사용하되 필요하면 단어의 형태를 바꿔 쓸 것.
· 총 5단어로 쓸 것

→ _____

Point 41 비교급을 이용한 비교 구문

① 비교급은 둘 중 어느 한 쪽이 다른 한 쪽보다 정도가 더 큰 것을 나타낸다.

> 「형용사[부사]의 비교급+than」: ~보다 더 …한[하게]

This bag is **bigger than** that one. 이 가방이 저 가방보다 크다.
Women usually live **longer than** men. 일반적으로 여자가 남자보다 오래 산다.

② 「the+비교급~ , the+비교급」

> 「the+비교급+주어+동사, the+비교급+주어+동사」: 더 ~할수록, 더 …하다

The more we have, **the more** we want. 우리는 더 많이 가질수록, 더 많이 원한다.
The higher you climb, **the colder** it gets. 높이 올라갈수록, 더 추워진다.

③ 「비교급+and+비교급」

> 「비교급+and+비교급」: 점점 더 ~한[하게]

The earth is getting **warmer and warmer**. 지구가 점점 따뜻해지고 있다. 》》「비교급+and+비교급」은 get, become, grow와 같은 변화를 나타내는 동사와 주로 함께 쓰여요.

As I waited for my turn, I became **more and more nervous**.
내 차례를 기다리면서, 나는 점점 더 초초해졌다.

문법 확인 —Ⓐ 문장 해석하기

▶ Answer p.30

1 Your room is **cleaner than** mine. → 네 방이   .

2 **The less** you spend, **the more** you save. → 당신이   ,

당신은   .

3 Skyscrapers are becoming **taller and taller**. → 고층 건물이   .
★skyscraper 고층 건물, 마천루

4 You play badminton **better than** I do. → 너는 나보다   .

5 He grew **fatter and fatter** over the years. → 그는 몇 년 사이에   .

6 Love is **more important** than money. → 사랑이   .

7 **The more** exercise you do, **the fitter** you get. → 네가   ,
★fit 건강한[탄탄한]

너는   .

최상급을 이용한 비교 구문

❶ 최상급은 셋 이상을 비교하여 정도가 가장 높은 것을 나타낸다.

「the＋형용사[부사]의 최상급＋(명사)＋of[in] ∼」: ∼중에서 가장 …한[하게]

Lisa is the **tallest girl in** my class.
Lisa는 우리반에서 가장 키가 큰 소녀이다.

≫ 최상급 뒤에 나오는 전치사 in 다음에는 주로 단수명사가 와서 '∼안에서 가장 …한'의 의미가 되어요.

Mario is **the strongest of** the three.
Mario는 셋 중에서 가장 힘이 세다.

≫ 최상급 뒤에 나오는 전치사 of 다음에는 주로 복수명사가 와서 '…중에서 가장 …한'의 의미가 되어요.

Natalie swam **(the) fastest** of all.
Natalie가 모두 중에서 가장 빠르게 수영했다.

≫ 부사의 최상급에서는 the를 생략하기도 해요.

❷ 「one of the＋최상급＋복수 명사」

「one of the＋최상급＋복수 명사」: 가장 ∼한 것들 중의 하나

Siberia is **one of the coldest places** on Earth.
시베리아는 지구상에서 가장 추운 곳들 중 하나이다.

One of the most popular sports in England **is** cricket.
영국의 가장 인기 있는 스포츠 중의 하나는 크리켓이다.

≫ 「one of the＋최상급＋복수 명사」는 주어로 쓰일 때 단수이므로 동사도 단수 동사를 써야 해요.

문법 확인 ─Ⓑ 문장 해석하기

▶ Answer p.30

1 Mt. Everest is **the highest mountain in** the world.

→ 에베레스트 산은 전 세계에서 _____ 이다.

2 I think courage is **the most important of** all virtues. ★virtue 미덕, 덕목

→ 내 생각에는 용기가 모든 덕목들 중에 _____ 것 같다.

3 I like vanilla ice cream **best**.

→ 나는 바닐라 아이스크림을 _____ .

4 *The Starry Night* is **one of the most famous paintings in** the world.

→ '별이 빛나는 밤에'는 세계에서 _____ 이다.

5 Mercury is **the closest planet** to the sun.
★Mercury 수성 planet 행성

→ 수성은 태양에 _____ 이다.

6 The church was **one of the oldest buildings in** town.

→ 그 교회는 마을에서 _____ 이다.

7 **One of the most popular foods of** all time is chocolate.

→ 시대를 초월해서 _____ 는 초콜릿이다.

문법 기본 Ⓐ 빈칸에 들어갈 말에 V 표시하기

1 This hotel is _____ in town.　　☐ cheaper　　☐ the cheapest

2 The _____ you read, the wiser you get.　　☐ many books　　☐ more books

3 He looks _____ than his age.　　☐ old　　☐ older　　☐ oldest

4 Who is the youngest _____ you three?　　☐ in　　☐ of　　☐ as

5 The problem is getting _____ complicated.　　☐ much and much　　☐ more and more
★complicated 복잡한

6 Jeju Island is one of _____ places in Korea.　　☐ more beautiful　　☐ the most beautiful

7 The more you know, the _____ you need to say.　　☐ little　　☐ less　　☐ least

8 Her eyes grew _____ with amazement.　　☐ big and bigger　　☐ bigger and bigger

문법 기본 Ⓑ 알맞은 것 고르기

1 세계에서 가장 인기있는 음료중 하나는 커피이다. → One of the most popular drinks in the world is / are coffee.

2 치타는 세계에서 가장 빠른 동물이다. → The cheetah is fastest / the fastest animal in the world.

3 Thorn는 그의 아들들 중에서 가장 강했다. → Thorn was the strongest in / of his sons.

4 직업을 구하는 것이 점점 더 어려워지고 있다. → It's becoming hard and hard / harder and harder to find a job.

5 Karen은 내가 아는 가장 상냥한 사람들 중 한 명이다. → Karen is one of the sweetest person / people I know.
★sweet 상냥한, 다정한

6 영화들이 점점 더 폭력적으로 되고 있다고 생각한다. → I think films are getting more and / but more violent.
★violent 폭력적인

166 Chapter 09 비교 구문

문법 쓰기 Ⓐ 문장의 어순 배열하기

> Example 더 자세히 살펴볼수록, 더 많이 보인다. (more / the / you / see)
>
> → The closer you look, *the / more / you / see* .

1 걷는 것이 달리는 것보다 건강에 더 좋다. (than / is / running / healthier)

→ Walking _____ / _____ / _____ / _____ .

2 더 많은 친구들을 사귈수록, 너는 더 행복해진다. (more / you / have / friends / the)

→ _____ / _____ / _____ / _____ , the happier you are.

3 그의 회사가 커짐에 따라 그는 점점 더 부유해졌다. (richer / got / and / richer)

→ As his company grew, he _____ / _____ / _____ / _____ .

4 그는 한국에서 가장 유명한 배우들 중 하나이다. (famous / most / one / the / of)

→ He is _____ / _____ / _____ / _____ actors in Korea.

문법 쓰기 Ⓑ 틀린 부분 고치기

> Example Modern life is getting busy and busy.   *busy and busy* → *busier and busier*
>   현대의 삶은 점점 바빠진다.

1 The movie was interesting than I expected.   →
그 영화는 내가 예상한 것보다 재미있었다.

2 Who is more popular boy in your class?   →
너희 반에서 가장 인기 있는 소년은 누구이니?

3 One of the most difficult things in life are losing   →
someone you love.
인생에서 가장 힘든 일들 중 하나는 사랑하는 사람을 잃는 것이다.

4 His school grades are getting bad and bad.   →
그의 학교 성적이 점점 떨어지고 있다.

5 My grandfather is one of the wisest man I know.   →
나의 할아버지는 내가 아는 가장 현명한 사람들 중 한 명이다.

6 The healthier you eat, the best you feel.   →
더 건강에 좋은 음식을 먹을수록, 더 기분이 좋아진다.

문법 쓰기 · C 주어진 단어를 활용하여 문장 완성하기

> Example   프랑스는 스코틀랜드보다 더 크다. (France, big, Scotland)
>
> →   *France is bigger than Scotland.*

1   이 여행 가방은 다른 것들보다 더 무겁다. (heavy, the others)

→   This suitcase   .

2   그것은 내가 지금까지 저지른 최악의 실수들 중 하나였다. (one, bad, mistake)

→   It was   I've ever made.

3   나에게는 세 명의 여자형제가 있다: Ann이 가장 나이가 많고, Beth가 가장 어리다. (old, young)

→   I have three sisters: Ann is   and Beth is   .

4   이 책은 매 챕터마다 점점 더 재미있어진다. (interesting)

→   This book gets   with every chapter.

5   우리는 더 많은 사람들을 만날수록, 더 많은 것들을 배운다. (meet, many people, learn, many things)

→   The   .

6   이번 시험은 지난 시험보다 어려웠다. (this test, difficult, the last one)

→

7   목성은 우리 태양계에서 가장 큰 행성이다. (Jupiter, big, planet, in our solar system)

→

★Jupiter 목성

8   Chris는 그 대회의 최고의 댄서들 중 한 명이었다. (good, dancer, in the competition)

→

서술형 예제 1

다음 문장을 〈조건〉에 맞게 바꿔 쓰시오.   ♣ Point 41

My brother is not as tall as my father.

조건	• 비교급을 이용한 문장으로 쓸 것
	• My father로 시작하는 문장으로 쓸 것

→ _____

Teacher's guide

STEP ❶

not as tall as는 '~만큼 키 크지 않다'라는 뜻이므로 '형[오빠, 남동생]이 아빠만큼 키 크지 않은' 즉 '아빠가 형[오빠, 남동생]보다 키 큰' 상황임을 알 수 있어요.

STEP ❷

'아빠가 형[오빠, 남동생]보다 키 크다.'라는 뜻의 문장을 「비교급＋than」형태로 나타내요.

정답 》 My father is taller than my brother.

실전 연습 1

다음 문장을 〈조건〉에 맞게 바꿔 쓰시오.   ♣ Point 41

Sam is not as old as Jack.

조건	• 비교급을 이용한 문장으로 쓸 것
	• Sam으로 시작하는 문장으로 쓸 것

→ _____

서술형 예제 2

다음 우리말과 같도록 〈조건〉에 맞게 문장을 완성하시오.   ♣ Point 42

아마존강은 세계에서 가장 긴 강 중 하나이다.

조건	• 최상급을 이용한 문장으로 쓸 것
	• river, long, world를 사용할 것

→ The Amazon is _____ .

Teacher's guide

STEP ❶

'가장 ~한 것들 중의 하나'는 「one of the＋최상급＋복수명사」의 형태예요. long의 최상급은 longest예요.

STEP ❷

river는 복수 명사가 되어야 하므로 rivers로 바꿔 쓰고, '세계에서'는 in the world로 표현해요.

정답 》 one of the longest rivers in the world

실전 연습 2

다음 우리말과 같도록 〈조건〉에 맞게 문장을 완성하시오.   ♣ Point 42

게일식 축구는 아일랜드에서 가장 인기 있는 스포츠 중 하나이다.

조건	• 최상급을 이용한 문장으로 쓸 것
	• sport, popular, Ireland를 사용할 것

→ Gaelic football is _____ .

169

객관식 (01~10)

[01~02] 다음 빈칸에 들어갈 말로 알맞은 것을 고르시오.

♣ Point 39

01

I can sing as _____ as you can.

① good   ② well   ③ better
④ best   ⑤ the best

♣ Point 42

02

Carl is _____ boy in my class.

① noisier   ② more noisy
③ noisiest   ④ the nosiest
⑤ most noisiest

♣ Point 39

03 다음 중 〈보기〉의 문장과 의미가 같은 것을 <u>모두</u> 고르면?

• 보기 •
My car is not as big as his.

① His car is bigger than mine.
② My car is bigger than his.
③ His car is smaller than mine.
④ My car is smaller than his.
⑤ His car is not as big as mine.

♣ Point 40

04 다음 중 비교급과 최상급이 <u>잘못</u> 연결된 것은?

① little – less – least
② cold – colder – coldest
③ sad – sader – sadest
④ crazy – crazier – craziest
⑤ boring – more boring – most boring

♣ Point 42

05 다음 밑줄 친 부분 중 어법상 <u>틀린</u> 것은?

The Colosseum is one ① of ② the ③ most famous ④ place ⑤ to visit in Rome.

♣ Point 42

06 다음 빈칸에 들어갈 말이 순서대로 짝지어진 것은?

• Jack is the funniest boy _____ all my friends.
• Who is the youngest _____ your family?

① in – in   ② in – of   ③ of – of
④ of – in   ⑤ in – to

♣ Point 39, 41

07 다음 표의 정보와 일치하는 문장을 <u>모두</u> 고르면?

name	age	height
Judy	22	167
Alice	22	165

① Judy is older than Alice.
② Judy is as old as Alice.
③ Judy is as tall as Alice.
④ Alice is taller than Judy.
⑤ Alice is not so tall as Judy.

♣ Point 39

08 다음 우리말을 바르게 영작한 것은?

근육은 지방보다 두 배만큼 무겁다.

① Muscle is twice heavy as fat.
② Muscle is twice heavy than fat.
③ Muscle is twice as heavy as fat.
④ Muscle is twice as heavier as fat.
⑤ Muscle is as twice heavy as fat.

대표 ♣ Point 42

09 다음 중 어법상 옳은 문장은?

① He is the most strong man.

② Kevin is the thinist boy in my class.

③ Which one is the prettiest dress?

④ The Sahara is the hotest desert of all.

⑤ Soccer is most popular sport in the world.

고난도 ♣ Point 39

10 다음 중 어법에 맞는 문장의 수는?

ⓐ She is as beautiful as a rose.

ⓑ Baseball is as popular so soccer.

ⓒ Nancy studies as harder as her sister.

ⓓ His watch is as not expensive as mine.

ⓔ The movie is not so interesting as the book.

① 1개 ② 2개 ③ 3개 ④ 4개 ⑤ 5개

서술형 기본 (11~19)

[11~12] 다음 표의 내용과 일치하도록 빈칸에 알맞은 말을 쓰시오.

	Julie	Susan
age	13	15
height	162	162

♣ Point 41

11
Julie is _____ than Susan.

♣ Point 39

12
Julie is _____ _____ as Susan.

♣ Point 40

13 다음 짝지어진 두 단어의 관계가 같도록 빈칸에 알맞은 말을 쓰시오.

(1) warm : warmer = bad : _____

(2) soft : softest = active : _____

♣ Point 39

14 다음 두 문장의 의미가 같도록 빈칸에 알맞은 말을 쓰시오.

He reached as high as possible.
= He reached as high _____ _____
_____.

대표 ♣ Point 41

15 다음 그림을 보고, 그림을 묘사하는 문장을 괄호 안의 말을 이용하여 완성하시오.

The bubble grew _____ _____
_____ and then popped. (big)

♣ Point 41

16 다음 우리말과 일치하도록 괄호 안의 말을 이용하여 빈칸에 알맞은 말을 쓰시오.

아기는 배가 고파질수록, 더 크게 울었다.
(hungry, loud)

→ _____ _____ the baby got,
_____ _____ he cried.

♣ Point 40

17 다음 우리말과 일치하도록 밑줄 친 단어를 바르게 고쳐 쓰시오.

그녀의 제안은 내 제안보다 더 좋다.
→ Her suggestion is <u>good</u> than mine.

→ _____

고난도 ♣ Point 42

18 다음 우리말과 일치하도록 괄호 안의 말을 바르게 배열할 때 여섯 번째 오는 단어를 쓰시오.

서울은 세계에서 가장 붐비는 도시들 중 하나이다.
(one / busiest / Seoul / the / cities / is / of / in / the / world)

→ _____

171

♣ Point 41, 42

19 다음 세 지역의 8월 평균 기온을 나타내는 표를 보고, 빈칸에 알맞은 말을 쓰시오.

Seoul	Chunchen	Daegu
39℃	36℃	41℃

(1) Seoul is _____ than Chuncheon.

(2) Daegu is _____ of the three cities.

서술형 심화 (20~24)

대표   ♣ Point 39, 41

20 다음 그림을 보고, 두 신발을 비교하는 문장을 〈조건〉에 맞게 완성하시오.

조건
- 'as ~ as'를 사용할 것
- 괄호 안의 항목에 대해 비교하는 문장으로 쓸 것
- large와 expensive 중 알맞은 것을 사용할 것

(1) The red sneakers are _____ the black sneakers. (size)

(2) The red sneakers are _____ the black sneakers. (price)

♣ Point 42

21 다음 우리말을 괄호 안의 말을 이용하여 영작하시오.

> Bob은 그의 형제들 중 가장 게으르다. (lazy)

→ _____

♣ Point 41

22 다음 문장을 〈조건〉에 맞게 바꿔 쓰시오.

> As you fly higher, you will see more things.

조건
- the로 시작하는 문장으로 쓸 것
- 총 10단어로 쓸 것

→ _____
_____

고난도   ♣ Point 39

23 다음 두 문장을 〈조건〉에 맞게 한 문장으로 바꿔 쓰시오.

> The blue cap is 5,000 won. The green cap is 15,000 won.

조건
- 두 모자의 가격을 비교하는 문장으로 쓸 것
- the green cap으로 시작하는 문장을 쓸 것
- three times, expensive를 사용하여 총 12단어로 쓸 것

→ _____
_____

♣ Point 42

24 다음 우리말을 〈조건〉에 맞게 영작하시오.

> 악어는 세상에서 가장 위험한 동물들 중 하나이다.

조건
- the crocodile, dangerous, animal, in the world를 사용할 것
- 총 12단어로 쓸 것

→ _____

관계사

CHAPTER 10

Get Ready

관계사

관계대명사

I know a boy. + He plays the guitar well.

→ **I know a boy [who plays the guitar well].**
　　　　　　선행사　　관계대명사절(a boy를 수식하는 형용사절)

관계부사

London is the city. + I grew up in the city.

→ **London is the city [where I grew up].**
　　　　　　　선행사　　관계부사절(the city를 수식하는 형용사절)

1. **관계사**란 서로 공통되는 부분이 있는 두 문장을 하나로 합하여 문장을 간결하게 만들기 위해 사용되는 말로, 관계대명사와 관계부사가 있습니다. 관계사가 이끄는 절[관계사절]은 형용사처럼 앞에 나온 명사[선행사]를 수식합니다.
2. **관계대명사**란 두 문장을 연결하는 접속사 역할과 대명사 역할을 동시에 하는 말이에요.
3. **관계부사**란 두 문장을 연결하는 접속사 역할과 부사 역할을 동시에 하는 말이에요.

43 주격 관계대명사

관계대명사가 관계대명사절 안에서 주어 역할을 할 때, 선행사에 따라 who, which, that 중에서 골라 쓴다.

선행사가 '사람'일 때	who / that	I have a friend. + He has many nicknames. 내게는 친구가 있다. + 그에게는 별명이 많다. → I have a friend [**who** has many nicknames]. 내게는 별명이 많은 친구가 있다. 　　　　선행사(사람)　　　　관계대명사절에서 주어 역할
선행사가 '사물/동물'일 때	which / that	Look at the house. + It stands on the hill. 저 집을 봐. + 그것은 언덕 위에 있어. → Look at the house [**which** stands on the hill]. 언덕 위에 있는 저 집을 봐. 　　　　선행사(사물)　　　　관계대명사절에서 주어 역할

＋

주격 관계대명사 뒤에는 동사가 오는데, 이때 동사의 수와 인칭은 선행사에 일치시켜야 해요.

I have an aunt **who** lives in Seoul. 내게는 서울에 사는 이모 한 명이 있다.
I have two aunts **who** live in Busan. 내게는 부산에 사는 이모 두 명이 있다.

문법 확인 문장 해석하기

▶ Answer p.32

1 Seoul is a city **that** has many cars.

→ 서울은 ⬜⬜⬜ 도시이다.

2 The clock **which** is on the wall is very old.

→ ⬜⬜⬜ 시계는 매우 오래되었다.

3 I need a coat **which** will keep me warm.

→ 나는 ⬜⬜⬜ 코트가 필요하다.

4 A patient is a person **who** receives health care.
★health care 진료[의료]

→ 환자는 ⬜⬜⬜ 사람이다.

5 He saw the people **that** were coming out.

→ 그는 ⬜⬜⬜ 사람들을 보았다.

6 The girl **who** opened the door was wearing a dress.

→ ⬜⬜⬜ 소녀는 드레스를 입고 있었다.

7 He took me to a restaurant **which** served sushi.

→ 그는 나를 ⬜⬜⬜ 식당으로 데려갔다.

8 The bears **that** lived in the zoo didn't look happy.

→ ⬜⬜⬜ 곰들은 행복해 보이지 않았다.

Point 44 목적격 · 소유격 관계대명사

❶ 관계대명사가 관계대명사절 안에서 목적어 역할을 할 때, 선행사에 따라 who(m), which, that 중에서 골라 쓴다.

선행사가 '사람'일 때	who(m) / that	He is a hero. + Everyone respects him. 그는 영웅이다. + 모두가 그를 존경한다. → He is a hero [**whom** everyone respects]. 그는 모두가 존경하는 영웅이다. 선행사(사람) ⌒ 관계대명사절에서 목적어 역할
선행사가 '사물/동물'일 때	which / that	The pizza was delicious. + We ordered it. 피자는 맛있었다. + 우리가 그것을 주문했다. → The pizza [**which** we ordered] was delicious. 우리가 주문한 피자는 맛있었다. 선행사(사물) ⌒ 관계대명사절에서 목적어 역할

❷ 관계대명사가 관계대명사절 안에서 명사의 소유격 역할을 할 때, 선행사와 상관없이 whose를 쓴다.

선행사가 '사람/사물/동물'일 때 모두 가능	whose	Ann lives in a house. + Its roof is green. Ann은 집에 산다. + 그것의 지붕은 초록색이다. → Ann lives in a house [**whose** roof is green]. Ann은 지붕이 초록색인 집에서 산다. 선행사(사물) ⌒ 관계대명사절에서 소유격 역할

> 관계대명사가 전치사의 목적어인 경우에는 「전치사+관계대명사」의 어순으로 쓰거나 전치사를 관계대명사절 끝에 씁니다.
> 관계대명사 who와 that은 「전치사+관계대명사」의 어순으로는 쓰지 못해요.
> The people **with whom** I work are very nice. (○) 내가 함께 일하는 사람들은 매우 친절하다.
> = The people **who(m)[that]** I work **with** are very nice. (○) / The people **with who[that]** I work are very nice. (×)

문법 확인 ─Ⓑ **문장 해석하기**

▸ **Answer** p.32

1 The woman **who** I met talked a lot.
→ 〔　　　　　　　　〕여자는 말이 많았다.

2 She is the singer **to whom** the award was given.
→ 그녀는 〔　　　　　　　〕가수이다.

3 What did you do with the money **which** I lent you?
→ 너는 〔　　　　　　　　〕돈으로 무엇을 했니?

4 I had a dream **in which** I won the lottery.
★win the lottery 복권에 당첨되다
→ 나는 〔　　　　　　　〕꿈을 꿨다.

5 This is the girl **that** I told you about.
→ 이 아이가 〔　　　　　　〕소녀이다.

6 Economics is a subject **that** I taught.
→ 경제학은 〔　　　　　　〕과목이다.

7 A giraffe is an animal **whose** neck is very long.
★소유격 관계대명사절은 〈whose+명사〉로 시작해요.
→ 기린은 〔　　　　　　〕동물이다.

8 Have you seen the book **whose** cover is gold?
→ 너는 〔　　　　　　〕책을 본 적 있니?

문법 기본 Ⓐ 빈칸에 들어갈 말에 V 표시하기 (중복 표시 가능)

1 The store no longer sells the bag _____ I want.   ☐ who   ☐ which   ☐ that

2 The driver _____ ran the red light was careless.   ☐ who   ☐ whom   ☐ whose

3 This is the cat that _____ on the roof of our house.   ☐ sleep   ☐ sleeps   ☐ sleeping

4 The girl _____ you have just spoken is my sister.   ☐ to who   ☐ to whom   ☐ to that

5 The pants that I bought _____ stained.   ☐ is   ☐ are   ☐ was

6 Emma is an artist _____ paintings are colorful.   ☐ who   ☐ whom   ☐ whose

7 This is the book that everyone is _____ .   ☐ talking   ☐ talking to   ☐ talking about

문법 기본 Ⓑ 알맞은 말 고르기

1 최선을 다하는 사람들은 보상을 받아야 한다. → People who do / does their best should be rewarded.

2 제게 역으로 가는 길을 알려 주세요. → Show me the road who / which leads to the station.

3 자전거를 훔친 도둑이 잡혔다. → The thief who / which stole the bike has been caught.

4 내가 빌린 책은 오늘까지 반납해야 한다. → The book that I borrowed / I borrowed it is due today.

5 옆집에 사는 여자에게는 도움이 필요하다. → The woman who live / lives next door needs help.

6 가게가 화재로 전소된 남자는 슬퍼했다. → The man whose / whom shop burned down was sad.

7 Peter는 내가 함께 일했던 동료들 중 한 명 → Peter is one of the colleagues with whom / that I worked.
이다.

문법 쓰기 Ⓐ 관계대명사를 활용하여 한 문장으로 바꿔 쓰기

Example	This is a robot. It can dance.
	→ *This is a robot which[that] can dance.*

1 I know the woman. She lives upstairs.

→

2 Have you found the book? You lost it last week.

→

3 Do you know the girl? Tim is talking to her.

→

4 A carpenter is a person. His job is making things out of wood.

→

문법 쓰기 Ⓑ 틀린 부분 고치기

Example	The musician whom wrote the song is Swedish.	*whom*	→	*who[that]*
	그 노래를 쓴 음악가는 스웨덴 사람이다.			

1 This is the house whom Jack built.
이것은 Jack이 지은 집이다.   →

2 The horse who won the race was black.
경주에서 이긴 말은 검정색이었다.   →

3 Marie Curie is the woman which discovered radium.
Marie Curie는 라듐을 발견했던 여성이다.   →

4 The tall man who are coming to us is my uncle Tom.
우리에게 오고 있는 키 큰 남자는 나의 삼촌 Tom이다.   →

5 My bicycle whose I ride to school needs to be repaired.
내가 학교에 타고 다니는 자전거는 수리가 필요하다.   →

6 Jinsu is the boy which father is a top jazz pianist.
진수는 아버지가 최고의 재즈 피아니스트인 소년이다.   →

177

문법 쓰기 ⓒ 주어진 단어와 관계대명사를 활용하여 문장 완성하기

> Example   초콜릿을 싫어하는 아이들은 흔하지 않다. (hate, chocolate, uncommon)
>
> → *Children who[that] hate chocolate are uncommon.*

1   나는 내 개를 돌봐줄 수 있는 사람을 찾고 있다. (can, take care of)

→   I am looking for someone   .

2   네가 어제 입은 티셔츠는 어디에서 산 거니? (wear)

→   Where did you buy the T-shirt   ?

3   Kevin은 안경이 망가진 소년에게 사과했다. (glasses, get broken)

→   Kevin apologized to the boy   .

4   내가 함께 일하는 사람들은 친절하다. (the people, work with)

→   **are friendly.**

5   여우는 개처럼 생긴 야생 동물이다. (a fox, a wild animal, look like)

→

6   Jenny는 내가 파티에서 만났던 소녀이다. (the girl, meet, at the party)

→

7   고아란 부모가 사망한 아이이다. (an orphan, a child, parents, dead)

→

8   거미는 Ron이 두려워하는 생물이다. (spiders, the creatures, be afraid of)

→

서술형 예제 1

다음 두 문장을 관계대명사를 이용하여 한 문장으로 바꿔 쓰시오.
♣ Point 43

My nephew is a teacher. He teaches science.

→ _____

Teacher's guide

STEP ❶
첫 번째 문장의 a teacher와 두 번째 문장의 He가 같은 대상을 지칭하는 말임을 확인합니다.

STEP ❷
첫 번째 문장의 a teacher를 선행사로 하고, 두 번째 문장의 He는 선행사가 사람일 때의 주격 관계대명사 who나 that으로 바꿔 써서 두 문장을 연결합니다.

정답 ≫ My nephew is a teacher who[that] teaches science.

실전 연습 1

다음 두 문장을 관계대명사를 이용하여 한 문장으로 바꿔 쓰시오.
♣ Point 43

This is the book. It is about green energy.

→ _____

서술형 예제 2

다음 우리말과 일치하도록 〈보기〉의 말을 바르게 배열하여 문장을 완성하시오. (단, 필요 없는 단어 하나는 제외할 것)
♣ Point 44

지붕이 파란색으로 칠해진 집을 봐!

• 보기 •
blue, roof, whom, whose, was painted

→ Look at the house _____!

Teacher's guide

STEP ❶
주어진 영어 표현을 배열하여 빈칸에 넣어야 할 내용은 '지붕이 파란색으로 칠해진'임을 파악합니다.

STEP ❷
주어진 영어 표현을 통해, 관계대명사를 이용하여 the house를 수식하는 절을 써야 함을 알 수 있습니다. 「소유격 관계대명사 whose + 명사 + 동사 ~」의 어순으로 주어진 말을 배열합니다.

정답 ≫ whose roof was painted blue

실전 연습 2

다음 우리말과 일치하도록 〈보기〉의 말을 바르게 배열하여 문장을 완성하시오. (단, 필요 없는 단어 하나는 제외할 것)
♣ Point 44

나는 제목이 흥미로운 기사를 읽었다.

• 보기 •
was, an article, read, interesting, title, whose, which

→ I _____.

179

① 목적격 관계대명사와 「주격 관계대명사+be동사」는 생략이 가능하다.

The man **(whom)** I respect most is my father. 〈목적격 관계대명사의 생략〉
내가 가장 존경하는 사람은 나의 아버지이다.
The bed **(which)** I slept **in** was comfortable. (○) 내가 잔 침대는 편안했다.
The bed **in which** I slept was comfortable. (○)
The bed **in (which)** I slept was comfortable. (×)
Look at the boys **(who are)** dancing on the stage. 〈주격 관계대명사+be동사」의 생략〉
무대 위에서 춤추고 있는 저 소년들을 봐.

》 전치사가 관계대명사 앞에 오면 목적격 관계대명사를 생략할 수 없어요.

② 관계대명사의 계속적 용법이란 「,(콤마)+관계대명사~」의 형태로 선행사에 대해 부가적인 정보를 제공하는 것이다.

My uncle has a daughter, **who** goes to middle school.
= My uncle has a daughter, **and she** goes to middle school.
나의 삼촌에게는 딸이 한 명 있는데, 그 아이는 중학교에 다닌다.
John passed the test, **which** surprised everyone.
John은 시험에 통과했는데, 그 일은 모두를 놀라게 했다.

》 관계대명사 that은 계속적 용법으로 쓸 수 없어요.

》 which는 앞에 나온 구나 절을 선행사로 받을 수 있어요.

Q 계속적 용법으로 쓰인 관계대명사도 생략할 수 있나요?

A 관계대명사가 계속적 용법으로 쓰일 경우에는 생략할 수 없어요.
I bought a new phone, **which** I wanted to have. (○) 나는 새 전화기를 샀는데, 그것은 내가 갖기 원했던 것이다.
I bought a new phone, I wanted to have. (×)

문법 확인 Ⓐ 문장 해석하기

▶ **Answer** p.33

1 The pizza my mom made was delicious. → _____ 피자는 맛있었다.

2 The girl standing at the door is my sister. → _____ 소녀는 내 여동생이다.

3 He is a friend I can call anytime. → 그는 _____ 친구이다.

4 They found a letter written in 1905. → 그들은 _____ 편지를 발견했다.

5 My parents are the people I can rely on. → 나의 부모님은 _____ 사람들이다.
★rely on 기대다, 의지하다

6 He bought a watch, **which** has many functions. → 그는 시계를 샀는데, _____ .
★function 기능

7 Ms. Park, **who is** my teacher, is getting married. → 박 선생님은 _____ , 결혼할 예정이다.

8 I was sick, **which** made her worried. → 나는 아팠는데, _____ .

관계대명사 what

❶ **what은 선행사를 포함하는 관계대명사로, '~하는 것'의 의미이다.**

Here is the thing. + You are looking for it. 여기에 물건이 있다. + 너는 그것을 찾고 있다.

→ Here is [**what** you are looking for]. 여기에 네가 찾고 있는 것이 있다.

= Here is **the thing** [**which** you are looking for].

           선행사

》 what은 the thing which[that]와 바꿔 쓸 수 있어요.

❷ **what이 이끄는 명사절은 문장에서 주어, 보어, 목적어 역할을 한다.**

What I need is a miracle. 〈주어〉

내게 필요한 것은 기적이다.

This is exactly **what I wanted**. 〈보어〉

이것이 정확히 내가 원했던 것이다.

I couldn't understand **what he was saying**. 〈목적어〉

나는 그가 말하고 있는 것을 이해할 수 없었다.

》 what이 이끄는 명사절이 주어 역할을 할 때 단수 취급해요.

Q 관계대명사 what과 의문사 what은 어떻게 구별하나요?

A 관계대명사 what은 '~하는 것'으로 해석하고, 의문사 what은 '무엇'이라고 해석해요. 즉 의문의 뜻을 포함하고 있으면 의문사이고 그렇지 않으면 관계대명사예요.

What I bought with the money is this book. 〈관계대명사〉 내가 그 돈으로 산 것은 이 책이다.

What do you want to buy with the money? 〈의문사〉 너는 그 돈으로 무엇을 사고 싶니?

문법 확인 B 문장 해석하기

▶ **Answer** p.33

1 **What** he told me was true.

→   사실이었다.

2 That's not **what** I ordered.

→ 그건   아니에요.

3 I know **what** you did last night.

→ 나는   알고 있다.

4 **What** was broken was the trust.

→   신뢰였다.

5 You should be grateful for **what** you have.

→ 너는   감사해야 한다.

6 **What** I like about you is your smile.

→   네 미소이다.

7 **What** is important is what is inside of you.

→   이다.

8 Never put off **what** you can do today.

→   절대 미루지 마라.

문법 기본 Ⓐ 빈칸에 들어갈 말에 V 표시하기

1 This is the house _____ I grew up.　　☐ which　☐ in that　☐ in which

2 The guy _____ on the stage has many fans.　☐ who　☐ who is　☐ which is

3 My uncle, _____ loves cycling, is an active person.　☐ who　☐ which　☐ that

4 Jake stayed up last night, _____ made him feel tired.　☐ who　☐ which　☐ that

5 The advice _____ you gave me was very helpful.　☐ that　☐ what

6 I don't understand _____ you mean.　☐ that　☐ what

7 I showed my mom _____ I painted.　☐ that　☐ what

8 _____ he said didn't make sense.　☐ That　☐ What

문법 기본 Ⓑ 알맞은 말 고르기

1 나는 쓸 수 있는 종이가 필요하다.　→ I need a piece of paper on I can write / I can write on .

2 나는 내가 먹을 것을 결정할 수가 없다.　→ I can't decide that / what I should eat.

3 나는 그들에게 내가 가지고 있는 모든 돈을 주었다.　→ I gave them all the money that / what I had.

4 풀을 먹고 있는 소들이 보이니?　→ Can you see the cows which / which are eating grass?

5 우리가 방문했던 항구는 1820년에 지어졌다.　→ The port that / what we visited was built in 1820.

6 네가 해야 할 것은 우선순위를 정하는 것이다.　→ Which / What you need to do is to set your priorities.

7 Lily는 모자를 쓰고 있는데, 그것은 내가 그녀에게 준 것이다.　→ Lily is wearing the hat, which / that I gave to her.

문법 쓰기 Ⓐ 문장의 어순 배열하기

Example	나는 내가 사랑하는 사람과 결혼할 것이다. (the person / love / I / marry)
	→ I will *marry / the person / I / love* .

1 나는 아버지가 만드신 음식을 먹어본 적이 없다. (by / made / my father)

→ I haven't eaten the food   /   .

2 당신을 아름답게 만드는 것은 당신의 따뜻한 마음이다. (you / makes / what / beautiful)

→   /   /   /   is your warm heart.

3 나는 너한테 빌린 책을 찾을 수가 없다. (I / you / the book / borrowed / from)

→ I can't find   /   /   /   .

4 Judy는 새로운 일자리를 얻었는데, 그녀는 그 일을 즐기고 있다. (is / which / enjoying / she)

→ Judy got a new job,   /   /   .

문법 쓰기 Ⓑ 틀린 부분 고치기

Example	That she said hurt me. 그녀가 말했던 것은 나에게 상처를 주었다.	*That* → *What*

1 What you ordered are no longer available.   →
당신이 주문한 것은 더 이상 구할 수 없습니다.

2 I don't believe that people say about love.   →
나는 사람들이 사랑에 관해 말하는 것을 믿지 않는다.

3 Rome is the city in the Colosseum is located.   →
로마는 콜로세움이 위치해 있는 도시이다.

4 What I need it now is a cup of strong coffee.   →
내가 지금 필요한 것은 진한 커피 한 잔이다.

5 She has two dogs, that like to play with balls.   →
그녀에게는 두 마리의 개가 있는데, 그들은 공을 갖고 노는 것을 좋아한다.

6 The child, that had a high fever, was taken to the hospital.   →
그 아이는 열이 많이 났는데, 병원으로 실려 갔다.

문법 쓰기 **C** 주어진 단어와 관계대명사를 활용하여 문장 완성하기

Example 신문을 읽고 있는 남자는 나의 아빠이다. (the man, read, a newspaper)

→ *The man who is reading a newspaper is my father.*

---

1 내가 너를 위해 구운 쿠키를 좀 먹어봐. (some cookies, bake)

→ Try _____ for you.

2 그것은 내가 네게 묻고 있는 것이다. (what, ask)

→ That's _____ .

3 나는 가지고 쓸 수 있는 펜이 없다. (a pen, can, write)

→ I don't have _____ .

4 만약 당신이 체중 감소를 위해 노력 중이라면, 당신은 당신이 먹는 것을 조심해야 할 것입니다. (watch, what, eat)

→ If you're trying to lose weight, you'll need to _____ .

5 저기 서 있는 사람들을 봐. (look at, the people, stand, over there)

→ _____

6 내가 필요한 것은 휴가이다. (what, need, a vacation)

→ _____

7 그녀는 소설을 한 권 썼는데, 그것은 베스트셀러가 되었다. (write, a novel, become, a best-seller)

→ _____

8 그 개는 큰 소리로 짖었는데, 그것은 Joe를 짜증나게 했다. (the dog, bark, loudly, make, annoyed)

→ _____

서술형 예제 1

다음 우리말과 일치하도록 〈조건〉에 맞게 문장을 완성하시오. ♣ Point 45

Smith 씨는 사탕 가게를 운영하는데, 매우 정직하다.

조건 · 관계대명사를 사용할 것
· run, a candy store를 사용할 것

→ Mr. Smith, _____,
  is very honest.

Teacher's guide

STEP ❶
빈칸이 두 개의 콤마 사이에 위치한 것으로 보아, 빈칸에 들어갈 내용은 부가적인 정보임을 알 수 있습니다. 또한 빈칸에 들어갈 내용이 '사탕 가게를 운영하는데'이므로, 이를 동사가 포함된 절의 형태로 써야 한다는 것을 알 수 있습니다.

STEP ❷
앞에 나온 명사(선행사)에 대한 부가적인 설명은 「,(콤마) + 관계대명사~」의 형태로 씁니다. 이 경우 선행사가 사람(Mr. Smith)이므로, 관계대명사 who를 씁니다.

정답 ≫ who runs a candy store

실전 연습 1

다음 우리말과 일치하도록 〈조건〉에 맞게 문장을 완성하시오. ♣ Point 45

북극곰들은 북극 지방에 사는데, 위기에 처해 있다.

조건 · 관계대명사를 사용할 것
· live, in the Arctic을 사용할 것

→ The polar bears, _____,
  are in danger.

서술형 예제 2

다음 대화를 읽고, 〈조건〉에 맞게 밑줄 친 우리말을 영작하시오. ♣ Point 46

A: What did Jenny bring to the potluck party?
B: 그녀가 가져온 것은 샐러드였어.

조건 · 관계대명사를 사용할 것
· bring, a salad를 사용할 것
· 총 6단어로 쓸 것

→ _____

Teacher's guide

STEP ❶
주어는 '그녀가 가져온 것은'이며, 동사는 '~였다'입니다. 주어는 절의 형태로 써야 하며, be동사를 포함시켜야 하는 2형식 문장임을 확인할 수 있습니다.

STEP ❷
주어는 '~하는 것'을 뜻하는 관계대명사 what을 이용해서 씁니다. what이 이끄는 명사절이 주어 역할을 할 때 단수 취급한다는 점에 유의하세요.

정답 ≫ What she brought was a salad.

실전 연습 2

다음 대화를 읽고, 〈조건〉에 맞게 밑줄 친 우리말을 영작하시오. ♣ Point 46

A: I'm good at cooking most Korean foods.
B: Really? 나는 네가 만드는 것을 맛보고 싶어.

조건 · 관계대명사를 사용할 것
· would like to, taste, cook을 사용할 것
· 총 8단어로 쓸 것

→ _____

185

관계부사 (1)

관계부사는 두 문장을 연결하는 접속사 역할과 부사 역할을 동시에 하는 말로, 관계부사가 이끄는 절은 선행사를 수식한다.
관계부사는 「전치사＋관계대명사」로 바꿔 쓸 수 있다.

선행사가 '시간 · 때'를 나타낼 때(the time, the day, the week, the year 등)	when (= at/in/on which)	I remember the day. + We first met on that day. 나는 그날을 기억한다. + 우리는 그날 처음 만났다. → I remember the day [when we first met]. 나는 우리가 처음 만난 날을 기억한다. 　　　　　　　　선행사(때) = I remember the day [on which we first met].
선행사가 '장소'를 나타낼 때(the place, the house, the town, the city 등)	where (= at/in/on/to which)	This is the place. + I found my ring in the place. 이곳은 장소이다. + 나는 그 장소에서 내 반지를 발견했다. → This is the place [where I found my ring]. 이곳은 내가 내 반지를 발견한 장소이다. 　　　　　　선행사(장소) = This is the place [in which I found my ring].

문법 확인 Ⓐ 문장 해석하기

▶ Answer p.33

1 Summer is the season **when** I like most. → 여름은 ＿＿＿＿＿＿＿＿＿＿ 계절이다.

2 We visited the house **where** the poet lived. → 우리는 ＿＿＿＿＿＿＿＿＿＿ 집을 방문했다.
★poet 시인

3 It was the year **when** the Olympics were held. → 그 해는 ＿＿＿＿＿＿＿＿＿＿ 해였다.

4 That is the drawer **where** I keep my socks. → 저것은 ＿＿＿＿＿＿＿＿＿＿ 서랍이다.

5 I never forget the day **when** I opened my shop. → 나는 ＿＿＿＿＿＿＿＿＿＿ 날을 잊지 못한다.

6 I'll remember the park **where** I met her. → 나는 ＿＿＿＿＿＿＿＿＿＿ 공원을 기억할 것이다.

7 Do you know the date **when** we sent the fax? → 너는 ＿＿＿＿＿＿＿＿＿＿ 날짜를 아니?

8 The restaurant **where** he works is nearby. → ＿＿＿＿＿＿＿＿＿＿ 레스토랑이 근처에 있어.

48 관계부사 (2)

선행사가 이유나 방법을 나타낼 때 다음과 같은 관계부사를 쓴다.

선행사가 '이유'(the reason)를 나타낼 때	why (= for which)	Do you know the reason? + She is upset for that reason. 너는 그 이유를 아니? + 그녀는 그 이유로 화가 나 있다. → Do you know the reason [**why** she is upset]? 너는 그녀가 화가 나 있는 이유를 아니? 　　　　　　　 선행사(이유) = Do you know the reason [**for which** she is upset]?
선행사가 '방법'(the way)을 나타낼 때	how (= in which)	This is the way. + I solved the problem in that way. 이것은 방법이다. + 나는 그 방법으로 그 문제를 풀었다. → This is [**how** I solved the problem]. 이것은 내가 그 문제를 푼 방법이다. = This is **the way** [I solved the problem]. 　　　　선행사(방법) = This is **the way** [**in which** I solved the problem]. This is **the way** [**how** I solved the problem]. (×) » 선행사 the way와 관계부사 how는 둘 중 하나만 써야 합니다.

➕ 선행사가 the time, the place, the reason 처럼 시간·장소·이유를 나타내는 일반적인 명사일 때, 선행사를 생략할 수 있어요.
Tell me (the reason) **why** you are trembling. 네가 떨고 있는 이유를 말해줘.

문법 확인 -Ⓑ 문장 해석하기
▶ **Answer** p.33

1 Do you know the reason **why** the sky is blue?

→ 너는 　　　　　　　　　　　　　　　　　　　　　　 아니?

2 I will show you **how** the machine works. ★work 작동하다

→ 저는 당신에게 　　　　　　　　　　　　　　　　 보여줄 것입니다.

3 They told us **why** they immigrated to Canada. ★immigrate 이주하다

→ 그들은 　　　　　　　　　　　　　　　　　 우리에게 말해주었다.

4 This dance is **the way** bees communicate. ★communicate 의사소통하다

→ 이 춤은 　　　　　　　　　　　　　　　　 이다.

5 You should change **how** you think about yourself.

→ 너는 　　　　　　　　　　　　　　　　　　　　 바꿔야 한다.

► Answer p.34

문법 기본 Ⓐ 빈칸에 들어갈 말에 V 표시하기 (중복 표시 가능)

1 The library _____ I study is nearby. ☐ when ☐ which ☐ where

2 I remember a time _____ radio shows were popular. ☐ where ☐ when ☐ which

3 The reason _____ I turned down the job is low pay. ☐ which ☐ where ☐ why

4 Please let me know _____ you feel about this design. ☐ how ☐ where ☐ why

5 The island _____ he lives is Puerto Rico. ☐ where ☐ on which ☐ for which

6 I'll never forget the day _____ I entered the school. ☐ when ☐ on which ☐ for which

7 There are many reasons _____ people get fat. ☐ why ☐ on which ☐ for which

8 _____ you talk to your child can change their brain. ☐ How ☐ The way ☐ The way how

문법 기본 Ⓑ 알맞은 말 고르기

1 정오는 우리가 점심을 먹는 시간이다. → Noon is the time how / when we eat lunch.

2 나는 내가 슬픈 이유를 모르겠다. → I don't know the reason when / why I'm sad.

3 나는 처음 너를 봤던 순간을 기억한다. → I remember the moment which / when I first saw you.

4 그 일이 어떻게 처리됐는지 내게 알려줄래? → Can you tell me the way / the way how it is done?

5 네가 내게 전화하지 않았던 이유를 말해줘. → Tell me the reason why / which you didn't call me.

6 태양이 언제나 빛나는 나라로 가자. → Let's go to a country when / where the sun always shines.

7 회의가 열리는 방을 내게 보여줘. → Show me the room when / where meetings are held.

8 그녀는 자신이 자랐던 도시를 떠났다. → She left the city for which / in which she grew up.

문법 쓰기 Ⓐ 관계부사를 활용하여 한 문장으로 바꿔 쓰기

Example	That is the shop. I bought my shoes at that shop.
	→ *That is the shop where I bought my shoes.*

1 Henry told me the way. He won the game in that way.

→

2 The picture was taken in the park. I used to play in the park.

→

3 Tell me the reason. You came home late for that reason.

→

4 Katie remembers the day. She graduated from high school on that day.

→

문법 쓰기 Ⓑ 틀린 부분 고치기

Example	This is the river which I learned to swim.	*which* → *where[in which]*
	이곳은 내가 수영하는 것을 배운 강이다.	

1 You are the reason when I live.
너는 내가 살아가는 이유이다.   →

2 I really like the way how she dresses.
나는 그녀가 옷 입는 방식이 정말 마음에 든다.   →

3 Is that the place how the accident happened?
저곳이 그 사고가 일어난 장소이니?   →

4 Monday is the day where most people feel blue.
월요일은 대부분의 사람들이 우울함을 느끼는 날이다.   →

5 She still remembers the year for which the war began.
그녀는 전쟁이 시작된 해를 아직도 기억한다.   →

6 Do you know the reason at which he is angry with Kelly?
너는 그가 Kelly에게 화가 나 있는 이유를 알고 있니?   →

문법 쓰기 C 주어진 단어와 관계부사를 활용하여 문장 완성하기

> Example　　내일은 내가 첫 월급을 받는 날이다. (the day, get, my first paycheck)
>
> →　*Tomorrow is the day when I get my first paycheck.*

1　3월은 봄이 시작되는 달이다. (the month, begin)

　→　March is 　　　　　　　　　　　　　　　　.

2　나는 내가 사과해야 할 이유를 모르겠다. (should, apologize)

　→　I don't know 　　　　　　　　　　　　　　.

3　그것이 내가 스트레스에 대처하는 방식입니다. (cope with, stress)

　→　That's 　　　　　　　　　　　　　　　　.

4　약국은 사람들이 약을 사는 장소이다. (a place, people, buy, medicine)

　→　A pharmacy is 　　　　　　　　　　　　　.

5　인터넷은 우리가 쇼핑하는 방식을 바꾸고 있다. (the Internet, change, shop)

　→

6　나는 나의 아빠가 일하시는 사무실을 종종 방문한다. (often, visit, the office, my dad, work)

　→

7　그녀는 내게 자신이 비행기를 놓친 이유를 말하지 않았다. (tell, miss, the plane)

　→

8　지금은 우리가 행동해야 할 때이다. (now, the time, must, act)

　→

서술형 예제 1

다음 두 문장을 관계부사를 이용하여 한 문장으로 바꿔 쓰시오.　🔔 Point 47

This is the park. The festival will be held in the park.

→ _____

Teacher's guide

STEP ❶

첫 번째 문장과 두 번째 문장에서 서로 공통되는 부분은 the park입니다. 이를 통해 선행사 the park를 수식하는 관계부사절을 써야 함을 알 수 있습니다.

STEP ❷

선행사 the park는 장소를 나타내는 말이므로, 관계부사 where를 사용합니다. 두 번째 문장의 부사구 in the park 를 삭제한 후, 해당 문장의 맨 앞에 관계부사 where를 붙여 선행사 뒤에 연결합니다.

정답 ≫　This is the park where the festival will be held.

실전 연습 1

다음 두 문장을 관계부사를 이용하여 한 문장으로 바꿔 쓰시오.　🔔 Point 47

9 a.m. is the time. The bank opens at that time.

→ _____

서술형 예제 2

다음 우리말과 일치하도록 〈보기〉의 말을 바르게 배열하여 문장을 완성하시오. (단, 필요 없는 단어 한 개는 제외할 것)　🔔 Point 48

의사는 내게 운동을 해야 하는 이유를 말해주었다.

• 보기 •

told, the doctor, me, why, how, should, I, the reason, exercise

→ _____

Teacher's guide

STEP ❶

영어 문장은 보통 〈주어＋동사〉로 시작해요. 먼저 '의사는 말해주었다'에 해당하는 영어 표현을 찾아서, The doctor told ~로 시작하는 문장을 쓰세요.

STEP ❷

직접목적어인 '운동을 해야 하는 이유'는 선행사 the reason을 쓴 후, 이유를 나타내는 관계부사 why가 이끄는 절을 써서 나타내요.

정답 ≫　The doctor told me the reason why I should exercise.

실전 연습 2

다음 우리말과 일치하도록 〈보기〉의 말을 바르게 배열하여 문장을 완성하시오. (단, 필요 없는 단어 한 개는 제외할 것)　🔔 Point 48

이것이 그가 많은 돈을 번 방식이다.

• 보기 •

made, how, why, this, he, is, money, a lot of

→ _____

191

객관식 (01~10)

♣ Point 43

01 다음 빈칸에 들어갈 말로 알맞은 것을 <u>모두</u> 고르면?

> Mr. Anderson is a farmer _____ grows corn.

① who   ② that   ③ whom
④ what   ⑤ which

♣ Point 45

02 다음 문장에서 that이 들어갈 위치로 알맞은 곳은?

> Do you remember (①) the name (②) of the man (③) we met (④) at the airport (⑤) yesterday?

♣ Point 45

03 다음 밑줄 친 부분 중 생략할 수 있는 것을 <u>모두</u> 고르면?

① Penguins are the birds <u>that</u> can swim.
② It was the worst movie <u>that</u> I've ever seen.
③ Do you know the man <u>who</u> Tom is talking to?
④ Jake is the boy with <u>whom</u> I fought the other day.
⑤ The girl <u>who is</u> walking down here is my best friend.

[04~05] 다음 중 밑줄 친 부분의 쓰임이 나머지 넷과 <u>다른</u> 것을 고르시오.

♣ Point 43

04 ① Who ate the cake <u>that</u> was on the table?
② I want to be a doctor <u>that</u> can cure cancer.
③ I didn't know <u>that</u> he hadn't told me the truth.
④ He lost his bag <u>that</u> was his birthday gift.
⑤ I know some people <u>that</u> enjoy bungee jumping.

♣ Point 46

05 ① You'll pay for <u>what</u> you have done.
② Lucia didn't like <u>what</u> he was doing.
③ <u>What</u> drives me crazy is his laziness.
④ I don't know <u>what</u> her phone number is.
⑤ <u>What</u> I see is different from <u>what</u> you see.

대표

[06~08] 다음 빈칸에 들어갈 말이 순서대로 짝지어진 것을 고르시오.

♣ Point 43, 46

06
> • I like _____ I got for my birthday.
> • Everything _____ happened was my fault.

① which – that   ② what – that
③ that – what   ④ what – what
⑤ that – which

♣ Point 47

07
> • Do you remember the weekend _____ we went camping?
> • They sailed for the island _____ the treasure was buried.

① when – why   ② where – why
③ where – when   ④ when – where
⑤ how – where

♣ Point 43, 44

08
> • I know a person _____ speaks three languages.
> • The umbrella _____ handle is broken belongs to John.
> • The book _____ I bought last week is easy to read.

① who – who – which   ② who – which – that
③ whom – which – that ④ whom – whose – that
⑤ that – whose – which

09 ♣ Point 48
다음 대화의 빈칸에 들어갈 말로 알맞은 것을 <u>모두</u> 고르면?

> A: Is this the way you solved the puzzle?
> B: Yes. That is _____ I did it.

① how   ② which   ③ the way
④ for which   ⑤ the way how

고난도
10 ♣ Point 43, 44, 45
다음 중 어법상 <u>틀린</u> 것을 <u>모두</u> 고르면?

① Mr. Green is a teacher that we respect.
② He loves the house which his father built.
③ She likes the doll that her sister gave it to her.
④ Jennifer has a diamond ring which shine brightly.
⑤ The hairdryer, which is secondhand, works really well.

서술형 기본 (11~19)

[11~13] 다음 빈칸에 알맞은 말을 〈보기〉에서 골라 쓰시오.

> • 보기 •
> who   whom   which   whose

11 ♣ Point 44

> I tried to fix the bicycle _____ my brother broke.

12 ♣ Point 44

> I want a cat _____ fur is white.

13 ♣ Point 43

> Eric is the tall boy _____ has red hair.

[14~15] 다음 문장에서 어법상 <u>틀린</u> 부분을 찾아 바르게 고쳐 쓰시오.

14 ♣ Point 43

> A lemon is a fruit which contain a lot of vitamin C.

_____ → _____

15 ♣ Point 45

> My aunt, that is an English teacher, is on vacation now.

_____ → _____

16 ♣ Point 45
다음 문장에서 생략할 수 있는 부분을 찾아 쓰시오.

> He took a picture of the car which was parked outside.

→ _____

대표
[17~18] 다음 두 문장의 의미가 같도록 빈칸에 알맞은 말을 쓰시오.

17 ♣ Point 47

> I visited the town where my grandfather was born.

= I visited the town _____ _____ my grandfather was born.

18 ♣ Point 46

> This is the thing that I wanted to give you.

= This is _____ I wanted to give you.

고난도
19 ♣ Point 48
다음 우리말과 일치하도록 괄호 안의 말을 바르게 배열할 때 네 번째로 오는 단어를 쓰시오.

> 이것이 당신의 뇌가 작동하는 방식이다.
> (is, your, works, this, brain, how)

→ _____

Point 43

20 다음 〈보기〉와 같이 괄호 안의 말을 이용하여 질문에 대한 응답을 영작하시오.

- 보기 -
A: What is a poet?
B: A poet is a person who writes poems.
(a person, write, poems)

A: What is a microwave?
B: _____
(a machine, heat, food)

Point 45

21 다음 우리말과 일치하도록 〈보기〉의 말 중 일부를 바르게 배열하여 문장을 완성하시오.

(1) Tony는 스페인어를 할 수 있어서, 여행 가이드로 일한다.

- 보기 -
who, which, that, Spanish, speak, can

→ Tony, _____,
works as a tour guide.

(2) 우리의 항공편은 지연되었는데, 그것은 우리를 짜증나게 만들었다.

- 보기 -
who, which, that, us, made, annoyed

→ Our flight was delayed, _____
_____.

고난도
Point 48

22 다음 두 문장을 관계부사를 이용하여 한 문장으로 바꿔 쓰시오.

(1) Let me tell you the way. I deal with such problems in that way.

→ _____

(2) There must be a reason. She is avoiding you for that reason.

→ _____

대표
Point 47

23 다음 포스터를 참고하여 주어진 우리말을 〈조건〉에 맞게 영작하시오.

Winter English Camp
Have fun and improve your English!
When: December 22-27
Where: Seoul English Village

(1) 12월 22일은 Winter English Camp가 시작하는 날이다.

조건 • 관계부사와 will start를 사용할 것

→ _____

(2) Seoul English Village는 캠프가 열릴 장소이다.

조건 • 관계부사와 will be held를 사용할 것

→ _____

접속사

Get Ready

부사절 접속사	**We love to play outside** when **it snows.**	우리는 눈이 올 때 밖에서 노는 것을 좋아한다.
	We will be late if **we don't hurry.**	우리는 서두르지 않으면 늦을 것이다.
상관접속사	Both **Amy** and **Ben are invited to the party.**	Amy와 Ben 둘 다 파티에 초대받았다.
	She is not only **beautiful** but also **smart.**	그녀는 아름다울 뿐만 아니라 똑똑하다.
명사절 접속사	**I know** that **you are honest.**	나는 네가 정직하다는 것을 안다.

단어와 단어, 어구와 어구, 문장과 문장을 연결해주는 말을 **접속사**라고 해요. 접속사에는 시간, 이유, 조건, 양보 등의 **부사절을 이끄는 접속사**, 두 개 이상의 단어가 서로 묶여서 하나의 접속사 역할을 하는 **상관접속사**, 그리고 **명사절을 이끄는 접속사**가 있어요.

❶ 시간을 나타내는 접속사

when	~ 할 때	**When** we were children, we lived in a farm-house. 우리는 어렸을 때 농가에 살았다.
as	~할 때, ~하면서 ~함에 따라	**As** he came into the room, everyone stood up and clapped for him. 그가 방으로 들어오자, 모두가 일어나서 그에게 박수를 쳐주었다.
while	~하는 동안	No one left the cinema **while** the movie was on. 영화가 상영 중인 동안 아무도 극장을 떠나지 않았다. ※ while은 '~인 반면'의 뜻으로 대조를 나타내기도 해요. While I like pizza, my sister doesn't. 나는 피자를 좋아하는 반면, 내 여동생은 그렇지 않다.
until	~할 때까지	I'll wait with you **until** the bus comes. 버스가 올 때까지 너와 함께 기다릴게.
since	~한 이후로	Jenny has done ballet **since** she was three years old. Jenny는 세 살 이후로 발레를 해왔다.
as soon as	~하자마자	He fell asleep **as soon as** he lay in bed. 그는 침대에 눕자마자 잠이 들었다.

※ 시간을 나타내는 부사절에서는 미래의 일을 나타내더라도 현재시제를 쓰는 것에 주의하세요.
   The meeting will start **when** everyone **arrives**. 모두가 도착하면 회의가 시작될 것이다.

❷ 이유를 나타내는 접속사

because	~때문에	We were late **because** the traffic was heavy. 교통체증으로 인해 우리는 늦었다. ≫ 접속사 because 다음에 절이 오지만, 전치사구인 because of 다음에는 명사(구)가 와야 해요. (We were late because of the heavy traffic.)
as	~하므로, ~하니까	**As** everyone already knows each other, there's no need for introductions. 모두가 서로를 이미 알고 있으니까, 소개를 할 필요가 없겠네요.
since	~하므로, ~하니까	**Since** I was hungry, I wanted to eat something first. 나는 배가 고파서, 먼저 뭔가를 먹기 원했다.

문법 확인 —Ⓐ **문장 해석하기**   ▶ **Answer** p.36

1 John sprained his ankle **while** he was playing football. ★sprain 삐다, 접질리다

  → John은 [   ] 발목을 삐었다.

2 He was a professor **until** he retired in 1997.

  → 그는 [   ] 교수였다.

3 I bumped into her **as** I came out of the bank. ★bump into (우연히) ~와 마주치다

  → 나는 [   ] 그녀를 우연히 마주쳤다.

4 I've been very busy **since** I started my new job.

  → 나는 [   ] 계속 바쁘다.

5 **As soon as** she heard the news, she started crying.

  → 그녀는 [   ], 울기 시작했다.

부사절 접속사 (2)

❶ 조건을 나타내는 접속사

if	만약 ~하면	**If** you don't keep your promises, you'll lose your friends. 만약 네가 약속을 지키지 않으면, 너는 너의 친구들을 잃게 될 것이다.
unless (= if not)	만약 ~하지 않으면	**Unless** there is oxygen, fire cannot burn. 산소가 없으면, 불이 탈 수 없다.

※ 조건을 나타내는 부사절에서는 미래의 일을 나타내더라도 현재시제를 쓰는 것에 주의하세요.
  If it **rains** tomorrow, I will stay home. 내일 비가 오면, 나는 집에 있을 것이다.

❷ 결과를 나타내는 접속사

so ~ that	너무 ~해서 …하다	The movie was **so** good **that** I saw it five times. 그 영화는 너무 좋아서 나는 그것을 다섯 번이나 봤다.
so ~ that …can (= ~ enough + to부정사)	너무 ~해서 …할 수 있다	They are **so** brave **that** they **can** face the strong enemy. = They are brave **enough to face** the strong enemy. 그들은 너무나 용감해서 강한 적에 맞설 수 있다.
so ~ that …can't (= too ~ to부정사)	너무 ~해서 …할 수 없다	He was **so** tired **that** he **couldn't** finish the report. = He was **too** tired **to finish** the report. 그는 너무 피곤해서 보고서를 끝낼 수 없었다.

❸ 양보를 나타내는 접속사

though although even though	비록 ~이지만, ~에도 불구하고	I couldn't sleep **although[though / even though]** I was very tired. 나는 매우 피곤했지만, 잠들 수 없었다.

문법 확인 ⓑ 문장 해석하기

▶ Answer p.36

1 **If** we start now, we will get there just in time.

→ ⬜⬜⬜⬜⬜⬜⬜⬜⬜⬜⬜⬜⬜⬜⬜⬜⬜, 시간에 딱 맞춰서 그곳에 도착할 것이다.

2 A snake won't attack you **unless** it feels threatened by you.

→ 뱀은 ⬜⬜⬜⬜⬜⬜⬜⬜⬜⬜⬜⬜ 당신을 공격하지 않을 것이다.

3 The book was **so** interesting **that** I couldn't put it down.

→ ⬜⬜⬜⬜⬜⬜⬜⬜⬜⬜ 나는 그것을 내려놓을 수 없었다.

4 **Though** she was very sick, she didn't take any medicine. ★take medicine 약을 먹다

→ ⬜⬜⬜⬜⬜⬜⬜⬜⬜⬜⬜⬜, 어떤 약도 먹지 않았다.

5 My three-year-old sister is **so** smart **that** she **can** read this book.

→ ⬜⬜⬜⬜⬜⬜⬜⬜⬜⬜⬜⬜ 이 책을 읽을 수 있다.

문법 기본 Ⓐ 빈칸에 들어갈 말에 V 표시하기

1 When she _____ ready, we will leave. □ is □ will be

2 Ten years have passed _____ they got married. □ as □ when □ since

3 You can lose weight _____ you exercise. □ if □ unless

4 _____ you're tired, let's go to the movies. □ If □ Unless

5 I will call you _____ I get there. □ when □ since □ because

6 I hurt my back _____ I was lifting that box. □ until □ while □ until

7 Kevin can't run in the race _____ he hurt his ankle. □ though □ because □ unless

8 Eric is good at Korean _____ he isn't Korean. □ if □ because □ although

문법 기본 Ⓑ 알맞은 말 고르기

1 비가 그칠 때 까지 여기에서 기다리자. → Let's wait here until it stops / will stop raining.

2 Karen은 채식주의자이므로 고기 없이 식사를 시켰다. → Karen ordered a meal without meat since / though she was a vegetarian. ★vegetarian 채식주의자

3 네가 비밀을 지킨다고 약속하면, 모든 것을 말해 줄게. → If / Unless you promise to keep it a secret, I'll tell you everything.

4 해결책이 없으면, 이야기를 그만하렴. → If / Unless you have a solution, stop talking.

5 안 좋은 날씨 때문에, 모임이 연기되었다. → The meeting was postponed because / because of the bad weather. ★postpone 미루다, 연기하다

6 매우 추운 날씨에도 불구하고, Cindy는 코트를 안 입고 있었다. → Cindy wasn't wearing a coat because / although it was pretty cold.

문법 쓰기 Ⓐ 괄호 안의 말을 이용하여 한 문장으로 바꿔 쓰기.

> Example   She entered the room. And then she knew there was something wrong. (as soon as)
>
> →   *As soon as she entered the room, she knew there was something wrong.*

1 I'm allergic to shrimp. So, I don't eat it. (because)

→

2 Tony was very happy. He smiled all day long. (so ~ that)

→

3 I followed the recipe. But the stew didn't taste good. (although)

→

4 He missed the bus. So, he decided to walk home. (since)

→

문법 쓰기 Ⓑ 틀린 부분 고치기

> Example   I will get a job as soon as I will graduate.   *will graduate* → *graduate*
>
> 나는 졸업하자마자 취업할 것이다.

1 It has been two years when I last saw Alex.   →
내가 Alex를 마지막으로 본 이후로 2년이 흘렀다.

2 It was very dark that I couldn't see her face.   →
너무 어두워서 나는 그녀의 얼굴을 볼 수 없었다.

3 I can't trust you because of you lied to me.   →
네가 내게 거짓말을 해서 나는 너를 신뢰할 수 없다.

4 Unless you don't work harder, you won't pass the exam.   →
네가 더 열심히 공부하지 않으면, 너는 시험에 통과하지 못할 것이다.

5 Their new product didn't sell well because its poor   →
quality. 그들의 신상품은 품질이 나빠서 잘 팔리지 않았다.

6 We will win this game if he will join us.   →
그가 우리에게 합류한다면 우리는 이 경기를 이길 것이다.

▶ **Answer** p.36

문법 쓰기 C 주어진 단어를 이용하여 문장 완성하기

> Example 그녀는 외출할 때 휴대 전화를 항상 갖고 나간다. (go out, when)
>
> → *She always takes her cellphone when she goes out.*

1 나는 태어날 때부터 이집에서 살아왔다. (be born)

→ I have lived in this house   .

2 그가 내게 사과하지 않으면, 나는 다시는 그와 말을 하지 않을 것이다. (apologize to, unless)

→   , I will never speak to him again.

3 음악소리가 너무 시끄러워서 나는 잠을 잘 수 없었다. (so, loud, sleep)

→ The music was   .

4 네 꿈이 현실이 될 때까지 계속 꿈꿔라. (until, your dream, come true)

→ Keep dreaming   .

★keep ~ing 계속해서 ~하다

5 알람시계가 울리지 않아서, 나는 학교에 늦었다. (because, the alarm, go off, be late for school)

→

★go off 울리다

6 그는 집에 도착하자마자, 샤워를 했다. (get home, take a shower, as soon as)

→

7 Cathy 거기에 도착했을 때 그녀의 부모님께 전화할 것이다. (call, parents, get there)

→

8 날씨가 좋으면 나는 소풍을 갈 것이다. (the weather, nice, go on a picnic)

→

서술형 예제 1

다음 두 문장을 〈조건〉에 맞게 한 문장으로 바꿔 쓰시오.

♣ Point 50

> She was hungry. But she didn't even touch the food.

조건	· 접속사 though를 이용할 것

→ _____

Teacher's guide

STEP ❶
역접을 나타내는 접속사 but으로 보아, 대조되는 내용을 '~에도 불구하고'를 의미하는 접속사 though로 연결하는 문제임을 파악합니다.

STEP ❷
though는 뒤에 「주어＋동사」의 절이 이어집니다. though 가 이끄는 종속절을 주절의 앞이나 뒤에 씁니다.

정답 ≫ Though she was hungry, she didn't even touch the food.
또는 She didn't even touch the food though she was hungry.

실전 연습 1

다음 두 문장을 〈조건〉에 맞게 한 문장으로 바꿔 쓰시오.

♣ Point 50

> He passed the exam. But he wasn't happy.

조건	· 접속사 though를 이용할 것

→ _____

서술형 예제 2

다음 우리말을 〈조건〉에 맞게 영작하시오.

♣ Point 49

물이 끓을 때 계란을 넣으세요.

조건	· when, add, some eggs, the water, boil을 사용하되 필요하면 단어의 형태를 바꿔 쓸 것

→ _____

Teacher's guide

STEP ❶
when은 '~할 때'를 뜻하는 접속사로 뒤에 「주어＋동사」가 나옵니다.

STEP ❷
시간을 나타내는 부사절에서는 미래의 일을 나타내더라도 현재시제를 씁니다. 따라서 '물이 끓을 때'는 현재시제를 사용하여 when the water boils로 씁니다. 주절인 add some eggs(계란을 넣으세요)는 종속절 앞이나 뒤에 씁니다.

정답 ≫ When the water boils, add some eggs.
또는 Add some eggs when the water boils.

실전 연습 2

다음 우리말을 〈조건〉에 맞게 영작하시오.

♣ Point 49

나는 그녀가 돌아올 때까지 기다릴 것이다.

조건	· will, until, wait, come back을 사용하되 필요하면 단어의 형태를 바꿔 쓸 것.

→ _____

201

51 상관접속사

상관접속사는 두 개 이상의 단어가 짝을 이루는 쓰이는 접속사이다.

both A and B	A와 B 둘 다	항상 복수 취급	**Both** Peter **and** Kevin **were** gone on vacation. Peter와 Kevin 둘 다 휴가 가고 없었다.
not A but B	A가 아니라 B	B에 수 일치	**Not** you **but** I **am** the real winner. 네가 아니라 내가 진정한 승자이다.
either A or B	A와 B 둘 중 하나		**Either** you **or** your mom **has** to decide. 너와 너의 어머니 둘 중 한 사람이 결정해야 한다.
neither A nor B	A와 B 둘 다 아닌		**Neither** I **nor** he **is** going to come back. 나와 그 둘 다 돌아오지 않을 것이다.
not only A but also B (= B as well as A)	A뿐만 아니라 B도		**Not only** my parents **but also** my sister **doesn't like** cats. = My sister **as well as** my parents **doesn't like** cats. 나의 부모님뿐만 아니라 나의 여동생도 고양이를 좋아하지 않는다.

➕ 상관접속사로 연결되는 두 대상은 문법적 형태와 성격이 같아야 해요.
I like **both** <u>summer</u> **and** <u>winter</u>. 〈명사 – 명사〉 나는 여름과 겨울 둘 다 좋아한다.
He enjoys **neither** <u>singing</u> **nor** <u>dancing</u>. 〈동명사 – 동명사〉 그는 노래 부르는 것과 춤추는 것 둘 다 즐기지 않는다.

 문법 확인 (A) 문장 해석하기 ▶ **Answer** p.37

1 **Both** rugby **and** football are popular in France. → 프랑스에서는 _____ 인기 있다.

2 In sport, what counts is **not** the winning **but** the taking part. ★take part (~에) 참가하다, 참여하다 → 스포츠에서 중요한 것은 _____ 이다.

3 He is interested in **not only** math **but** also science. → 그는 _____ 흥미가 있다.

4 My car is **neither** big **nor** small. → 내 차는 _____.

5 He has experience **as well** as knowledge. → 그는 _____ 있다.

6 **Not** he **but** I am responsible for that accident. ★be responsible for ~에 책임이 있다 → _____ 그 사고에 책임이 있다.

7 I was **both** tired **and** hungry when I got home. → 나는 집에 돌아왔을 때 _____.

8 **Either** Mom **or** Dad will come to pick me up. → _____ 나를 차에 태우러 오실 것이다.

that이 이끄는 명사절은 '~하는 것'이라는 의미로, 문장에서 주어, 목적어, 보어 역할을 한다.

• 주어 역할: ~하는 것은

That her grandmother is one hundred years old is true.
= **It** is true **that** her grandmother is one hundred years old.
　가주어　　　　　　　　　　　　　　진주어
그녀의 할머니가 100세인 것은 사실이다.

>> that절이 주어로 쓰일 때는 가주어 it을 써서 that 절을 문장 끝으로 보낼 수 있어요.

• 목적어 역할: ~하는 것을

I knew **(that)** you would come back.
나는 네가 돌아올 것을 알고 있었다.

>> know, think, believe, find, guess, learn, tell, say, hope 등의 동사가 주로 that절을 목적어로 취하며, 이때 접속사 that은 생략 가능해요.

I believe **(that)** everything happens for a reason.　나는 모든 일이 일어나는 데는 다 이유가 있다고 믿는다.

• 보어 역할: ~하는 것(이다)

The truth is **that** there are no secrets.　진실은 비밀이 없다는 것이다.
The problem is **that** nobody knows how to stop it.　문제는 아무도 그것을 멈추는 방법을 모른다는 것이다.

문법 확인 -Ⓑ　문장 해석하기　　　　　　　　　　　　　　　　　　▶ **Answer** p.37

1 They are hoping **(that)** their missing dog will come home. ★missing 없어진, 실종된
→ 그들은 　　　　　　　　　　바라고 있다.

2 **That** he survived is a miracle.
★survive 살아남다, 생존하다
→ 　　　　　　　　　　기적이다.

3 My hope is **that** we win this fight.
→ 내 소망은 　　　　　　　　　　.

4 Everyone thinks **(that)** he is a genius.
→ 모두가 　　　　　　　　　　생각한다.

5 It is wrong **that** you judge others by their appearance. ★appearance 외모
→ 　　　　　　　　　　잘못된 일이다.

6 Kelly said **(that)** she couldn't come to the party on Friday.
→ Kelly는 　　　　　　　　　　말했다.

7 The important thing is **that** you did your best.
★do one's best ~의 최선을 다하다
→ 중요한 것은 　　　　　　　　　　.

8 I've learned **(that)** everyone has different talents. → 나는 　　　　　　　　　　배웠다.

문법 기본 Ⓐ 　빈칸에 들어갈 말에 V표시하기

1 Both Ted and I _____ playing basketball. 　　　　□ enjoy 　□ enjoys

2 Neither Jane nor I _____ against you. 　　　　　□ am 　　□ are

3 Not one but two winners _____ awarded the best prize. 　□ was 　□ were

4 The sound was either fireworks _____ a gunshot. 　　□ or 　　□ nor

5 Not only my aunt but also my cousins _____ coming to see me 　□ is 　　□ are
tomorrow.

6 I knew _____ she didn't want to help me. 　　　　□ if 　　□ that

7 It is surprising _____ Tom passed the exam. 　　　　□ what 　□ that

8 Did you hear _____ Mike is leaving? 　　　　　　□ it 　　□ that

문법 기본 Ⓑ 　알맞은 말 고르기

1 Kelly와 Sarah 둘 다 수영을 좋아하지 않는다. → Neither Kelly nor Sarah 　like / likes 　swimming.

2 너의 아빠 혹은 나 둘 중 한 명이 너의 선생님을 → Either your dad or I 　am / is 　going to see your teacher.
보러 갈 것이다.

3 Kevin뿐만 아니라 Harry도 시험에서 A를 → Not only Kevin but also Harry 　has / have 　got an A on
받았다. 　　　　　　　　　　　　　　the test.

4 학생들은 읽기와 쓰기 둘다 필요하다. → Students need both reading and 　to write / writing 　.

5 그녀가 나를 알아보지 않았다는 것이 놀라웠다. → 　It / That 　was surprising that she didn't recognize me.

6 그가 시험에서 부정행위를 한 것은 사실이었다. → The fact was 　if / that 　he cheated on the test.

문법 쓰기 Ⓐ 괄호 안의 말을 이용하여 두 문장을 한 문장으로 바꿔 쓰기

Example	Jake was absent yesterday. I didn't know that. (that)
	→ *I didn't know that Jake was absent yesterday.*

1 Paul has been to China. Sue has been to China, too. (both, and)

→

2 There will be a water shortage in the city. It is certain. (that)

→

3 Jason is not good at math. I am not good at math, either. (neither, nor)

→

4 We can leave today. Or we can leave tomorrow. (either, or)

→

문법 쓰기 Ⓑ 틀린 부분 고치기

Example	The truth is it we can't live forever.	*it*	→	*that*
	진실은 우리가 영원히 살 수는 없다는 것이다.			

1 Bruno can speak both English or Spanish.
Bruno는 영어와 스페인어 둘 다 말할 수 있다. →

2 My grandpa neither likes or cares about technology.
나의 할아버지는 기술을 좋아하시지도 관심을 가지시지도 않으신다. →

3 Either my aunt or my grandparents looks after Kitty when we're away on holiday.
나의 이모나 조부모님 중 한 쪽이 우리가 휴가 가 있는 동안 Kitty를 돌본다. →

4 Not only Katie but also her husband enjoy cooking.
Katie뿐만 아니라 그녀의 남편도 요리를 즐긴다. →

5 I believe it honesty is the best policy.
나는 정직이 최상의 방책이라고 믿는다. →

205

문법 쓰기 ⓒ 주어진 단어와 접속사를 이용하여 문장 완성하기

Example	요점은 네가 모든 것을 가질 수는 없다는 것이다. (that, have it all)
→	*The point is that you can't have it all.*

1 그가 선거에서 진 것은 충격적이었다. (that, lose, the election)

→ was shocking.

2 그는 요리사일 뿐만 아니라, 성공적인 사업가이다. (a cook, a successful businessman, not only)

→ He is .

3 화재 시에는 여러분이 침착함을 유지하는 것이 중요합니다. (important, you, stay calm, that)

→ In case of fire, it .

4 그녀는 내게 연락하겠다고 했는데 문자도 전화도 하지 않았다. (neither, text, call)

→ She said she would contact me, but she .

★text (휴대전화로) 문자를 보내다

5 문제는 아무도 그를 좋아하지 않는다는 것이다. (that, the problem, nobody, like)

→

6 Tom과 Jenny는 둘 다 회의에 늦었다. (both, late, for the meeting)

→

7 그 소녀의 이름은 Liz나 Lisa 둘 중 하나이다. (the girl's name, either)

→

8 그는 학생이 아니라 선생님이다. (not, a student, a teacher)

→

서술형 예제 1

다음 두 문장을 〈조건〉에 맞게 한 문장으로 바꿔 쓰시오.

♣ Point 51

> You can go there by bus. Or you can go there by subway.

조건	• either, neither, both, nor, or, and 중 알맞은 것을 이용할 것 • 총 10단어로 쓸 것

→ _____

Teacher's guide

STEP ❶
제시된 단어의 목록으로 보아 「both A and B」, 「either A or B」 또는 「neither A nor B」의 상관접속사 중 알맞은 것을 이용하는 문제임을 파악합니다.

STEP ❷
'또는'을 뜻하는 or로 보아 'A와 B 둘 중 하나'를 뜻하는 「either A or B」를 이용하여 두 문장을 하나로 연결합니다.

정답 ≫ You can go there either by bus or by subway.

실전 연습 1

다음 두 문장을 〈조건〉에 맞게 한 문장으로 바꿔 쓰시오.

♣ Point 51

> The telephone didn't work. The computer didn't work, either.

조건	• either, neither, both, nor, or, and 중 알맞은 것을 이용할 것 • 총 7단어로 쓸 것

→ _____

서술형 예제 2

다음 우리말을 〈조건〉에 맞게 영작하시오.

♣ Point 52

> 네가 올 수 없다는 것은 유감스러운 일이다.

조건	• it, that, a pity, come를 이용할 것 • 총 8단어로 쓸 것

→ _____

Teacher's guide

STEP ❶
'네가 올 수 없다는 것'을 that절이 이끄는 명사절인 that you can't come으로 씁니다.

STEP ❷
주어진 단어 목록의 it, that으로 보아 「가주어 it ~ 진주어 that」구문을 이용하여 문장을 쓰는 문제임을 알 수 있어요. 문장 맨 앞에 가주어 it을 쓰고 진주어인 that you can't come은 뒤로 보내어 문장을 완성합니다.

정답 ≫ It is a pity that you can't come.

실전 연습 2

다음 우리말을 〈조건〉에 맞게 영작하시오.

♣ Point 52

> 그가 사라진 것은 이상하다.

조건	• it, that, strange, disappear • 총 6단어로 쓸 것

→ _____

207

객관식 (01~10)

♣ Point 50

01 다음 빈칸에 들어갈 말로 알맞은 것은?

His desk was _____ messy that he could not find anything he was looking for.

① so   ② too   ③ even
④ very   ⑤ that

[02~03] 다음 빈칸에 공통으로 들어갈 말로 알맞은 것을 고르시오.

♣ Point 49

02
• Paul was very tired _____ he worked all day.
• I haven't seen Cathy _____ I saw her last Friday.

① as   ② when   ③ since
④ while   ⑤ because

♣ Point 49

03
• Someone called you _____ you were out.
• Jack arrived on time, _____ Kevin was late as usual.

① as   ② when   ③ since
④ while   ⑤ because

대표   ♣ Point 51

04 다음 빈칸에 들어갈 말이 순서대로 짝지어진 것은?

• Either you or I _____ wrong.
• Not only Jasmine but also her sisters _____ invited to the party.

① am – was   ② am – were   ③ are – was
④ are – were   ⑤ is – was

♣ Point 52

05 다음 중 생략된 문장 성분이 있는 부분은?

None (①) of us (②) know (③) the museum (④) is closed (⑤) on Mondays.

♣ Point 52

06 다음 문장에서 접속사 that이 들어가야 할 곳은?

It was (①) disappointing (②) most of the students (③) didn't hand in (④) their essays (⑤) on time.

♣ Point 50

07 다음 우리말을 바르게 옮긴 것을 모두 고르면?

네가 지금 일어나지 않으면, 너는 비행기를 놓칠 것이다.

① If you don't get up now, you will miss the plane.
② If you won't get up now, you will miss the plane.
③ Unless you get up now, you will miss the plane.
④ If you will get up now, you will miss the plane.
⑤ Unless you don't get up now, you will miss the plane.

♣ Point 49

08 다음 밑줄 친 부분의 뜻이 나머지 넷과 다른 것은?

① As my mom cooks, she listens to the radio.
② As you are new here, I will give you a tour.
③ As there wasn't enough time, we had to hurry.
④ As Katie is very thoughtful, she has many friends.
⑤ As she is only 5 years old, she can't get on the roller coaster.

09 다음은 Sam과 Alice가 좋아하는 과목을 나타낸 표이다. 표에 대한 설명으로 틀린 것은?

	math	science	history	P.E.	music
Sam	×	○	×	○	○
Alice	○	×	×	○	×

① Both Sam and Alice like P.E.

② Not Alice but Sam likes science.

③ Sam likes music as well as P.E.

④ Neither Sam nor Alice likes history.

⑤ Alice likes not only math but also music.

고난도
Point 49, 50, 51

10 다음 중 어법에 맞는 문장의 수는?

ⓐ Because the bad traffic, we were late.
ⓑ Both my mom and dad are teachers.
ⓒ He is not a pianist but a violinist.
ⓓ Neither the driver nor the passengers were hurt.
ⓔ The children won't sleep until their mom will come home.

① 1개   ② 2개   ③ 3개   ④ 4개   ⑤ 5개

서술형 기본 (11~20)

[11~12] 다음 두 문장의 의미가 같도록 빈칸에 알맞은 말을 쓰시오. (단, 한 단어로 쓸 것)

Point 50

11

If you don't help me, I can't do it.
= _____ you help me, I can't do it.

Point 50

12

The blender is old, but it still works well.
=_____ the blender is old, it still works well.

[13~15] 다음 우리말과 일치하도록 <보기>의 접속사와 괄호 안의 말을 이용하여 빈칸에 알맞은 말을 쓰시오.

• 보기 •
as   while   until   that   since

Point 49

13

그는 샤워를 하는 동안 노래를 불렀다. (take)

→ _____ _____ _____ _____ a shower, he sang a song.

Point 49

14

나는 내가 10살 때부터 그를 알아왔다. (ten)

→ I've known him _____ _____
_____ _____.

Point 52

15

문제는 그가 무례하다는 것이다. (rude)

→ The problem is _____ _____
_____ _____.

[16~17] 다음 문장에서 어법상 틀린 부분을 찾아 바르게 고쳐 쓰시오.

Point 50

16

If you will follow my advice, you won't regret it.

_____ → _____

Point 51

17

Neither Ann nor Jake were happy to see each other.

_____ → _____

[18~19] 다음 두 문장을 한 문장으로 바꿀 때 빈칸에 알맞은 말을 쓰시오.

Point 51

18

You're not my enemy. You're my friend.
→ You're _____ my enemy _____ my friend.

209

&♣; Point 51

19
> They need food. They also need shelter.
> → They need _____ _____
> food _____ _____ shelter.

&♣; Point 52

20 다음 우리 말과 일치하도록 괄호 안의 단어들을 바르게 배열할 때 일곱 번째 오는 단어를 쓰시오.

> 지구가 둥글다는 것은 사실이다.
> (a / fact / round / that / is / it / Earth / is)

→ _____

서술형 심화 (21~25)

&♣; Point 49, 50

21 다음 우리말과 일치하도록 주어진 말을 이용하여 문장을 완성하시오.

> (1) 그녀는 그 보고서를 끝낼 때까지 여기에 있을 것이다.

> stay, here, until, finish, the report

→ She _____.

> (2) 슈퍼맨은 너무 힘이 세서 한 손을 자동차를 들 수 있다.

> strong, that, lift, a car

→ Superman _____
with one hand.

대표

&♣; Point 50

22 다음 문장을 괄호 안의 말을 이용하여 같은 뜻의 문장으로 쓰시오.

> I see him every day, but I've never spoken to him. (although)

→ _____

&♣; Point 51

23 다음 두 문장을 주어진 〈조건〉에 맞게 한 문장으로 바꿔 쓰시오.

> My father doesn't smoke. And he doesn't drink, either.

조건 • neither를 사용할 것
• 총 6단어로 쓸 것

→ _____

고난도
&♣; Point 51

24 다음 표를 보고 주어진 지시대로 〈조건〉에 맞게 문장을 쓰시오.

	Age	Personality
Alex	15	outgoing
Brian	15	shy

> (1) Alex와 Brian의 나이에 대해 문장을 쓰시오.

조건 • both를 사용하여 Alex부터 언급할 것
• 총 8단어로 쓸 것

→ _____

> (2) Alex와 Brian의 성격을 비교하는 문장을 쓰시오.

조건 • while로 시작하여 Alex부터 언급할 것
• 총 7단어로 쓸 것

→ _____

&♣; Point 52

25 다음 우리말을 〈조건〉에 맞게 영작하시오.

> 나는 네가 화난 것을 안다.

조건 • know, upset, you're를 포함하여 총 4단어로 쓸 것

→ _____

CHAPTER 12

여러 가지 문장

Get Ready

가정법 과거

If I had many friends, I would be so happy.
만약 내게 친구가 많다면, 나는 매우 행복할 텐데.

간접의문문

Can you tell me where the station is?
내게 역이 어디에 있는지 말해줄래?

Do you know if she can speak Japanese?
너는 그녀가 일본어를 할 수 있는지 아니?

명령문, and[or]

Leave your phone number, and I will call you back.
전화번호를 남겨라, 그러면 내가 너에게 다시 전화할 것이다.

Work hard, or you can't succeed.
열심히 일해라, 그렇지 않으면 너는 성공할 수 없다.

1. **가정법 과거**는 현재 사실과 반대되거나 실현 가능성이 거의 없는 일을 가정 · 소망하여 표현하는 방법이에요.
2. **간접의문문**은 의문문이 다른 문장의 일부가 된 것을 말해요.
3. **명령문** 다음에 접속사 **and/or**가 오면 '～해라, 그러면/그렇지 않으면'이란 뜻을 나타내요.

Point 53 가정법 과거

가정법 과거는 현재 사실과 반대되거나 실현 가능성이 희박한 일을 가정 · 상상 · 소망할 때 쓴다.

「**If + 주어 + 동사의 과거형 ~, 주어 + 조동사 과거형(would/could/might 등) + 동사원형 …**」: 만약 ~라면 …할 텐데

If I had enough money, **I could buy** a new phone.
만약 내게 충분한 돈이 있으면, 나는 새 전화기를 살 수 있을 텐데.
= As I don't have enough money, I can't buy a new phone.
내게는 충분한 돈이 없어서, 나는 새 전화기를 살 수 없다.

If you were here, **I wouldn't be** so lonely.
만약 네가 여기에 있으면, 내가 그렇게 외롭지는 않을 텐데.

I would be out on my bike **if it weren't raining** hard.
만약 비가 많이 내리고 있지 않으면, 나는 자전거를 타고 나갈 텐데.

》 가정법 과거 문장은 직설법 현재 문장으로 바꿔 쓸 수 있어요.

》 가정법 과거 문장에서 if절의 be동사는 주어의 인칭과 수에 관계없이 were를 씁니다.

》 if절이 주절 뒤에 나올 수도 있어요.

- 직설법: '사실' 또는 '일어날 가능성이 꽤 있는 일'을 나타냅니다.
  If he is kind, **he will help** you. 만약 그가 친절하다면, 그는 당신을 도와줄 것이다.
- 가정법 과거: '현재 사실의 반대' 또는 '불가능하거나 있을 법하지 않은 일'을 나타냅니다.
  If he were kind, **he would help** you. 만약 그가 친절하다면, 그는 당신을 도와줄 텐데.
  ('그는 친절하지 않아서 당신을 돕지 않을 것이다'라는 의미)

문법 확인 **문장 해석하기**

▶ **Answer** p.39

1 If I **were** a rich man, I **would buy** a home like a palace.

→   , 나는 궁궐 같은 집을 살 텐데.

2 I **would travel** around the world if I **won** the lottery. ★win the lottery 복권에 당첨되다

→   , 나는 세계 여행을 할 텐데.

3 If I **didn't go** to her birthday party, she **would be** hurt.

→   , 그녀는 마음이 상할 텐데.

4 If it **were** a nice day, I **would take** a walk.

→ 만약 맑은 날이라면,   .

5 If you **ran** for the election, people **would vote** for you. ★vote for ~에게 투표하다

→ 만약 당신이 선거에 출마한다면,   .

Point 54 I wish+가정법 / as if+가정법

❶ 〈I wish+가정법 과거〉는 현재 이룰 수 없는 소망을 나타낼 때 쓴다.

「I wish+주어+(조)동사의 과거형」: ~하면 좋을 텐데

I wish I knew the answer.
내가 정답을 알면 좋을 텐데.

= I'm sorry (that) I don't know the answer.
　나는 정답을 몰라서 유감이다.

I wish I were a king.　내가 왕이라면 좋을 텐데.

I wish they could come tomorrow.　그들이 내일 올 수 있다면 좋을 텐데.

》「I wish+가정법 과거」 문장은 직설법 현재 문장으로 바꿔 쓸 수 있어요.

---

❷ 〈as if+가정법 과거〉는 현재 사실과 반대되는 일을 나타낼 때 쓴다.

「as if+주어+동사의 과거형」: 마치 ~인 것처럼

He spends money **as if he were** a millionaire.
그는 마치 백만장자인 것처럼 돈을 쓴다.

= In fact, he is not a millionaire.
　사실, 그는 백만장자가 아니다.

Peter talks **as if he knew** everything.　Peter는 마치 모든 것을 아는 것처럼 말한다.

》「as if+가정법 과거」 문장은 직설법 현재 문장으로 바꿔 쓸 수 있어요.

문법 확인 B 문장 해석하기

▶ **Answer** p.39

1 **I wish it were** just a dream.

→ 그것이 단지 _____ .

2 He speaks to me **as if he were** my boss.

→ 그는 _____ 나에게 말한다.

3 **I wish I could play** the guitar like you.

→ 내가 너처럼 기타를 _____ .

4 Her mom treats her **as if she were** a child.

→ 그녀의 엄마는 _____ 그녀를 대한다.

5 **I wish I didn't have** so much homework.

→ 내가 그렇게 많은 숙제를 _____ .

문법 기본 Ⓐ 빈칸에 들어갈 말에 V 표시하기

1 I wish I _____ a brother or sister. □ have □ had

2 If you _____ more exercise, you will feel better. □ get □ got

3 If you _____ in my position, what would you do? □ are □ were

4 You _____ be fat if you eat all that chocolate. □ will □ would

5 She's spending money as if there _____ no tomorrow. □ is □ were

6 Do you ever wish you _____ fly? □ can □ could

7 They are not my family, but they treat me as if I _____ their son. □ am □ were

문법 기본 Ⓑ 알맞은 말 고르기

1 네가 우리를 돕기 위해 여기에 있다면 좋을 텐데. → I wish you are / were here to help us.

2 내가 우산을 갖고 있다면 좋을 텐데. → I wish I have / had an umbrella.

3 만약 그들이 이 배낭을 파란 색상으로 갖고 있다면, 나는 그것을 살 것이다. → If they have this backpack in blue, I will / would buy it.

4 만약 그가 약속을 지키지 않으면, 나는 실망할 것이다. → I will be disappointed if he doesn't / didn't keep his promise.

5 그는 마치 자신이 전문가인 것처럼 말한다. 사실, 그는 그렇지 않다. → He talks as if he is / were an expert. In fact, he isn't.

6 그녀는 마치 자신이 과거로 되돌아가고 있는 것처럼 느낀다. → She feels as if / to she were stepping back into the past.

7 만약 내가 우주로 여행 갈 수 있다면, 나는 화성에 갈 텐데. → If I can / could travel into space, I would go to Mars.

문법 쓰기 Ⓐ 괄호 안의 말을 이용하여 가정법 문장으로 바꿔 쓰기

> Example   As I am not wrong, I will not apologize to her. (if)
>
> → _____If I were_____ wrong, I _____would apologize_____ to her.

1   As he doesn't have time, he can't take a vacation. (if)

→ _____ time, he _____ a vacation.

2   I'm sorry that I am not confident in myself. (I wish)

→ _____ confident in myself.

3   In fact, she is not floating in the air. (as if)

→ She feels _____ floating in the air.

4   I'm sorry that I don't own one of the boats. (I wish)

→ _____ one of the boats.

문법 쓰기 Ⓑ 가정법 문장에서 틀린 부분 고치기

> Example   If I were you, I won't waste time.   ___won't___ → ___wouldn't___
> 내가 너라면 시간을 낭비하지 않을 텐데.

1   I wish I can speak French.
내가 프랑스어를 할 수 있으면 좋을 텐데.

2   He looks as if he is sick. In fact, he isn't.
그는 마치 아픈 것처럼 보인다. 사실은, 그는 아프지 않다.

3   What would you do if you are bitten by a snake?
만약 네가 뱀에게 물린다면, 너는 무엇을 할 거니?

4   If Ron joined our band, we can perform better.
만약 Ron이 우리 밴드에 합류한다면, 우리는 더 잘 연주할 수 있을 텐데.

5   You will get wet if you walked in this rain.
만약 네가 이 빗속에서 걷는다면, 너는 젖게 될 것이다.

6   They are brothers. But they act as if they don't
know each other.
그들은 형제지간이다. 하지만 그들은 마치 서로를 모르는 것처럼 행동한다.

215

문법 쓰기 C 주어진 단어를 활용하여 가정법 문장 완성하기

> Example 만약 그가 더 열심히 공부한다면, 그는 더 좋은 성적을 받을 수 있을 텐데. (harder, get, better grades)
>
> → *If he studied harder, he could get better grades.*

1 만약 내게 개가 있다면, 그것을 잘 돌봐줄 텐데. (have, a dog)

→ _____, I would take good care of it.

2 내가 너보다 키가 더 크면 좋을 텐데. (wish, taller)

→ _____ than you.

3 만약 내가 작별인사를 하지 않고 떠나면, 그들이 슬퍼할 텐데. (sad)

→ _____ if I left without saying good-bye.

4 Kevin은 마치 그가 한국 사람인 것처럼 한국어를 구사한다. (a Korean)

→ Kevin speaks Korean _____.

5 만약 내가 너라면, 나는 그녀에게 비밀을 말하지 않을 텐데. (tell, a secret)

→

6 나에게 자유 시간이 더 많으면 좋을 텐데. (wish, have, more free time)

→

7 만약 산소가 없다면, 우리는 살아남을 수 없을 텐데. (be, no oxygen, survive)

→

8 그는 마치 나를 아는 것처럼 말한다. (속뜻: 사실, 그는 나를 모른다.) (talk, know)

→

서술형 예제 1

다음 주어진 문장을 If로 시작하는 가정법 문장으로 바꿔 쓰시오. ♣ Point 53

As I am full, I won't eat more pizza.

→ _____

실전 연습 1

다음 주어진 문장을 If로 시작하는 가정법 문장으로 바꿔 쓰시오. ♣ Point 53

As I don't have enough time, I can't finish this essay.

→ _____

Teacher's guide

STEP ❶
주어진 문장은 '나는 배부르기 때문에 피자를 더 먹지 않을 것이다.'라는 뜻으로, 현재 사실을 표현한 직설법 문장입니다. 제시된 현재 사실의 반대 의미, 즉 '만약 내가 배부르지 않으면, 나는 피자를 더 먹을 텐데.'를 가정법 과거 문장으로 표현할 수 있습니다.

STEP ❷
가정법 과거는 「If + 주어 + 동사의 과거형~, 주어 + 조동사 과거형(would/could/might 등) + 동사원형…」의 형태로 써요.

정답 ≫ If I were not full, I would eat more pizza.

서술형 예제 2

다음 밑줄 친 우리말을 〈조건〉에 맞게 영작하시오. ♣ Point 54

I live in a big city.
내가 해변에서 살면 좋을 텐데.

조건 • wish, live, on the beach를 사용할 것
• 총 7단어로 쓸 것

→ _____

실전 연습 2

다음 밑줄 친 우리말을 〈조건〉에 맞게 영작하시오. ♣ Point 54

I can't play the violin.
내가 바이올린을 연주할 수 있으면 좋을 텐데.

조건 • wish, can, play를 사용할 것
• 총 7단어로 쓸 것

→ _____

Teacher's guide

STEP ❶
'나'는 현재 대도시에 살고 있는 상황이므로, 밑줄 친 문장은 현재 상황과 반대되는 소망을 나타내고 있음을 알 수 있어요. 현재 사실과 반대되는 소망은 <I wish + 가정법 과거> 문장으로 표현할 수 있습니다.

STEP ❷
<I wish + 가정법 과거> 문장은 「I wish + 주어 + (조)동사의 과거형」의 형태로 써요.

정답 ≫ I wish I lived on the beach.

217

55 간접의문문

간접의문문은 의문문이 다른 문장의 일부(주로 목적어)로 쓰이는 것을 말한다.

❶ 의문사가 있는 간접의문문

> 의문사가 있는 의문문을 다른 문장의 일부로 쓰면, 「의문사＋주어＋동사～」의 어순이 된다.

Do you know? + **Where is he**? 너는 아니? + 그는 어디에 있니?
　　　　　　　　의문사 동사 주어
→ Do you know **where he is**? 너는 그가 어디에 있는지 아니?
　　　　　　　　 의문사　주어 동사
Can you tell me **what time it is**? 몇 시인지 내게 말해줄 수 있니?
When *do you think* **you can finish** the job?
너는 언제 그 일을 끝낼 수 있다고 생각하니?

》 간접의문문에서 의문사는 접속사 역할을 해요.

》 주절이 do you think[believe, guess, imagine, suppose, say 등]일 경우, 간접의문문의 의문사가 문장 맨 앞에 와서 「의문사＋do you think＋주어＋동사～」의 어순이 됩니다.

❷ 의문사가 없는 간접의문문

> 의문사가 없는 의문문을 다른 문장의 일부로 쓰면, 「whether/if＋주어＋동사 ～」의 어순이 된다. 접속사 whether/if는 '～인지(아닌지)'의 뜻으로 명사절을 이끈다.

I don't know. + **Is he** still alive? 나는 알지 못한다. + 그는 아직도 살아 있는가?
　　　　　　　　 동사 주어
→ I don't know **whether[if] he is** still alive. 나는 그가 아직도 살아 있는지 알지 못한다.
　　　　　　　　 접속사　　　 주어 동사
I wonder **if there are** any solutions.
나는 어떠한 해결책이라도 있는지 궁금하다.

》 whether는 주어절, 보어절, 목적절을 모두 이끌지만, if는 목적절만 이끌 수 있어요.

문법 확인 Ⓐ 문장 해석하기

▶ **Answer** p.40

1　I have no idea **who that girl is.**

　→ 나는 [　　　　　　　　　　] 전혀 모르겠다.

2　I wonder **whether the rumor is true or not.** ★whether/if절 뒤에는 or not을 붙일 수 있어요.

　→ 나는 [　　　　　　　　　　] 궁금하다.

3　Could you tell me **how long I should wait?**

　→ [　　　　　　　　　　] 제게 알려주실래요?

4　I'm not sure **if she will run the marathon.**

　→ 나는 [　　　　　　　　　　] 확실히 모르겠다.

5　**What** do you believe **happens after death?**

　→ 너는 [　　　　　　　　　　] 생각하니?

56 명령문, and[or]

❶ 「명령문, and ～」

> 「명령문, and ～」는 '…해라, 그러면 ～할 것이다'의 뜻으로, **if**를 사용하여 바꿔 쓸 수 있다.

Keep calm, and you will survive. 침착해라, 그러면 너는 살아남을 것이다.
= If you keep calm, you will survive.

Be patient, and you will see great results. 인내해라, 그러면 너는 매우 좋은 결과를 보게 될 것이다.

Don't show off, and you will stay safe. 과시하지 마라, 그러면 너는 안전을 유지할 것이다.

❷ 「명령문, or ～」

> 「명령문, or ～」는 '…해라, 그렇지 않으면 ～할 것이다'의 뜻으로, **if ～ not**이나 **unless**를 사용하여 바꿔 쓸 수 있다.

Be careful, or you will get hurt. 조심해라, 그렇지 않으면 너는 다칠 것이다.
= If you are not careful, you will get hurt.
= Unless you are careful, you will get hurt.

Walk faster, or you will miss the first train. 더 빠르게 걸어라, 그렇지 않으면 너는 첫 열차를 놓칠 것이다.

Don't touch the oven, or you will get burned. 오븐을 만지지 마라, 그렇지 않으면 너는 화상을 입을 것이다.

문법 확인 B 문장 해석하기

▶ Answer p.40

1 **Press the button, and** the door will open.

→ 그 버튼을 눌러,   .

2 **Get some sleep, or** you'll be too tired.

→ 좀 자,   .

3 **Mix yellow and red, and** you'll get orange.

→   너는 주황색을 얻게 될 거야.

4 **Book now, or** you won't get good seats.

→   너는 좋은 좌석을 얻지 못할 거야.

5 **Respect others, and** they will respect you.

→   그들은 너를 존중할 것이다.

▶ Answer p.40

문법 기본 **A** 빈칸에 들어갈 말에 V 표시하기

1 Can you tell me why _____ late?   □ you were   □ were you

2 Let me know _____ it's true.   □ what   □ whether

3 Do you have any idea how long _____ take?   □ it will   □ will it

4 I wonder _____ Brian likes Korean food.   □ if   □ that

5 Practice a lot, _____ you will get better.   □ and   □ or

6 Hurry up, _____ you will miss the chance.   □ and   □ or

7 Do you know what time _____?   □ does the bank open   □ the bank opens

8 _____ is the most important thing in life?   □ Do you think what   □ What do you think

문법 기본 **B** 알맞은 말 고르기

1 나는 그녀에게 남자친구가 있는지 궁금하다. → I wonder whether / that she has a boyfriend.

2 너는 이 근처에 빵집이 있는지 아니? → Do you know if is there / there is a bakery near here?

3 나는 네가 그 돈으로 무엇을 했는지 안다. → I know what did you do / what you did with the money.

4 나는 Steve가 왜 나를 떠났는지 궁금했다. → I was wondering why / what Steve left me.

5 정직해라, 그러면 모두가 너를 신뢰할 것이다. → Be honest, and / or everyone will trust you.

6 여기서 공항까지 얼마나 먼지 알려줄 수 있니? → Can you tell me how far is it / how far it is to the airport?

7 너는 누가 결승전에서 이길 거라고 생각하니? → Who do you believe / Do you believe who will win the finals?

문법 쓰기 Ⓐ 지시에 맞게 문장 바꿔 쓰기

Example	Do you know? + How old is your grandpa? (간접의문문을 이용하여 한 문장으로)
→	*Do you know how old your grandpa is?*

1 Can you tell me? + Why are you so upset? (간접의문문을 이용하여 한 문장으로)

→

2 I'd like to know. + How much does this bicycle cost? (간접의문문을 이용하여 한 문장으로)

→

3 If you eat slowly, you will feel fuller. (명령문을 이용한 문장으로)

→

4 Unless you write it down, you will forget it. (명령문을 이용한 문장으로)

→

문법 쓰기 Ⓑ 틀린 부분 고치기

Example	Do you know who is he? 너는 그가 누구인지 아니?	*is he*	→	*he is*

1 I wonder that Eric can speak Korean.
나는 Eric이 한국어를 말할 수 있는지 궁금하다.   →

2 Do you guess where he parked his car?
너는 그가 어디에 주차했다고 생각하니?   →

3 I want to know why did he tell me a lie.
나는 왜 그가 내게 거짓말을 했는지 알고 싶다.   →

4 Can you tell me where should I get off?
제가 어디에서 내려야 하는지 말해주실래요?   →

5 Hurry up, so you will miss the flight.
서둘러, 그렇지 않으면 너는 비행기를 놓칠 거야.   →

6 Listen to your heart, or you will find joy.
네 마음의 소리를 들어, 그러면 너는 기쁨을 찾을 거야.   →

문법 쓰기 -ⓒ 주어진 단어를 활용하여 문장 완성하기

> Example   우체국이 어디에 있는지 제게 알려주실래요? (could, tell, the post office)
>
>   →   *Could you tell me where the post office is?*

1   나는 당신의 진짜 이름이 무엇인지 알고 싶어요. (what, real name)

    →   I want to know   .

2   웃어라, 그러면 세상이 너와 함께 웃을 것이다. (the world, smile, with)

    →   Smile,   .

3   그가 나를 기억하는지 난 잘 모르겠어. (if, remember)

    →   I'm not sure   .

4   식물에 물을 주어라, 그렇지 않으면 그것들은 말라버릴 것이다. (dry out)

    →   Water the plants,   .

5   너는 그들이 어디에서 만날지 아니? (know, will, meet)

    →

6   자세히 봐라, 그러면 너는 더 많은 것을 볼 것이다. (look closely, see, more)

    →

7   선크림을 발라라, 그렇지 않으면 너는 햇볕에 심하게 탈 것이다. (put on sunscreen, get a sunburn)

    →

8   너는 왜 그가 직장을 그만두었다고 생각하니? (think, quit his job)

    →

서술형 예제 1

다음 주어진 문장을 바꿀 때 빈칸에 알맞은 말을 쓰시오.

♣ Point 55

> Which bus should I take?

→ Can you tell me _____?

Teacher's guide

STEP ❶
주어진 문장은 직접의문문으로 <의문사+조동사+주어+동사원형~>의 어순이에요. 직접의문문이 다른 문장의 일부가 되도록 빈칸 안에 바꿔 써넣어야 하므로, 간접의문문으로 전환하는 문제임을 알 수 있어요.

STEP ❷
간접의문문은 「의문사 + 주어(+ 조동사) + 동사~」의 어순으로 써요. 이에 따라 주어진 문장을 which bus(의문사) + I(주어) + should(조동사) + take(동사)로 바꿔 씁니다.

정답 ≫ which bus I should take

실전 연습 1

다음 주어진 문장을 바꿀 때 빈칸에 알맞은 말을 쓰시오.

♣ Point 55

Why did Jack go home so early?

→ Do you know _____?

서술형 예제 2

다음 우리말과 일치하도록 〈보기〉의 단어 가운데 하나를 제외하고 나머지를 바르게 배열하시오. ♣ Point 56

다른 사람들을 용서해라, 그러면 네가 용서 받을 것이다.

• 보기 •
will, forgive, you, others, be, and, or, forgiven

→ _____

Teacher's guide

STEP ❶
주어진 우리말 문장이 '…해라, 그러면 ~할 것이다'라는 의미인 것으로 보아, 「명령문, and ~」 구문을 활용해야 함을 알 수 있어요.

STEP ❷
접속사 and 앞에는 동사원형으로 시작하는 명령문을, 뒤에는 '~할 것이다'라는 뜻의 미래 시제 문장을 써야 해요. 필요한 단어를 알맞은 위치에 배열하여 문장을 구성하고 나면, 맨 마지막에는 접속사 or가 남으므로 제외시키면 됩니다.

정답 ≫ Forgive others, and you will be forgiven.

실전 연습 2

다음 우리말과 일치하도록 〈보기〉의 단어 가운데 하나를 제외하고 나머지를 바르게 배열하시오. ♣ Point 56

약속을 지켜라, 그렇지 않으면 너는 모든 것을 잃을 것이다.

• 보기 •
you, lose, keep, will, your promise, and, or, everything

→ _____

객관식 (01~10)

[01~02] 다음 빈칸에 들어갈 말로 알맞은 것을 고르시오.

♣ Point 56

01
Hurry up, _____ you can't get there in time.

① so   ② or   ③ and   ④ but   ⑤ then

♣ Point 54

02
I don't want to go to their party, but I have to. I wish _____.

① I went to the party
② I didn't have to go to the party
③ I have to go to the party
④ I had to go to the party
⑤ I don't have to go to the party

♣ Point 53

03 다음 빈칸에 들어갈 말이 순서대로 짝지어진 것은?

· If there _____ a cancellation, we will let you know.
· I _____ some to him if he liked coffee.

① is – give
② is – will give
③ is – would give
④ were – will give
⑤ were – would give

♣ Point 55

04 다음 문장에서 if가 들어갈 위치로 알맞은 곳은?

My mom (①) asked (②) me (③) I (④) did well (⑤) on the exam.

대표 ♣ Point 53

05 다음 주어진 문장을 가정법 문장으로 알맞게 바꾼 것은?

It's raining, so we can't play outside.

① If it's not raining, we can play outside.
② If it were raining, we could play outside.
③ We could play outside if it weren't raining.
④ We can play outside if it weren't raining.
⑤ We couldn't play outside if it weren't raining.

♣ Point 54

06 다음 문장이 나타내는 의미로 가장 알맞은 것은?

Tom talks as if he had a girlfriend.

① In fact, Tom has a girlfriend.
② In fact, Tom had a girlfriend.
③ In fact, Tom doesn't have a girlfriend.
④ In fact, Tom didn't have a girlfriend.
⑤ In fact, Tom will make a girlfriend.

♣ Point 55

07 다음 중 밑줄 친 부분의 의미가 나머지 넷과 다른 것은?

① I am not sure if I can join the team.
② Please check if everything is ready.
③ I wonder if he solved the problem.
④ Please call me if you need anything.
⑤ I don't know if I can finish this project.

♣ Point 56

08 다음 밑줄 친 부분 중 쓰임이 어색한 것은?

① Wear a hat, or you will get sunburned.
② Take a nap, and you'll feel much better.
③ Practice more, or you will win the game.
④ Walk slowly on the ice, or you will slip.
⑤ Do your best, and you will achieve your goal.

09 🔒 Point 55

다음 중 어법상 <u>틀린</u> 것을 <u>두 개</u> 고르면?

① Ask him if it is true.

② Do you know what day is it?

③ I can't remember where I put my keys.

④ I wonder which team will win the game.

⑤ Do you think what caused the accident?

10 🔒 Point 53, 54

다음 ⓐ~ⓔ 중 어법상 옳은 문장의 개수는?

> ⓐ If I were taller, I could dunk a basketball.
> ⓑ If I won the lottery, I will buy a sports car.
> ⓒ I wish it is snowing now.
> ⓓ The young man walks as if he were an old man.
> ⓔ I wish I could jump higher than a kangaroo.

① 1개　② 2개　③ 3개　④ 4개　⑤ 5개

서술형 기본 (11~20)

[11~13] 다음 괄호 안의 말을 빈칸에 알맞은 형태로 쓰시오.

11 🔒 Point 53

If I _____ (know) her phone number, I would call her.

12 🔒 Point 54

The chair is made of plastic. But it looks as if it _____ (be) made of wood.

13 🔒 Point 54

I'm not good at cooking. I wish I _____ (can) cook well.

[14~15] 다음 두 문장의 의미가 같도록 빈칸에 알맞은 말을 쓰시오.

14 🔒 Point 56

If you don't apologize to her, she will never forgive you.

= Apologize to her, _____ she will never forgive you.

15 🔒 Point 56

If you bring this coupon, you will receive a free gift.

= Bring this coupon, _____ you will receive a free gift.

[16~17] 다음 밑줄 친 부분을 바르게 고쳐 쓰시오.

16 🔒 Point 54

I don't get enough allowance. I wish I <u>get</u> more allowance.

→ _____

17 🔒 Point 55

I wonder <u>why does everybody like</u> him.

→ _____

[18~19] 다음 우리말과 일치하도록 빈칸에 알맞은 말을 쓰시오.

18 🔒 Point 55

나는 내가 이것을 할 수 있을지 확실히 모르겠다.

→ I'm not sure _____ _____ _____ do this.

19 🔒 Point 53

만약 네가 내 입장이라면, 너는 무엇을 하겠니?

→ What _____ you do if you _____ in my shoes?

20 🔒 Point 55

다음 우리말과 일치하도록 괄호 안의 말을 바르게 배열할 때 네 번째로 오는 단어를 쓰시오.

> 너는 그것이 무엇이라고 생각하니?
> (is, what, guess, do, it, you)

→ _____

서술형 심화 (21~26)

♣ Point 53

21 다음 주어진 문장을 If로 시작하는 가정법 문장으로 바꿔 쓰시오.

As we don't have enough money, we can't move to a bigger house.

→ _____

_____

♣ Point 54

22 다음 괄호 안의 말을 이용하여 그림 속 인물의 소망을 나타내는 문장을 완성하시오.

→ I _____.

(wish, have a pet dog)

대표 ♣ Point 54

23 다음 두 문장의 의미가 통하도록 빈칸에 알맞은 말을 쓰시오.

(1) I'm sorry that I can't talk to animals.

= I wish _____.

(2) In fact, he's not a doctor.

= He talks as if _____.

♣ Point 55

24 다음 두 문장을 한 문장으로 바꿀 때 빈칸에 알맞은 말을 쓰시오.

(1) Do you know? + Whose book is this?

→ Do you know _____?

(2) I wonder. + Will it rain tomorrow?

→ I wonder _____.

♣ Point 56

25 다음 우리말을 〈조건〉에 맞게 영작하시오.

(1) 지금 떠나라, 그러면 너는 마지막 기차를 탈 수 있을 것이다.

조건
• and 또는 or 중 알맞은 접속사를 사용할 것
• leave, catch, the last train을 사용할 것
• 총 9단어로 쓸 것

→ _____

_____

(2) 지금 먹어라, 그렇지 않으면 너는 나중에 배고플 것이다.

조건
• and 또는 or 중 알맞은 접속사를 사용할 것
• eat, hungry, later를 사용할 것
• 총 8단어로 쓸 것

→ _____

_____

고난도 ♣ Point 55

26 다음 박물관 안내문을 보고, 〈보기〉의 질문을 알맞게 바꾸어 대화를 완성하시오.

Teddy Bear Museum
- Opening Hours:
9 a.m. - 5 p.m.
(Closed on Mondays)
- Ticket: $10

┌ 보기 ┐
• What time does the museum open?
• When is the museum closed?
• How much does a ticket cost?

(1) A: I'd like to know _____.
   B: It opens at 9:00 in the morning.

(2) A: Can you tell me _____?
   B: It's closed on Mondays.

(3) A: Do you know _____?
   B: It's ten dollars.

A−A−A형 (원형, 과거형, 과거분사형이 같은 형)

원형	과거형	과거분사형
put (두다)	put	put
read (읽다)	read	read
hit (치다)	hit	hit
let (허락하다)	let	let
set (놓다, 맞추다)	set	set
hurt (다치다)	hurt	hurt
cut (자르다)	cut	cut
cast (던지다)	cast	cast
quit (그만두다)	quit	quit
shut (닫다)	shut	shut
cost ((비용이) 들다)	cost	cost
spread (펴다)	spread	spread

A−B−B형 (과거형과 과거분사형이 같은 형)

원형	과거형	과거분사형
buy (사다)	bought	bought
sit (앉다)	sat	sat
win (이기다)	won	won
sell (팔다)	sold	sold
tell (말하다)	told	told
teach (가르치다)	taught	taught
think (생각하다)	thought	thought
keep (유지하다)	kept	kept
lend (빌려주다)	lent	lent
send (보내다)	sent	sent
build (짓다)	built	built
feel (느끼다)	felt	felt

spend (소비하다)	spent	spent
flee (달아나다)	fled	fled
bleed (피흘리다)	bled	bled
leave (떠나다)	left	left
make (만들다)	made	made
meet (만나다)	met	met
sleep (자다)	slept	slept
find (발견하다)	found	found
hear (듣다)	heard	heard
hang (걸다, 매달다)	hung	hung
shoot (쏘다)	shot	shot
dig (파다)	dug	dug
hold (잡다)	held	held
lose (지다, 잃다)	lost	lost
fight (싸우다)	fought	fought
have (가지다)	had	had
catch (잡다)	caught	caught
feed (먹이를 주다)	fed	fed
lead (이끌다)	led	led
bring (가져오다)	brought	brought
mean (의미하다)	meant	meant
get (얻다)	got / gotten	got / gotten
say (말하다)	said	said
pay ((값을) 지불하다)	paid	paid
lay (놓다, (알을) 낳다)	laid	laid
seek (구하다)	sought	sought
spill (쏟다)	spilt / spilled	spilt / spilled
light (불을 켜다)	lit / lighted	lit / lighted
stand (서다)	stood	stood
bend (굽히다)	bent	bent

A−B−A형 (원형과 과거분사형이 같은 형)

원형	과거형	과거분사형
come (오다)	came	come
become (~이 되다)	became	become
run (뛰다)	ran	run

A−B−C형 (원형, 과거형, 과거분사형이 다른 형)

원형	과거형	과거분사형
go (가다)	went	gone
see (보다)	saw	seen
take (가지고 가다)	took	taken
give (주다)	gave	given
eat (먹다)	ate	eaten
write (쓰다)	wrote	written
swim (수영하다)	swam	swum
break(부수다)	broke	broken
choose (선택하다)	chose	chosen
forget (잊다)	forgot	forgotten
speak (말하다)	spoke	spoken
show (보여주다)	showed	shown / showed
sing (노래하다)	sang	sung
ring ((벨이) 울리다)	rang	rung
know (알다)	knew	known
fall (떨어지다)	fell	fallen
forgive (용서하다)	forgave	forgiven
ride (타다)	rode	ridden
grow (자라다)	grew	grown
begin (시작하다)	began	begun
drink (마시다)	drank	drunk

drive (운전하다)	drove	driven
throw (던지다)	threw	thrown
draw (그리다)	drew	drawn
blow (불다)	blew	blown
wear (입다)	wore	worn
steal (훔치다)	stole	stolen
freeze (얼다)	froze	frozen
rise (오르다)	rose	risen
lie (눕다)	lay	lain
bear (낳다, 견디다)	bore	born / borne
bite (물다)	bit	bitten
hide (숨다)	hid	hidden
fly (날다)	flew	flown
do (하다)	did	done

혼동되는 동사의 불규칙 변화

원형	과거형	과거분사형
lie (거짓말하다)	lied	lied
lie (눕다)	lay	lain
lay (놓다)	laid	laid
find (발견하다)	found	found
found (설립하다)	founded	founded
die (죽다)	died	died
dye (염색하다)	dyed	dyed
wind ((태엽 등을) 감다)	wound	wound
wound (상처를 입히다)	wounded	wounded
see (보다)	saw	seen
saw (톱질하다)	sawed	sawn / sawed
sow ((씨를) 뿌리다)	sowed	sown / sowed
sew (바느질하다)	sewed	sewn / sewed

MEMO

MEMO

MEMO

미래를 생각하는
(주)이룸이앤비

이룸이앤비는 항상 꿈을 갖고 무한한 가능성에 도전하는 수험생 여러분과 함께 할 것을 약속드립니다.
수험생 여러분의 미래를 생각하는 이룸이앤비는 항상 새롭고 특별합니다.

내신·수능 1등급으로 가는 길
이룸이앤비가 함께합니다.

| 이룸이앤비 | 🔍 |

인터넷 서비스

라이트 수학

- 이룸이앤비의 모든 교재에 대한 자세한 정보
- 각 교재에 필요한 듣기 MP3 파일
- 교재 관련 내용 문의 및 오류에 대한 수정 파일

숨마쿰라우데®

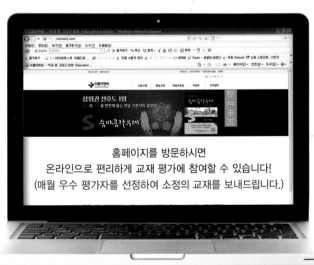

홈페이지를 방문하시면
온라인으로 편리하게 교재 평가에 참여할 수 있습니다!
(매월 우수 평가자를 선정하여 소정의 교재를 보내드립니다.)

STARTUP

굿비 좋은 시작, 좋은 기초

미래로 수능기출총정리
HOW to 수능1등급

숨마 주니어® 중학국어 **어휘력** 시리즈

중학교 국어 실력을 완성시키는 **국어 어휘 기본서** (전 3권)

- 중학국어 **어휘력** ❶
- 중학국어 **어휘력** ❷
- 중학국어 **어휘력** ❸

숨마 주니어® 중학국어 **비문학 독해 연습** 시리즈

모든 공부의 기본! 글 읽기 능력을 향상시키는
국어 비문학 독해 기본서 (전 3권)

- 중학국어 **비문학 독해 연습** ❶
- 중학국어 **비문학 독해 연습** ❷
- 중학국어 **비문학 독해 연습** ❸

숨마 주니어® 중학국어 **문법 연습** 시리즈

중학국어 주요 교과서 종합!
중학생이 꼭 알아야 할 **필수 문법서** (전 2권)

- 중학국어 **문법 연습 1** 기본
- 중학국어 **문법 연습 2** 심화

중/학/영/어

쓰면서 마스터하는 중학 영문법

문법
연습 ②

정답 및 해설

쓰면서 마스터하는 중학 영문법

중/학/영/어

문법
연습 ②

정답 및 해설

CHAPTER 01 문장의 형식

Point 01	1형식과 3형식

Point 02	2형식

문법 확인
pp. 12~13

Ⓐ 1 비친다 　　　　2 방으로 들어갔다
　 3 걸었다 　　　　4 신문을 배달한다
　 5 이 가방을 샀다 　6 죽었다
　 7 닮았다
　 8 한 아름다운 공주가 살았습니다

Ⓑ 1 피곤한 것 같다 　2 부드러운 느낌이 난다
　 3 실현되었다 　　　4 신 맛이 난다
　 5 여배우였다 　　　6 잘생겨 보인다
　 7 창백해졌다 　　　8 장미 향기가 난다

문법 기본
p. 14

Ⓐ 1 2형식 　　2 1형식 　　3 3형식
　 4 1형식 　　5 2형식 　　6 3형식
　 7 1형식 　　8 2형식

Ⓑ 1 lived a big bear 　2 soft
　 3 married 　　　　　4 calm
　 5 the problem 　　　6 angry
　 7 comes the bride 　8 like salt

문법 쓰기
pp. 15~16

Ⓐ 1 melt / in / the / sun
　 2 There / are / three / bedrooms
　 3 sounds / like / thunder.
　 4 I / clean / my / room

Ⓑ 1 answer to → answer
　 2 beautifully → beautiful
　 3 explained about → explained
　 4 darkly → dark
　 5 sadness → sad
　 6 coconut → like coconut

Ⓒ 1 Henry walks to work every day.
　 2 ate macarons for dessert
　 3 tasted overcooked
　 4 sounds dangerous to me
　 5 there lived a farmer in a village.
　 6 He goes to the bank every Friday.
　 7 James looks like a Korean.
　 8 I found some interesting books in the library.

실전 연습
p. 17

1 Here comes the bus.
　해설 come은 왕래를 나타내는 동사로 「There[Here]＋동사＋주어」의 형태로 1형식 문장을 만든다. 주어가 the bus로 3인칭 단수이며 시제가 현재이므로 동사는 comes로 쓴다.

2 (1) This medicine smells like bananas.
　(2) This medicine smells sweet.
　해설 (1) 감각동사 smell 뒤에 명사인 bananas가 오므로, 문장을 「감각동사＋like(~처럼)＋명사(구)」의 형태로 쓴다.
　(2) 감각동사 다음에 형용사 sweet이 오므로 「주어＋감각동사＋형용사」의 형태로 쓴다.

Point 03	4형식

Point 04	5형식 (1)

문법 확인
pp. 18~19

Ⓐ 1 그녀의 졸업앨범 사진을 　2 내 가방을
　 3 참치 샌드위치를 　　　　4 한 가지 부탁을
　 5 긴 문자 메시지를 　　　　6 돈을
　 7 콘서트 표 두 장을

Ⓑ 1 공주라고 　　　　2 홀로
　 3 화나게 　　　　　4 친절하고 너그럽다고
　 5 빨게 　　　　　　6 미치게
　 7 (그들의) 회장으로 　8 따뜻하게

문법 기본
p. 20

Ⓐ 1 3형식 　　2 5형식 　　3 4형식
　 4 5형식 　　5 4형식 　　6 5형식
　 7 3형식 　　8 5형식

Ⓑ 1 me 　　　2 to 　　　3 children math
　 4 safe 　　5 for 　　　6 to
　 7 difficult

문법 쓰기
pp. 21~22

Ⓐ 1 sing me that song 　2 found the play boring
　 3 made coffee for us 　4 leave the door open

Ⓑ 1 to me → me 　　　　2 for → to
　 3 happily → happy 　　4 to → for
　 5 busily → busy
　 6 a postcard me → me a postcard 또는 a postcard to me

Ⓒ 1 brought us some tea 또는 brought some tea to us
　 2 give that bandage to me

3 They left the house empty

4 lend me your dictionary 또는 lend your dictionary to me

5 Everyone considered him a genius.

6 I asked a favor of him.

7 My dad bought me new sneakers 또는 My dad bought new sneakers for me.

8 Jane keeps her desk tidy.

실전 연습　　　　　　　　　　　　　　　p. 23

1　(1) Tom bought his kid ice-cream cone.
　　(2) Tom bought ice-cream cone for his kid.

　해설 (1) 4형식 문장은 「주어+수여동사+간접목적어+직접목적어」의 형태로 쓴다.
　　(2) Tom이 그의 아이에게 아이스크림을 사 준 그림이므로 Tom이 주어, his kid가 간접목적어, ice-cream cone이 직접목적어에요.

2　The song made us cheerful.

　해설 5형식 문장은 「주어+동사+목적어+목적격 보어」의 형태이다. '우리를'은 목적어 자리에 오므로 목적격 us로 쓴다. '유쾌한'은 목적격 보어로 쓰인 형용사이므로, '유쾌하게'를 뜻하는 부사 cheerfully를 '유쾌한'을 뜻하는 형용사 cheerful로 바꾸어 쓴다.

　어휘 cheerful 유쾌한

Point 05	5형식 (2)
Point 06	5형식 (3)

문법 확인　　　　　　　　　　　　　　pp. 24~25

Ⓐ　**1** 줄을 서라고　　　**2** 발사하라고
　3 다하기를　　　　**4** 배워보라고
　5 사용하도록　　　**6** 운전하지 말라고
　7 바꾸도록

Ⓑ　**1** 보이도록　　　　**2** 노래하는
　3 쓰도록　　　　　**4** 기어오르는 것을
　5 가도록　　　　　**6** 타는
　7 올라오는

문법 기본　　　　　　　　　　　　　　p. 26

Ⓐ　**1** join　　　　　　**2** to visit
　3 shout, shouting　**4** wash, to wash
　5 wear　　　　　　**6** to tease
　7 work　　　　　　**8** play, playing

Ⓑ　**1** to swim　　　　**2** get
　3 have　　　　　　**4** eat
　5 not to　　　　　**6** singing

7 to bring

문법 쓰기　　　　　　　　　　　　　pp. 27~28

Ⓐ　**1** persuaded me to apply
　2 me to believe you
　3 felt someone touch her hair
　4 made me apologize to

Ⓑ　**1** to shake → shake
　2 understand → to understand
　3 carrying → (to) carry
　4 crossed → cross[crossing]
　5 went → go
　6 not overeat → not to overeat

Ⓒ　**1** made me attend
　2 ask her to copy this letter
　3 He heard the doorbell ring[ringing]
　4 let me feed
　5 He encouraged me to try something new.
　6 Can you help me set the table?
　7 I noticed someone look[looking] at me.
　8 The trainer advised me not to eat greasy food.

실전 연습　　　　　　　　　　　　　　p. 29

1　his dad to order some pizza

　해설 주어진 대화문은 'Fred가 아빠에게 피자를 주문해달라고 요청하는' 상황이다. 대화의 상황을 동사 ask를 이용해 '~에게 …해달라고 요청하다'라는 뜻의 5형식 문장으로 표현한다. 동사 ask는 목적격 보어로 to부정사를 쓴다.

2　I didn't hear her come[coming] in.

　해설 '그녀가 들어오는 소리를 듣지 못했다'라는 뜻의 5형식 문장이 되어야 한다. hear는 지각동사로, 지각동사가 쓰인 5형식 문장은 「주어+지각동사+목적어+목적격 보어(동사원형[현재분사])」의 형태로 쓴다.

CHAPTER 01　**내신 대비 실전 TEST**　pp. 30~32

01 ②, ⑤　**02** ②, ④　**03** ①, ④　**04** ②　　**05** ④
06 ③　　**07** ③　　**08** ③　　**09** ③　　**10** ②
11 terribly → terrible
12 resembles with → resembles
13 honestly → honest
14 for　**15** to　**16** smells like
17 heard her sing[singing]
18 comes the king
19 not to tease
20 (1) Can you find my phone for me?
　　(2) They sold me their house

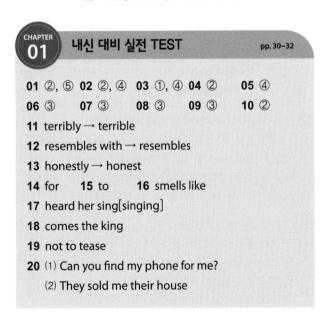

21 He told us not to feed the birds.
22 ⑤, feels so lucky
23 There are three apples in the basket.
24 (1) give, a flower
    (2) bake a cake for
    (3) write a card to
25 (1) Brian[him] to eat his broccoli
    (2) him have ice cream

01 Angela는 _____ 보인다.
　　① 슬프게 ② 외로워 ③ 긴장하게 ④ 행복 ⑤ 인형처럼
　　[해설] 감각동사 look의 주격 보어 자리에는 형용사가 온다. lonely는 형용사이므로 빈칸에 알맞다. sadly와 nervously는 부사이므로 빈칸에 들어갈 수 없다. 감각동사 뒤에는 「like(~처럼)+명사(구)」가 올 수도 있다. 명사 happiness는 앞에 전치사 like가 필요하므로 빈칸에 들어갈 수 없다.
　　[어휘] happiness 행복

02 나의 할머니는 내가 그 편지를 읽도록[읽는 것을] _____.
　　① 시키셨다
　　② 허락하셨다
　　③ 원하셨다
　　④ 들으셨다
　　⑤ 허락하셨다.
　　[해설] 주어진 문장의 목적격 보어 자리에는 동사원형(read)이 왔다. 지각동사 hear와 사역동사 let은 목적격 보어로 동사원형을 취하므로 빈칸에 알맞다. 동사 get, want, allow는 목적격 보어로 to부정사를 쓰므로 빈칸에 들어갈 수 없다.

03 나는 그 소년이 _____ 보았다.
　　① 합창단에서 노래하는 것을
　　② 쪽지를 쓰는 것을
　　③ 수업 중에 이야기하는 것을
　　④ 그의 개를 씻기는 것을
　　⑤ 그의 전화를 사용하는 것을
　　[해설] 지각동사 see는 목적격 보어로 동사원형 또는 현재분사(동사원형+-ing)를 취한다.

04 • 나의 아내는 외국인들에게 한국어를 가르친다.
　　• 그는 그의 아이들을 위해 나무로 된 장난감을 만들어주었다.
　　[해설] 동사 teach는 3형식으로 쓸 때 전치사 to를 사용하고, 동사 make는 3형식으로 쓸 때 전치사 for를 사용한다.
　　[어휘] foreigner 외국인 wooden 나무로 된

05 〈보기〉 나는 밤새 깨어있었다.
　　① 어젯밤에는 눈이 많이 왔다.
　　② 그는 유명한 여배우와 결혼했다.
　　③ 우리 집 근처에는 공원이 있다.
　　④ 그의 얼굴은 분노로 빨갛게 졌다.
　　⑤ 그 소녀는 나를 향해 아름답게 미소 지었다.
　　[해설] 〈보기〉와 ④는 2형식 문장으로 「주어+동사+주격 보어」의 형태이다. ①, ③, ⑤는 1형식 문장이고, ②는 3형식 문장이다.
　　[어휘] awake 깨어있는 actress 여배우 anger 분노 beautifully 아름답게

06 〈보기〉 나는 그 영화가 매우 무섭다고 느꼈다.
　　① Kevin은 내게 재미있는 이야기를 들려주었다.
　　② 나의 친구는 내게 그의 카메라를 빌려주었다.
　　③ 우리는 그를 우리의 지도자로 여겼다.
　　④ 그들은 우리에게 수영장을 지어주었다.
　　⑤ 그녀는 내게 그녀의 성적표를 보여주었다.
　　[해설] 〈보기〉와 ③은 5형식 문장으로 「주어+동사+목적어+목적격 보어」의 형태이다. 나머지는 4형식 문장으로 「주어+동사+간접목적어+직접목적어」의 형태이다.
　　[어휘] lend 빌려주다 consider 여기다 report card 성적표

07 ① 의사는 그녀에게 약을 주었다.
　　② 그녀는 내게 몇 가지 질문을 하였다.
　　③ 그는 우리에게 외국 우표를 보냈다.
　　④ 돈은 우리에게 행복을 가져다주지 못한다.
　　⑤ 아빠는 내게 멋진 시계를 사주셨다.
　　[해설] 동사 send는 3형식으로 쓸 때 전치사 to를 사용한다.

08 Jack은 그의 개가 사람을 물지 않도록 훈련했다.
　　[해설] to부정사의 부정은 「not+to부정사」로 쓴다.
　　[어휘] train 훈련하다 bite 물다

09 ① 나는 너에게 전적으로 동의해.
　　② 너는 그것을 내게 설명해줄 수 있니?
　　③ Jennifer는 내 전화를 받지 않았다.
　　④ 높은 탑에 마법사가 살았다.
　　⑤ 나의 언니는 작년에 대학에 들어갔다.
　　[해설] answer는 목적어를 취하는 3형식 동사이므로 전치사를 필요로 하지 않는다. (answer to my calls → answer my calls)
　　[어휘] totally 완전히, 전적으로 agree 동의하다 explain 설명하다 wizard 마법사 tower 탑

10 ⓐ 나를 기다리게 하지 마라.
　　ⓑ 내가 그가 너에게 다시 전화 걸도록 시킬게.
　　ⓒ 코치는 내게 그의 팀에 들어오라고 권했다.
　　ⓓ Stewart씨는 그 웨이터에게 10달러의 팁을 주었다.
　　ⓔ 나의 부모님은 내가 결정을 내리는 것을 도와주셨다.
　　[해설] ⓑ 사역동사 have는 목적격 보어로 동사원형을 취한다. (to call → call) ⓒ 동사 encourage는 목적격 보어로 to부정사를 취한다. (join → to join) ⓓ the waiter와 a ten-dollar tip의 순서를 서로 바꿔서 4형식 문장으로 고치거나, the waiter 앞에 to를 써서 3형식 문장으로 만든다.
　　[어휘] tip 팁 make a decision 결정을 내리다

11 그 스컹크들의 냄새가 지독하다.

해설 감각동사 smell의 주격 보어 자리에는 형용사가 온다. 따라서 부사 terribly를 형용사 terrible로 고쳐야 한다.

어휘 skunk 스컹크

12 그녀는 모든 면에서 그녀의 어머니를 닮았다.

해설 resemble는 목적어를 취하는 3형식 동사이므로 전치사를 필요로 하지 않는다. (resembles with her mother → resembles her mother)

어휘 in every aspect 모든 면에서

13 마을사람들은 그 소년을 정직하게 여겼다.

해설 목적격 보어 자리에는 형용사가 온다. 따라서 부사 honestly를 형용사 honest로 고쳐야 한다.

어휘 villager 마을 사람 honest 정직한

14 어머니 드릴 선물은 마련했니?

해설 동사 get은 3형식으로 쓸 때 전치사 for를 사용한다.

어휘 get 구하다, 마련하다 present 선물

15 그는 내게 그의 새 카메라를 빌려주었다.

해설 동사 lend는 3형식으로 쓸 때 전치사 to를 사용한다.

16 **해설** 감각동사 뒤에 명사(구)가 올 때, 문장을 「감각동사+like(~처럼)+명사(구)」의 형태로 쓴다.

17 **해설** 지각동사는 목적격 보어로 동사원형이나 현재분사(동사원형+-ing)를 쓴다. 지각동사의 어순은 「지각동사+목적어+목적격 보어(동사원형/현재분사)」의 어순으로 쓴다.

어휘 garden 정원

18 **해설** 왕래를 나타내는 동사 come은 「There[Here]+동사+주어」의 1형식 문장을 만든다.

19 아빠: 네 여동생을 놀리지 마라.
Mike: 네, 알겠어요.
→ 아빠는 Mike에게 여동생을 놀리지 말라고 경고하셨다.

해설 warn는 목적격 보어로 to부정사를 취한다. 「warn+목적어+to부정사」의 어순으로 쓴다.

어휘 tease 놀리다, 괴롭히다

20 (1) 내 전화기를 내게 찾아줄래?
(2) 그들은 내게 그들의 집을 팔았다.

해설 (1) 수여동사 find가 사용된 4형식 문장을 3형식으로 전환할 때는 「수여동사+직접목적어+for+간접목적어」의 어순으로 쓴다.
(2) 4형식 문장은 「주어+동사+간접목적어+직접목적어」의 어순으로 쓴다.

21 **해설** 동사 tell은 목적격 보어로 to부정사를 취하고, to부정사의 부정은 not을 to 앞에 쓰므로, 「tell+목적어+not+to부정사」의 어순으로 쓴다.

어휘 feed 먹이를 주다

22 어느 날, Spot은 한 귀여운 소녀가 엄마와 함께 반려동물가게로 들어오는 것을 본다. 그 소녀는 그를 가리키더니 그를 그녀의 집으로 데리고 간다. 그는 이제 새 주인이 생겼다. 그는 매우 행운이라고 느낀다.

해설 감각동사 feel의 주격 보어 자리에는 형용사가 온다. 따라서 ⑤의 부사 luckily를 형용사 lucky로 고쳐야 한다.

어휘 point at ~을 가리키다

23 바구니에 사과가 세 개 있다.

해설 「There are+복수명사」를 사용하여 '~들이 있다'는 의미의 문장을 쓴다. apple은 -s를 붙여서 복수형을 만든다. '바구니 안에'는 in the basket으로 쓴다.

24 (1) Dave는 Cindy에게 꽃 한 송이를 줄 것이다.
(2) Sally는 Cindy에게 케이크를 구워줄 것이다.
(3) Tom은 Cindy에게 카드를 써 줄 것이다.

해설 (1)은 수여동사 give를 사용한 4형식 문장이다. (2)는 각각 동사 bake를 사용한 3형식 문장으로 전치사 for가 필요하다. (3)은 동사 write를 사용한 3형식 문장으로 전치사 to가 필요하다.

어휘 bake 굽다

25 할머니: 네 브로콜리를 먹으렴, Brian.
Brian: 네, 알겠어요.
할머니: 브로콜리를 먹으면 너는 디저트로 아이스크림을 먹을 수 있어.
Brian: 와, 먹었어요. 아이스크림 먹어도 돼요?
할머니: 물론이지. 여기 너의 아이스크림이 있다.
→ Brian의 할머니는 Brian이[그가] 그의 브로콜리를 먹도록 시켰다. 그리고 그녀는 그가 브로콜리를 다 먹으면 아이스크림을 먹도록 허락했다.

해설 할머니는 Brian이 브로콜리를 먹도록 시키고, 그가 아이스크림을 먹는 것을 허락한 상황이다. 이를 「get+목적어+to부정사」, 「let+목적어+동사원형」으로 표현한다.

어휘 broccoli 브로콜리

CHAPTER **02** 시제

Point 07	단순 시제

Point 08	진행형

문법 확인 pp. 34~35

(A)
1 뜬다	**2** 발명했다
3 먹는다	**4** 내릴 것이다
5 한다	**6** 갈 것이다
7 할게	

(B)
1 닦고 있다	**2** 운전하고 계셨다
3 머물고 있다	**4** 누워있었다
5 떨어지고 있다	**6** 걸어가고 있었다
7 많이 먹고 있다	**8** 결혼할 것이다

문법 기본 p. 36

(A)
1 will get	**2** caught
3 every summer	**4** were having
5 tastes	**6** is reading
7 was doing	

(B)
1 came	**2** goes
3 always looks	**4** is snoring
5 knows	**6** Do you believe
7 am leaving	**8** were

문법 쓰기 pp. 37~38

(A)
1 skips, skipped
2 visits, will[is going to] visit
3 sings, is singing
4 are dancing, were dancing

(B)
1 is → be	**2** walked → walking
3 orders → ordered	**4** are having → have
5 is → was	**6** were → are

(C)
1 painted
2 is always late
3 is snowing
4 will[is going to] arrive
5 We usually walk to school.
6 She went shopping last Saturday.
7 Two cats were sitting on the bench.
8 Everything will[is going to] be all right.

실전 연습 p. 39

1 (1) Emma took a swimming lesson.

(2) Emma will[is going to] take a swimming lesson.

해설 (1) 과거시제 문장은 동사를 과거형으로 써서 나타낸다. take의 과거형은 took이다.
(2) '~할 것이다'를 뜻하는 미래시제 문장은 「will+동사원형」또는 「be going to+동사원형」으로 쓴다.
어휘 take a lesson 강습을 받다

2 We were playing badminton.
해설 과거진행형은 「was[were]+v-ing」의 형태이며, 주어가 we이므로 be동사는 were를 쓴다.
어휘 badminton 배드민턴

Point 09	현재완료의 쓰임과 형태

Point 10	현재완료의 의미

문법 확인 pp. 40~41

(A)
1 추워왔다	**2** 깨진
3 기다려왔다	**4** 근무해왔다
5 보지 못했다	**6** 먹어본 적이 없다
7 가본 적이 있니	

(B)
1 도착하지 않았다	**2** 조종해본 적이 있니
3 봤다	**4** 지내왔다
5 먹지 못했다	**6** 가본 적이 있다
7 부러져 있는 상태이다	

문법 기본 p. 42

(A)
1 lost	**2** written	**3** broken
4 taken	**5** spent	**6** ridden
7 made	**8** read	**9** lived
10 told	**11** taught	**12** caught
13 left	**14** grown	**15** gone
16 eaten	**17** found	**18** built
19 come	**20** had	**21** given
22 held	**23** kept	**24** known
25 seen	**26** done	**27** brought
28 forgotten	**29** been	**30** bought

(B)
1 scratched	**2** has been
3 has never seen	**4** for
5 been	**6** since
7 did the game finish	

문법 쓰기 pp. 43~44

(A)
1 has done ballet
2 has, gone out
3 have been friends
4 have not talked to each other

Ⓑ **1** has rained → rained
  2 was → has been
  3 saw → seen
  4 have you bought → did you buy
  5 has been → was
  6 gone → been

Ⓒ **1** has been interested
  2 hasn't[has not] opened yet
  3 have forgotten
  4 He has played the violin for over ten years.
  5 Have you ever run a marathon before?
  6 I have already woken up.
  7 She has never cheated on a test.
  8 We have lived in this house since 2013.

실전 연습   p. 45

1 How long have you used
  해설 대답으로 보아 '너는 너의 전화기를 얼마나 오랫동안 사용해왔니?'라는 뜻의 질문으로 완성해야 한다. 의문사가 있는 현재완료의 의문문은 「의문사+have[has]+주어+과거분사(p.p.)~?」로 쓴다.

2 He has gone to the bank.
  해설 have[has] gone to는 '~에 가고 없다'의 뜻으로 현재완료의 결과를 나타낸다.

CHAPTER 02 **내신 대비 실전 TEST**   pp. 46~48

01 ③   **02** ④   **03** ②, ④ **04** ④   **05** ②
06 ②   **07** ③   **08** ②   **09** ③, ⑤ **10** ②
11 is raining   **12** goes   **13** was
14 (1) went (2) caught
15 will be
16 Have you ever gone
17 have not[haven't] eaten
18 has studied, since
19 already
20 (1) He has not[hasn't] seen pandas before.
  (2) Has he seen pandas before?
21 We were playing soccer.
22 (1) have just finished cleaning the house
  (2) haven't washed the dishes yet
23 She left her cellphone
24 (1) will[is going to] watch
  (2) will[is going to] read
  (3) won't[is not going to] play
25 (1) has lived in Seoul for thirty years
  (2) started teaching math five years ago

---

01 사고가 났을 때, 그는 매우 빠른 속도로 운전하고 있었다.
  해설 과거 시점을 나타내는 부사절 when the accident happened로 보아 빈칸에는 '~하고 있는 중이었다'를 뜻하는 과거진행형이 알맞다. 과거진행형은 「was[were]+v-ing」의 형태로 쓴다.
  어휘 accident 사고 happen 일어나다, 발생하다

02 누군가 쿠키를 다 먹어버렸어!
  해설 빈칸 앞에 has로 보아 현재완료 시제임을 알 수 있다. 현재완료는 「have[has]+과거분사(p.p.)」의 형태이므로 빈칸에는 과거분사 eaten이 알맞다.

03 나의 가족은 ②이번 주에 그 리조트에서 머물고 있다. 나의 가족은 그 리조트에서 ④네 번 머무른 적이 있다.
  해설 last year(작년에), yesterday(어제), a few years ago(몇 년 전에)는 모두 과거의 특정 시점을 나타내는 말로 현재완료 시제와 함께 쓰일 수 없다. this week는 계속적 용법의 현재완료와 어울리는 부사구이며, four times는 경험적 용법의 현재완료와 어울리는 부사구이다.
  어휘 resort 휴양지, 리조트

04 • 내일은 비가 많이 내릴 것이다.
  • 그는 매일 아침 축구 연습을 한다.
  해설 tomorrow는 미래 시점을 나타내는 부사구이므로 미래 시제를 사용한다. 미래시제는 「will+동사원형」의 형태로 쓴다. 두 번째 문장은 반복적인 습관을 타나내므로 현재 시제로 나타낸다.
  어휘 practice 연습하다

05 A: 그녀는 어디서 공부하고 있니?
  B: 그녀는 그녀의 방에서 공부하고 있어.
  ① 그녀는 무엇을 하니?(직업)
  ③ 그녀는 무엇을 공부하니?
  ④ 그녀는 언제 공부하니?
  ⑤ 너는 무엇을 하고 있니?
  해설 현재진행형으로 답하고 있으므로, 빈칸의 질문도 현재진행형이어야 한다. B가 그녀는 그녀의 방에서 공부하고 있다고 하였으므로, '그녀가 무엇을 하고 있는지' 또는 '그녀가 어디에서 공부하고 있는지'를 묻는 질문이 알맞다.

06 A: 너는 베트남에 가본 적이 있니?
  B: 응, 난 거기에 여러 번 가봤어.
  해설 '베트남에 가본 적 있니?'라는 표현은 경험을 물어보는 것이므로 이에 대한 대답으로 현재완료의 경험 용법인 have been이 빈칸에 알맞다.
  어휘 Vietnam 베트남

07 해설 '~로 가버리고 없다'는 현재완료의 결과를 나타내며 「have[has] gone to」로 쓴다.
  어휘 library 도서관

08 〈보기〉 나는 이미 엽서를 보냈다.
  ① 나는 그 여배우를 전에 본 적이 있다.
  ② 그녀는 방금 그에게 전화를 받았다.

③ 통증을 느낀 지 얼마나 됐죠?
④ 그 여자는 기억을 잃어버렸다.
⑤ 그녀는 화요일부터 이 수업을 들었다.
해설 〈보기〉와 ②는 현재완료의 완료 용법으로 쓰였다. ① 경험, ④ 결과, ③,⑤ 계속의 용법으로 쓰였다.
어휘 actress 여배우 pain 고통, 통증 memory 기억 attend 참석하다, ~에 다니다

09 ① 한국에는 사계절이 있다.
② 콜럼버스는 미국을 1492년에 발견했다.
③ 그 소년은 장난감 자동차를 많이 가지고 있다.
④ 내일 아침은 안개 낄 것이다.
⑤ 그녀는 지난 주말에 파티를 열었다.
해설 ③ 소유를 나타내는 동사 have는 진행형으로 쓸 수 없다. (is having → has) ⑤ 특정 과거 시점을 나타내는 부사구 last weekend로 보아 과거 시제로 써야 한다. (She's going to hold → She held)
어휘 season 계절 foggy 안개 낀 hold a party 파티를 열다

10 ⓐ 나는 작년 여름에 스페인을 방문했었다.
ⓑ 그는 전에 체스를 둬본 적이 없다.
ⓒ 너는 롤러코스터를 타 본 적이 있니?
ⓓ 나의 삼촌은 그의 첫사랑을 잊지 못했다.
ⓔ 그들은 언제 새 집으로 이사 갔나요?
해설 ⓐ 현재완료 시제는 명백한 과거 시점을 나타내는 부사(구)와 함께 쓰이지 않는다. (have visited → visited) ⓒ 현재완료의 의문문은 「Have[has]+주어+과거분사~?」로 쓴다. (rode → ridden) ⓔ 의문사 when은 현재완료 시제와 함께 쓰지 않는다. (have they moved → did they move)
어휘 Spain 스페인 play chess 체스를 두다 ride 타다(rode-ridden) roller coaster 롤러코스터

11 우리 축구하지 말자. 지금 비가 내리고 있어.
해설 '지금 하고 있는 중'임을 나타내므로 현재진행형을 사용한다.

12 나의 형은 보통 11시에 잔다.
해설 습관을 나타낼 때는 현재형을 사용한다.

13 A: 지난 여름 하와이 여행은 어땠어?
B: 너무 좋았어. 절대 잊지 못할 거야.
해설 과거의 특정 시점을 나타내는 부사구 last summer로 보아, 과거 시제로 묻고 답하는 대화문이 되어야 한다. 따라서 빈칸에는 be동사의 과거형인 was가 알맞다.
어휘 trip 여행 Hawaii 하와이 forget 잊다

14 Sam은 어제 낚시하러 갔다. 그는 물고기를 많이 잡았다.
해설 과거의 특정 시점을 나타내는 부사 yesterday로 보아, 과거 시제로 문장이 되어야 하므로 동사를 과거형으로 쓴다. go의 과거형은 went이고, catch의 과거형은 caught이다.
어휘 go fishing 낚시하러 가다 a lot of 많은

15 Bill은 올해 11살이다. 그녀는 내년에 12살이 될 것이다.
해설 미래를 나타내는 부사구 next year로 보아, 미래 시제 문장이 되어야 한다. 미래시제는 「will+동사원형」으로 쓴다.

16 A: 너는 스쿠버다이빙을 하러 가본적이 있니?
B: 아니. 하지만 언젠가 해보고 싶어.
해설 현재완료의 의문문은 「Have[Has]+주어+과거분사 (p.p.)~?」의 형태로 쓴다.
어휘 go scuba diving 스쿠버다이빙을 하러 가다 try 시도하다 someday 언젠가

17 A: 너는 지금 배고프니?
B: 응, 나는 배고파 죽겠어. 나는 오늘 아무 것도 못 먹었어.
해설 현재완료의 부정문은 「have[has]+not+과거분사 (p.p.)」의 형태로 쓴다.
어휘 starve 굶주리다

18 Karen은 지난 여름부터 스페인어를 공부하기 시작했다. 그녀는 여전히 스페인어를 공부한다.
→ Karen은 지난 여름부터 스페인어를 공부해왔다.
해설 과거에 시작해 현재까지 계속되고 있으므로 현재완료의 계속 용법에 해당된다. 현재완료는 「have[has]+과거분사(p.p.)」의 형태로 쓴다. since는 뒤에는 과거의 특정 시점이 오고 '~이후로'를 의미한다.
어휘 Spanish 스페인어

19 해설 '이미 ~하다'는 뜻의 문장은 현재완료의 경험 용법에 해당한다. 현재완료는 「have+과거분사(p.p.)」의 형태이며, already는 have와 과거분사 사이에 쓴다. 따라서 우리말에 맞는 문장은 I have already finished my homework.이며 세 번째 오는 단어는 already이다.

20 그는 전에 판다를 본 적이 있다.
해설 (1) 현재완료의 부정문은 「have[has]+not+과거분사 (p.p.)」의 형태로 쓴다.
(2) 현재완료의 의문문은 「have[Has]+주어+과거분사 (p.p.) ~?」의 형태로 쓴다.
어휘 panda 판다

21 A: 너와 네 남동생은 무엇을 하고 있었니?
B: 우리는 축구를 하고 있었어.
해설 과거진행형으로 질문하고 있으므로 과거진행형으로 답한다. 주어가 we로 복수이므로 과거진행형은 「were+ v-ing」의 형태로 쓴다.

22 엄마: 지호야, 집 청소를 다 끝냈니?
지호: 네, 엄마. 저는 방금 집 청소를 끝냈어요. 하지만 아직 설거지는 못했어요.
엄마: 괜찮아. 지금 하면 돼.
해설 (1) 지호가 한 일을 현재완료의 완료 용법으로 나타낸다. 현재완료의 형태는 「have+과거분사(p.p.)」이며 just는 have와 과거분사 사이에 쓴다.
(2) 지호가 아직 하지 못한 일을 현재완료의 완료 용법으

로 나타낸다. 현재완료의 부정문의 형태는 「haven't
+과거분사(p.p.)」이며 yet은 문장 끝에 쓴다.

23 A: Amy에게 연락이 안 돼. 그녀에게 무슨 일이 있었니?
B: <u>그녀는 버스에 휴대전화를 놓고 내렸어. 그래서 지금 그녀는
휴대전화가 없어.</u>

해설 A가 Amy에게 무슨 일이 있었는지 물어 보았고 Amy가
휴대전화를 버스에 놓고 내렸다는 과거 상황을 나타내므
로 동사 leave의 과거형 left로 나타낸다.

24 <u>토요일에 민호는 영화를 보러 갈 것이다. 또한 그는 책을 읽을
것이다. 그러나 그는 온라인 게임은 하지 않을 것이다.</u>

해설 (1), (2)는 '~할 것이다'를 뜻하는 미래시제 문장으로 완성
해야 한다. 「will+동사원형」 또는 「be going to+동사
원형」을 이용한다. (3)은 '~하지 않을 것이다'를 뜻하는
미래시제 문장으로 완성해야 한다. 「won't+동사원형」
또는 「be not going to+동사원형」을 이용한다.

25

30년 전	서울에서 태어남
2년 전	수학을 가르치기 시작함
현재	아직도 서울에서 살고 있음.

A: 박 선생님은 서울에서 얼마나 오랫동안 살았나요?
B: 그녀는 (1) <u>30년째 서울에서 살고 있어요.</u>
A: 그녀는 언제 수학을 가르치기 시작했나요?
B: 그녀는 (2) <u>5년 전에 수학을 가르치기 시작했어요.</u>

해설 (1) 과거에 시작해서 현재까지 계속되고 있으므로 현재완
료의 계속적 용법으로 쓴다. 현재완료는 「have[has]
+과거분사(p.p.)」의 형태이다. 〈for+기간〉으로 기간
을 나타낸다.
(2) 박 선생님이 수학을 가르치기 시작한 과거의 특정 시
점을 묻는 질문이므로 대답은 과거시제로 해야 한다.

CHAPTER 03 조동사

Point 11	can과 may

Point 12	used to와 would

문법 확인 pp. 50~51

Ⓐ 1 달릴 수 있다   2 안 됩니다
3 받아도 될까요   4 봐도 될까요
5 풀 수 없었다   6 눈이 올지도 모른다
7 말씀해주시겠어요   8 아닐지도 모른다

Ⓑ 1 일했었다   2 산책하러 가곤했었다
3 데려가곤 했었다   4 먹곤 했었다.
5 말썽꾸러기였었다   6 놀리곤 했었다
7 있었다   8 하곤 했었다

문법 기본 p. 52

Ⓐ 1 요청   2 능력
3 허가   4 추측
5 허가   6 과거의 습관
7 과거의 습관   8 과거의 상태

Ⓑ 1 can   2 used to
3 can't   4 would/used to
5 Can/May   6 may/might
7 used to

문법 쓰기 pp. 53~54

Ⓐ 1 can't   2 Can[May]
3 couldn't   4 used to
5 may[might]

Ⓑ 1 be not → not be   2 playing → play
3 would → used to   4 can't → couldn't
5 is used to → used to   6 are → be

Ⓒ 1 Can[Could] you turn up
2 used to[would] cry
3 couldn't find
4 may[might] win
5 Can[May] I get a refund on this coat?
6 We used to[would] go to the beach every summer.
7 The painting may[might] be a fake.
8 You can[may] bring your pet to the mall.

실전 연습 p. 55

1 can, speak, can't, can speak
해설 능력에 관한 대화이므로 조동사 can을 이용해서 쓴다.

can은 '~할 수 있다'라는 뜻의 조동사로 뒤에 동사원형을 쓴다. can의 의문문은 「Can+주어+동사원형...?」의 형태로 쓴다. Can you ...?로 물었을 때 부정의 대답은 No, I can't.이다.

Spanish 스페인어 Japanese 일본어

2 There used to be a convenience store near my school.

어휘 현재에는 더 이상 지속되지 않는 과거의 상태를 나타내므로 「used to+동사원형」을 이용하여 쓴다.

어휘 convenience store 편의점

Point 13 must와 have to

Point 14 should와 had better

문법 확인   pp. 56~57

Ⓐ 1 분명하다   2 부정행위를 하면 안 된다
  3 건너야 한다   4 극복해야 한다
  5 입고 갈 필요가 없다 6 답을 해야 하나요
  7 일해야만 했다

Ⓑ 1 운동해야 한다   2 붙이는 것이 좋겠다
  3 먹으면 안 된다   4 거르지 않는 것이 좋겠다
  5 이기적이면 안 된다 6 외출하지 않는 것이 좋겠다
  7 정리해야 한다   8 가는 것이 좋겠다

문법 기본   p. 58

Ⓐ 1 의무   2 추측
  3 불필요   4 금지
  5 추측   6 의무
  7 충고   8 충고

Ⓑ 1 must not   2 cannot
  3 must not   4 don't have to
  5 better   6 better not
  7 should

문법 쓰기   pp. 59~60

Ⓐ 1 You must not take the medicine.
  2 Ben had to work late.
  3 You should not travel by yourself.
  4 He doesn't have to do the laundry.
  5 Do we have to leave early?
  6 We will have to find another way.

Ⓑ 1 not must → must not
  2 listening → listen
  3 have to → has to
  4 don't have to → didn't have to
  5 should not to make → should not make
  6 had better not to read → had better not read

Ⓒ 1 must not tell
  2 must be in love
  3 cannot[can't] be twins
  4 doesn't have to work
  5 We'd[= We had] better take an umbrella.
  6 You should not waste your time.
  7 Do we have to wait in line?
  8 He will have to take the test again.

실전 연습   p. 61

1 must not throw away trash

해설 표지판으로 보아 '너는 쓰레기를 버리면 안 된다'라는 뜻의 문장으로 완성해야 한다. '~하면 안 된다'는 뜻의 'must not 동사원형'을 이용하여 쓴다.

어휘 throw away 버리다 trash 쓰레기

2 You had better not drink that milk.

해설 '~하지 않는 것이 좋겠다'는 「had better not+동사원형」의 형태로 쓴다.

CHAPTER 03 내신 대비 실전 TEST   pp. 62~64

01 ② **02** ③ **03** ①, ⑤ **04** ④ **05** ④
06 ③ **07** ③ **08** ② **09** ④ **10** ③
11 must   **12** not able to
13 would   **14** used to be
15 has to buy   **16** should not eat
17 had better drive
18 You don't have to pay
19 You may be right.
20 (1) He had to work last Saturday.
    (2) Do I have to do the dishes?
21 (1) can speak Spanish, but she can't speak Chinese
    (2) can swim, but he can't ski
22 had better not eat that pie
23 can't take pictures
24 (1) used to wear
    (2) used to have
25 (1) may rain (may be rainy)
    (2) must rain (must be rainy)
    (3) cannot rain (cannot be rainy)

01 Joe는 웃고 있다. 그는 행복한 것이 틀림없다.

해설 빈칸에는 '~임이 틀림없다'라는 뜻의 강한 추측을 나타내는 말인 must가 알맞다.

어휘 smile 웃다, 미소 짓다

02 나는 아빠와 체스를 둘 때 항상 지곤 했다.
> **해설** '~하곤 했다'로 과거의 반복적인 행동을 나타낼 때는 조동사 would를 쓴다.

> **어휘** play chess 체스를 두다

03 A: 제 부탁을 하나 들어주시겠어요?
B: 물론이지. 무엇인데?
A: 저는 일주일 동안 여행을 가요. 제 개 좀 돌봐주시겠어요?
B: 그럼. 물론이지.
> **해설** Can[Could] you~?는 '~해주시겠어요?'라는 뜻으로 부탁을 할 때 쓰는 표현이다.

> **어휘** do ~ a favor ~에게 부탁하다 go on a trip 여행을 가다 take care of 돌보다

04 너는 너의 숙제를 먼저 해야 한다.
> **해설** '~해야 한다'라는 뜻의 의무 · 필요를 나타내는 must는 have to와 바꿔 쓸 수 있다.

> **어휘** do one's homework 숙제를 하다

05 **해설** 필요, 의무를 나타내는 have to의 미래는 will have to를 사용한다.

06 ① 그는 자고 있을지도 모른다.
② 우리는 이 책이 필요할지도 모른다.
③ 너는 여기서 나와 함께 머물러도 좋다.
④ 그들은 내 대답을 좋아하지 않을지도 모른다.
⑤ 그녀는 너의 얼굴을 기억하고 있을지도 모른다.
> **해설** ③의 may는 '~해도 좋다'라는 허락의 의미로 쓰였다. 나머지는 '~일지도 모른다'라는 추측의 의미로 쓰였다.

07 ① 우리는 에너지를 절약해야 한다.
② 너는 너의 부모님의 말씀을 들어야 한다.
③ 그는 오랜 시간 운전을 한 후 피곤한 게 틀림없다.
④ 그들은 박물관에서 조용히 있어야 한다.
⑤ 너는 가능한 한 빨리 돌아와야 한다.
> **해설** ③의 must는 '~임이 틀림없다'라는 뜻의 강한 추측을 나타내고 나머지는 '~해야 한다'라는 뜻의 의무를 나타낸다.

> **어휘** drive 드라이브, 자동차 여행[주행]

08 ① 제가 들어가도 될까요?
② 너는 서두르면 안 된다. / 너는 서두를 필요가 없다.
③ 그녀는 인기 있을지도 모른다.
④ 너는 스키를 탈 수 있니?
⑤ 여기에 주차하시면 안 됩니다.
> **해설** must not은 '~하면 안 된다'라는 의미로 금지를 나타낸다. don't have to는 '~할 필요가 없다'라는 뜻으로 불필요를 나타낸다.

> **어휘** popular 인기 있는

09 ① 그는 지금 집에 있지 않을지도 모른다.
② 그녀는 나중에 내게 전화할 필요가 없다.
③ 너는 새에게 먹이를 주면 안 된다.
④ 그는 더 많은 시간을 책을 읽으며 보내야 한다.
⑤ 나는 모두가 떠나기 전에 거기에 가야 했다.
> **해설** ① 조동사 부정문은 조동사 뒤에 not을 붙인다.
(may be not → may not be)
② 주어가 3인칭 단수이므로 don't → doesn't가 되어야 한다.
③ must는 조동사로 뒤에 동사원형이 나와야 한다.
(feeding → feed)
④ 과거 시제를 나타내는 부사절 before everyone left로 보아 have to → had to가 되어야 한다.

> **어휘** feed 먹이를 주다
spend time ~ing ~하는 데 시간을 쓰다

10 ① 너는 더 조심해야 한다.
② 그는 내 충고를 따라야 한다.
③ 너는 그녀에게 사과하는 것이 좋겠다.
④ 우리는 어젯밤 잠을 잘 잘 수 없었다.
> **해설** ⓐ 조동사 should 뒤에는 본동사가 있어야 한다.
(should more careful → should be more careful)
ⓓ 과거를 나타내는 부사구 last night로 보아 can't는 과거형인 couldn't로 고쳐야 한다.

> **어휘** careful 조심하는, 주의 깊은 follow 따르다
advice 충고 apologize 사과하다

11 나는 그녀가 좋은 선생님이라고 확신한다.
= 그녀는 좋은 선생님임이 틀림없다.
> **해설** 빈칸에는 '~임이 틀림없다'는 뜻의 강한 확신을 나타내는 must가 알맞다.

> **어휘** sure 확신하는

12 우리는 안개 속에서 아무 것도 볼 수 없었다.
> **해설** could not은 능력을 나타낼 때 was[were] not able to로 바꿔 쓸 수 있다.

> **어휘** fog 안개

13 그와 나는 학교 끝나고 같이 축구를 하곤 했다.
> **해설** 과거의 반복적인 행동을 나타낼 때는 used to와 would를 둘 다 쓸 수 있다.

14 Lisa는 게을렀다. 하지만 그녀는 요새 열심히 일한다.
→ Lisa는 예전에는 게을렀다.
> **해설** 「used to+동사원형」은 현재에는 더 이상 지속되지 않는 과거의 상태를 나타낸다.

> **어휘** lazy 게으른

15 **해설** have to는 주어가 3인칭 단수일 때는 has to로 쓴다.
> **어휘** trip 여행

16 **해설** should의 부정은 「should not+동사원형」의 형태로 쓴다.
> **어휘** fast food 패스트푸드

17 **해설** '~하는 것이 좋겠다'라는 표현은 「had better+동사원형」의 형태로 쓴다.
> **어휘** slowly 천천히

18 A: 그건 얼마예요?

B: 돈을 내실 필요가 없습니다. 그것은 무료예요!

해설 '~할 필요가 없다'라는 불필요는 「don't have to+동사원형」으로 나타낸다.

어휘 free 무료의

19 네 말이 맞을지도 몰라.

해설 perhaps는 '아마도'라는 뜻으로 추측의 may로 바꿔 쓸 수 있다. may는 조동사로 뒤에 동사원형이 와야 하므로 are는 be로 쓴다.

어휘 perhaps 아마, 아마도 right 옳은, 맞는

20 해설 (1) have to의 과거형은 had to이다.

(2) 「Do[Does]+주어+have to ~?」 ~해야 하나요?

어휘 do the dishes 설거지를 하다

21 〈보기〉 Henry는 피아노는 칠 수 있지만, 플루트는 불 수 없다.

(1) Ann은 스페인어를 할 수 있지만, 중국어는 할 수 없다.

(2) Eric은 수영은 할 수 있지만, 스키는 탈 수 없다.

해설 할 수 있는 것을 표현할 때는 「can+동사원형」, 할 수 없는 것을 표현할 때는 「can't+동사원형」으로 표현한다.

어휘 flute 플루트 Spanish 스페인어 Chinese 중국어

22 A: 나는 배고파.

B: 이 호두 파이를 먹어봐. 맛있어.

A: 오, 그거 맛있어 보인다. 하지만 난 그것을 안 먹는 것이 좋겠어.

B: 왜 안 먹는데?

A: 나는 견과류에 알레르기가 있거든.

해설 대화의 흐름상 '그 파이를 안 먹는 것이 좋겠어'라는 말이 알맞다. '~하지 않는 것이 좋겠다'는 표현은 「had better not+동사원형」으로 나타낼 수 있다.

어휘 walnut 호두 tasty 맛있는 be allergic to ~에 알레르기가 있다 nut 견과

23 너는 여기서 사진을 찍으면 안 된다.

해설 「You can't+동사원형....」은 '너는 …해서는 안 된다.'라는 뜻으로 금지를 나타낸다.

어휘 take pictures 사진 찍다

24 (1) Mike는 안경을 썼었다.

(2) Mike는 곱슬머리였다.

해설 「used to+동사원형」은 '~했었다'로 과거의 상태를 나타낸다.

어휘 curly 곱슬곱슬한

25 (1) 금요일에는 비가 올지도 몰라.

(2) 토요일에는 비가 올 것이 틀림없다.

(3) 일요일에는 비가 올 리가 없다.

해설 (1) 금요일에는 비 올 확률이 50%이므로 '~일지도 모른다'는 뜻의 조동사 may를 쓴다.

(2) 토요일에는 비 올 확률이 90%이므로 '~임에 틀림없다'는 뜻의 조동사 must를 쓴다.

(3) 일요일에는 비 올 확률이 0%이므로 '~일 리가 없다'는 뜻의 조동사 cannot를 쓴다.

어휘 chance 가능성

CHAPTER 04 to부정사

| Point 15 | to부정사의 명사적 용법 |
| Point 16 | It ~ to / 의문사 + to부정사 |

문법 확인   pp. 66~67

Ⓐ 1 비밀을 지키는 것은
2 여기에서 머무는 것이었다
3 자기 자신만의 사업을 하기를
4 직장에 지각하지 않는 것이다
5 결코 똑같은 실수를 반복하지 않겠다고

Ⓑ 1 인생의 목표를 정하는 것은
2 너에게 언제 전화해야 할지
3 그 지역에서 혼자 여행하는 것은
4 누구에게 투표해야 할지
5 김치를 만드는 방법을

문법 기본   p. 68

Ⓐ 1 보어   2 주어
3 주어   4 목적어
5 목적어   6 보어
7 주어   8 목적어

Ⓑ 1 To live   2 is
3 to be   4 not to answer
5 to disappoint   6 where to get off
7 It   8 when

문법 쓰기   pp. 69~70

Ⓐ 1 not to accept the job offer
2 It is necessary to drink
3 how to behave at a restaurant
4 to escort the president to the podium

Ⓑ 1 to training → to train[training]
2 to never → never to
3 going → to go
4 require → requires
5 not panic → not to panic
6 to booking → to book

Ⓒ 1 to read one hundred books
2 promised to take care of my dog
3 It is not a good idea to carry
4 how to use this copy machine
5 The most important thing is not to give up.
6 We expected to arrive early.

7 It is impossible to predict the future.

8 I don't know who(m) to recommend.

1 He promised never to smoke again.
> 해설 동사 promise는 to부정사를 목적어로 취하며, to부정사의 부정은 to부정사 앞에 not[never]을 써서 나타낸다.

2 what to do first
> 해설 '무엇을 먼저 해야 하는지'는 「what+to부정사」를 이용하여 표현한다.

Point 17	to부정사의 의미상 주어

Point 18	to부정사의 형용사적 용법

Ⓐ **1** 아이들이 바깥에서 노는 것은
2 그가 자신의 돈 전부를 써버리다니
3 우리가 그곳에 늦지 않게 가는 것은
4 네가 문을 열어두다니
5 당신이 실수로부터 배우는 것이
6 그가 엄마에게 말대꾸하다니
7 네가 사람들 앞에서 말하다니
8 당신이 그녀의 안전에 대해 걱정하는 것은

Ⓑ **1** 이야기할 사람이   **2** 도망갈 기회를
3 살 집을   **4** 나눠 먹을 약간의 음식을
5 말해줄 재미있는 얘기를   **6** 놀 수 있는 운동장이
7 방문하기에 좋은 곳이다   **8** 볼 만한 좋은 게

Ⓐ **1** for   **2** of
3 to reject   **4** to play with
5 to land   **6** to take care of
7 something new

Ⓑ **1** to be   **2** for
3 of   **4** for
5 of   **6** to hang out with
7 read   **8** something hot

Ⓐ **1** impossible for penguins to fly
2 kind of you to drive
3 bought a computer to work on
4 nothing good to wear

Ⓑ **1** of me → for me   **2** to stay → to stay in
3 for you → of you   **4** drinking → to drink

5 of she → of her
6 nice something → something nice

Ⓒ **1** was silly of him to forget
2 a piece of paper to write on
3 a warm jacket to wear at night
4 something interesting to show you
5 was important for him to finish the race
6 I need a partner to dance with.
7 was careless of her to take the wrong bus
8 She brought a book to read during the trip.

1 It, of her to
> 해설 가주어 It이 쓰인 「It ~ to」 구문의 문장이다. kind는 사람의 성격, 태도를 나타내는 형용사이므로, to부정사의 의미상 주어를 「of+목적격」의 형태로 to부정사 앞에 쓴다.

2 He brought some snacks to eat during the camp.
> 해설 '캠프 동안 먹을 약간의 간식'은 형용사적 용법의 to부정사를 활용하여 쓴다. to부정사구(to eat during the camp)가 명사구(some snacks)를 뒤에서 수식하는 어순으로 쓴다.

Point 19	to부정사의 부사적 용법

Point 20	too ~ to / enough to

Ⓐ **1** 사기 위해서   **2** 듣고
3 잡다니   **4** 미래 세대들을 보았다
5 훈련시키기   **6** 져서
7 빠진 것을 보니   **8** 긴장을 풀기 위해서

Ⓑ **1** 수천 명의 사람들을 수용할 만큼 충분히 크다
2 너무 바빠서 친구들과 시간을 보낼 수 없었다
3 두 번 읽을 만큼 충분히 재밌었다
4 아이들이 하기에는 너무 폭력적이다
5 아기들이 먹을 수 있을 만큼 충분히 부드럽다

Ⓐ **1** 목적   **2** 판단의 근거
3 정도   **4** 결과
5 감정의 원인   **6** 판단의 근거
7 결과

Ⓑ **1** too   **2** to catch
3 easy to cook   **4** to solve
5 to read   **6** to see
7 kind enough

Ⓐ   1 Sam was happy to win the singing contest.

     2 James was too short to take the ride.

     3 I am so lucky to have a friend like you.

     4 This ladder is strong enough to bear my weight.

Ⓑ   1 so → too

     2 playing → to play

     3 to only → only to

     4 enough large → large enough

     5 drawing → to draw

     6 hiding → to hide

Ⓒ   1 too difficult to answer

     2 to walk his dog

     3 only to fail the entrance exam

     4 light enough to carry around all day

     5 She was pleased to receive her son's letter.

     6 He must be a fool to believe such a lie.

     7 Tolstoy grew up to be a famous novelist.

     8 The jeans were too tight for her to wear.

1   She joined the website to order a dishwasher.

> 해설   '식기세척기를 주문하기 위해'를 목적을 나타내는 to부정사로 표현한다. 이 to부정사구는 문장 내에서 부사 역할을 하므로, 〈주어+동사+목적어〉 다음에 쓴다.

2   The test was so easy that he could pass it.

> 해설   「형용사/부사+enough+to부정사」를 「so+형용사/부사+that+주어+can/could+동사원형~」으로 바꿔 쓴다. 「for+목적격」에서 목적격 him은 to부정사의 의미상 주어로, so ~ that 문장에서는 주격 he로 쓴다. 시제는 과거이므로 could를 쓴다.

CHAPTER 04 내신 대비 실전 TEST

01 ③	02 ②	03 ④	04 ⑤	05 ③
06 ⑤	07 ①	08 ②	09 ③	10 ③

11 of   12 for   13 skiing → to ski

14 enough rich → rich enough

15 should thank

16 shy that, couldn't

17 pleased to hear

18 agreed not to give

19 important

20 (1) to be a vet[being a vet]

     (2) to be a photographer

21 what to eat first

---

22 (1) It is difficult for me to make friends.

     (2) It was silly of him to lose his key.

23 (1) She woke up early to catch the first train.

     (2) He survived the crash only to die in the desert.

24 (1) fast enough to win the race

     (2) too complicated for me to follow

25 (1) enough water to drink

     (2) comfortable shoes to wear

     (3) a mat to sit on

---

01   나의 이번 학기 목표는 올 A를 받는 것이다.

> 해설   빈칸에는 보어 역할을 하는 to부정사가 들어가야 한다.
> 어휘   goal 목표   semester 학기
> straight A's (성적이) 올 A(의)

02   David는 다시는 남동생과 싸우지 않기로 약속했다.

> 해설   to부정사의 부정은 to부정사 앞에 not[never]을 써서 나타낸다.

03   ① 아기를 돌보는 것은 쉽지 않다.

     ② 책상에서 뛰어내리는 것은 위험하다.

     ③ 유명한 가수가 되는 것이 그의 꿈이다.

     ④ 해변까지는 약 10분이 걸린다.

     ⑤ 네 친구의 숙제를 베끼는 것은 잘못된 일이다.

> 해설   ④의 It은 비인칭 주어이고, 나머지는 모두 가주어이다.
> 어휘   take care of ~을 돌보다   take (시간이) 걸리다
> copy 베끼다, 복사하다

04   A: 너는 큰 사이즈의 옷을 어디서 사야 할지 아니?

     B: 음, 인터넷에서 사는 게 어때?

> 해설   문맥상 A의 말은 큰 사이즈의 옷을 파는 장소를 묻는 말이 되어야 하므로, 빈칸에는 의문사 where가 들어가야 한다.

05   ① 네가 그렇게 말해주다니 매우 상냥하구나.

     ② 그가 그런 식으로 행동하다니 무례했다.

     ③ 네가 가족을 그리워하는 것은 당연해.

     ④ 네가 나를 변호해주다니 용감했어.

     ⑤ 그가 자신의 실수를 인정하다니 정직하다.

> 해설   sweet, rude, brave, honest는 사람의 성격이나 태도를 나타내는 형용사이므로 to부정사의 의미상 주어는 「of+목적격」으로 쓴다. natural은 이성적 판단을 나타내는 형용사로 to부정사의 의미상 주어는 「for+목적격」으로 쓴다.
> 어휘   rude 무례한   behave 행동하다   natural 당연한
> brave 용감한   speak up for ~을 (강력하게) 변호하다
> admit 인정하다   mistake 실수, 잘못

06   〈보기〉 우리는 그를 배웅하려고 역에 갔다.

     ① 당신을 귀찮게 해서 죄송합니다.

     ② 그 차를 사다니 그녀는 가난할 리가 없다.

③ 중국어는 배우기에 쉽지 않다.
④ 그는 일어나보니 자신의 집이 불타고 있음을 알았다.
⑤ 지도자들은 그 문제를 논의하기 위해 만났다.

해설 〈보기〉와 ⑤의 to부정사는 부사적 용법(목적)으로 쓰였다. 나머지도 모두 부사적 용법으로 쓰였으나, ①은 감정의 원인, ②는 판단의 근거, ③은 정도, ④는 결과를 의미한다.

어휘 station 역, 정거장 see off ～을 배웅하다
trouble 귀찮게 하다 discuss 논의하다

07 〈보기〉 그렇게 생각하다니 그는 바보임에 틀림없다.
① 내 인생에 네가 있다니 나는 운이 좋다.
② 나쁜 습관은 끊기 어렵다.
③ 그녀는 그의 비밀을 알게 되어 놀랐다.
④ 그 남자는 100세까지 살았다.
⑤ 그 인도는 걷기에 위험하다.

해설 〈보기〉와 ①의 to부정사는 부사적 용법(판단의 근거)으로 쓰였다. 나머지도 모두 부사적 용법으로 쓰였으나, ②는 정도, ③은 감정의 원인, ④는 결과, ⑤는 정도를 의미한다.

어휘 break (계속되고 있는 것을) 끊다, 중단하다
secret 비밀 sidewalk 인도

08 **해설** ②는 '나는 너무 바쁘지만, 나는 운동할 수 있다.'라는 의미인 반면, 나머지는 모두 '나는 너무 바빠서 운동할 수 없다.'라는 의미이다.

09 **해설** '…할 만큼 충분히 ～하다'라는 뜻의 문장은 「형용사/부사+enough+to부정사」의 형태로 쓴다. 보통 to부정사의 의미상 주어는 「for+목적격」으로 쓴다.

어휘 fit (어느 장소에 들어가기에) 맞다

10 ⓐ 나는 그림을 그릴 크레용이 몇 개 필요하다.
ⓑ 처리해야 할 몇 가지 문제들이 있다.
ⓒ 당신에게는 할 만한 특별한 일이 있나요?
ⓓ 문화를 공유할 수 있는 많은 방법들이 있다.
ⓔ 그 여인은 앉을 수 있는 편안한 의자를 필요로 한다.

해설 ⓒ 「-thing으로 끝나는 대명사+형용사+to부정사」의 어순으로 고쳐야 한다.
ⓔ to부정사 앞에 쓰인 명사가 전치사의 목적어가 될 경우, to부정사 다음에 전치사를 써야 한다. 따라서 to sit 뒤에는 전치사 in[on]을 써야 한다.

어휘 issue 문제 deal with ～를 처리하다
share 공유하다 comfortable 편안한

11 네가 차를 잠그지 않은 채로 두다니 부주의했다.

해설 careless는 사람의 성격이나 태도를 나타내는 형용사이므로, to부정사의 의미상 주어는 「of+목적격」으로 쓴다.

어휘 careless 부주의한 leave (～한 상태로) 두다
unlocked 잠겨 있지 않은

12 로봇이 감정을 갖는 것이 가능한가?

해설 possible은 이성적 판단을 나타내는 형용사이므로, to부정사의 의미상 주어는 「for+목적격」으로 쓴다.

어휘 possible 가능한

13 스키를 탈 충분한 눈이 없다.

해설 명사구 enough snow를 수식하는 to부정사가 와야 한다. 따라서 skiing은 to ski로 고쳐야 한다.

14 그녀는 자기 소유의 리무진을 갖고 있을 만큼 충분히 부유하다.

해설 '…할 만큼 충분히 ～하다'는 「형용사/부사+enough+to부정사」의 어순으로 쓴다.

15 나는 이 일에 대해 누구에게 감사해야 할지 모르겠다.

해설 「의문사+to부정사」는 「의문사+주어+should+동사원형」의 형태로 바꿔 쓸 수 있다.

16 그는 너무 수줍음을 많이 타서 그녀에게 데이트를 신청할 수 없었다.

해설 「too+형용사+to부정사」는 「so+형용사+that+주어+can't/couldn't+동사원형～」으로 바꿔 쓸 수 있다. 이때 과거 시제이므로 couldn't를 쓴다.

어휘 shy 수줍음을 많이 타는
ask ～ out ～에게 데이트를 신청하다

17 **해설** 감정 형용사인 pleased가 있으므로, 감정의 원인을 나타내는 부사적 용법의 to부정사를 이용한다.

18 **해설** 동사 agree는 to부정사를 목적어로 취한다. to부정사의 부정은 to부정사 앞에 not[never]을 써서 나타낸다.

어휘 agree 합의하다 each other 서로 present 선물

19 **해설** 「-thing으로 끝나는 대명사+형용사+to부정사」의 어순으로 쓰면, 문장은 I have something important to tell you.가 된다.

20 A: Linda, 네 꿈은 뭐니?
B: 내 꿈은 ⑴ 수의사가 되는 것이야. 너는?
A: 나는 ⑵ 사진사가 되기를 원해.

해설 B의 말에서 '수의사가 되는 것'은 보어 역할을 하는 to부정사를 활용하여 쓴다. A의 말에서 '사진사가 되기'는 동사 wish가 목적어로 to부정사를 취하므로 역시 to부정사를 활용하여 쓴다.

어휘 vet 수의사 photographer 사진사

21 나는 무엇을 먼저 먹을지를 결정할 수 없다.

해설 그림으로 보아, '무엇을 먼저 먹을지'를 뜻하는 말이 와야 한다. 「what+to부정사」의 형태로 쓴다.

22 **해설** ⑴ 가주어 it이 쓰인 「It ～ to」 구문의 문장이다. difficult는 이성적 판단을 나타내는 형용사이므로, to부정사의 의미상 주어를 「for+목적격」의 형태로 to부정사 앞에 쓴다.
⑵ 가주어 it이 쓰인 「It ～ to」 구문의 문장이다. silly는 사람의 성격, 태도를 나타내는 형용사이므로, to부정사의 의미상 주어를 「of+목적격」의 형태로 to부정사 앞에 쓴다.

23 ⑴ 그녀는 첫 기차를 타기 원했다. 그래서 그녀는 일찍 일어났다.
→ 그녀는 첫 기차를 타려고 일찍 일어났다.

(2) 그는 추락 사고에서 살아남았다. 하지만 그는 사막에서 죽었다.
→ 그는 추락 사고에서 살아남았지만, 결국 사막에서 죽었다.

해설 (1) 목적(~하기 위해서)을 나타내는 부사적 용법의 to부정사를 이용하여 두 문장을 연결한다.

(2) 결과(하지만 결국 ~하다)를 나타내는 「only+to부정사」를 이용하여 두 문장을 연결한다.

어휘 survive 살아남다 crash (항공기 등의) 추락[충돌] 사고 desert 사막

24 **해설** (1) '…할 만큼 충분히 ~하다'는 「형용사/부사+enough+to부정사」의 형태로 쓴다.

(2) '…하기에는 너무 ~하다'는 「too+형용사/부사+to부정사」의 형태로 쓴다.

어휘 race 경주 complicated 복잡한 follow 따라 하다

25 (1) 우리는 충분한 마실 물이 필요하다.
(2) 우리는 등산하러 갈 때 신을 편안한 신발이 필요하다.
(3) 우리는 쉴 때 앉을 매트를 챙겨야 한다.

해설 형용사적 용법의 to부정사를 이용해 「명사(구)+to+동사원형」의 어순으로 쓴다. (3)의 경우 동사 sit 다음에 전치사 on을 써야 하는 것에 유의한다.

어휘 pack 챙기다 rest 쉬다 mat 매트

CHAPTER 05 동명사

Point 21	동명사의 쓰임
Point 22	동명사와 to부정사(1)

문법 확인
pp. 88~89

Ⓐ 1 걷는 것은
2 영어를 가르치는 것이다
3 혼자 앉는 것을
4 피아노를 연주하는 것을
5 수업에 오지 않는 것이다
6 너무 많은 양의 커피를 마시는 것은
7 똑같은 음식을 먹는 것이
8 병원에 가지 않겠다고

Ⓑ 1 보수하는 것을 끝냈다
2 가입하기로 선택했다
3 켜는 것을 꺼리십니까(켜도 괜찮으십니까)
4 타고 가기로 결정했다
5 쳐다보는 것을 피했다
6 입고 올 필요가 있습니다
7 읽는 것을 연습했다
8 합격하기를 바란다

문법 기본
p. 90

Ⓐ
1 목적어	2 목적어
3 주어	4 보어
5 목적어	6 주어
7 보어	8 보어

Ⓑ
1 is	2 listening
3 watching	4 considered
5 living	6 to call
7 packing	8 Not studying hard

문법 쓰기
pp. 91~92

Ⓐ 1 Drinking milk before bed
2 traveling to other countries
3 enjoys playing with her cat
4 about going on a trip

Ⓑ
1 cause → causes	2 to say → saying
3 going not → not going	4 paint → painting
5 Respect → Respecting[To respect]	
6 to meet → meeting	

Ⓒ
| 1 Eating too quickly | 2 biting his lips |
| 3 stopped talking | 4 not answering your call |

5 Speaking in front of people makes me nervous.

6 His mission is solving secret codes.

7 Would you mind telling me your name? [Would you mind telling your name to me?]

8 Don't be afraid of making mistakes.

실전 연습   p. 93

1 I am nervous about going back to school.

해설 〈주어＋동사〉로 문장을 시작하기 위해 '나는 긴장된다'를 영어로 I am nervous about과 같이 쓴다. '학교로 돌아가는 것'을 전치사 about의 목적어로 쓴다. 이때 전치사의 목적어로는 동명사를 써야 하므로 going back to school로 쓴다.

어휘 nervous 긴장된, 초조한

2 (1) She decided to study abroad.

(2) She considers studying abroad.

해설 (1) 과거 시제의 문장이므로, 주어 She 뒤에 과거형 동사 decided를 쓴다. 동사 decide는 to부정사를 목적어로 취하므로, '공부하기로' 부분을 to부정사로 표현한다.

(2) 현재 시제의 문장이므로, 주어 She 뒤에 3인칭 단수 현재형 동사 considers를 쓴다. 동사 consider는 동명사를 목적어로 취하므로, '공부하는 것을' 부분을 동명사로 표현한다.

어휘 abroad 외국에(서)

Point 23	동명사와 to부정사(2)
Point 24	동명사의 관용 표현

문법 확인   pp. 94~95

Ⓐ 1 부르기 시작했다

2 일하는 것을 계속했다

3 잠갔던 것을 기억한다

4 닫을 것을 기억해라

5 간 것을 후회한다

6 알려드리게 되어 유감입니다

7 이긴 것을 결코 잊지

8 저장할 것을 잊고

Ⓑ 1 방문할 가치가 있다

2 일어나는 데 어려움을 겪어요

3 울고 싶다

4 수영하러 갔다

5 요청해 봤자 소용없다

6 자는 것에 익숙하다

7 읽는 데 한 시간을 쓴다

8 웃지 않을 수 없었다

문법 기본   p. 96

Ⓐ 1 to wake   2 to do, doing

3 behaving   4 to play, playing

5 to say   6 to speaking

7 buying   8 to seeing

Ⓑ 1 looking   2 making

3 telling   4 arriving

5 complaining   6 to write

7 driving

문법 쓰기   pp. 97~98

Ⓐ 1 hates being alone at home

2 are looking forward to hearing

3 are not worth keeping

4 tried to get a ticket

Ⓑ 1 to buy → buying   2 hiked → hiking

3 drive → driving   4 to find → finding

5 to drink → drinking   6 think → thinking

Ⓒ 1 remember being in the hospital

2 feel like eating out

3 try putting some ice

4 had trouble finding

5 Don't forget to call me.

6 She was not used to driving in the rain.

7 The kids started making[to make] a snowman.

8 He spends a lot of money buying books.

실전 연습   p. 99

1 I remember turning off the alarm clock.

해설 '나는 기억한다'를 영어로 옮겨 I remember~로 시작하는 문장을 쓰고, '끈 것을' 동사 remember의 목적어로 쓴다. '(과거에) ~한 것을 기억하다'의 의미이므로 「remember＋동명사」의 형태로 쓴다.

2 has trouble sleeping at night

해설 그림의 상황은 '남자아이가 잠자는 데 어려움을 겪는' 상황이다. '~하는 데 어려움을 겪다'를 뜻하는 관용 표현 「have trouble -ing」를 이용하여 문장을 쓴다.

CHAPTER 05 내신 대비 실전 TEST   pp. 100~102

01 ④	02 ②	03 ②	04 ④	05 ②
06 ④	07 ③	08 ②	09 ④	10 ③

11 are → is

12 Having not → Not having   13 Imagine living

14 agreed to stay   15 to pick   16 being

17 knocking   18 to   19 use

20 getting straight A's
21 (1) mind changing the channel
　　(2) planned to hold a surprise party
22 was busy cleaning the house
23 (1) putting my bag on the shelf
　　(2) to announce his sudden death
24 forget to wash your hands
25 (1) Nancy spends a lot of time using her smartphone.
　　(2) Daniel could not help falling asleep.

---

01 Judy는 그 노래를 부르기를 _____.
① 시작했다 ② 계속했다 ③ 좋아했다 ④ 배웠다 ⑤ 연습했다
해설 동사 learn은 to부정사만 목적어로 취하므로 빈칸에 들어가기에 알맞지 않다. 나머지는 동명사를 목적어로 취하는 동사들이다.

02 미나는 수학여행 때 사진을 충분히 찍지 않은 것을 후회했다.
해설 동명사 바로 앞에 not을 써서 동명사의 부정형을 만든다.
어휘 field trip 수학여행, 현장 학습

03 ・그는 늦지 않기로 약속했다.
・너는 아직 머리를 다 안 감았니?
・나는 배가 고파서 저녁을 일찍 먹는 것을 고려했다.
해설 동사 promise는 to부정사를 목적어로 취하고, 동사 finish와 consider는 동명사를 목적어로 취한다.

04 ・그는 졸려서 공부하는 것을 멈췄다.
・그는 졸려서 쉬기 위해서 멈췄다.
해설 '~하는 것을 멈추다'라는 의미는 「stop＋동명사」 형태로, '~하기 위해 멈추다'라는 의미는 「stop＋to부정사」 형태로 나타낸다.

05 A: Peter, 너 내 책 가지고 왔어?
B: 응, 내가 너의 책을 가져와야 할 것을 기억했어! 여기에 있어.
해설 「remember＋to부정사」: (앞으로) ~할 것을 기억하다

06 A: 우리가 진짜 이 주제를 전에 공부한 적이 있어?
B: 응, 공부했어. 내 생각에는 네가 그것에 대해 읽은 것을 잊어버린 것 같아.
해설 「forget＋동명사」: (과거에) ~한 것을 잊다

07 해설 동사가 문장의 주어로 쓰이려면 동명사나 to부정사가 되어야 하므로, Hunting 또는 To hunt의 형태가 알맞다. 이때 동명사 또는 to부정사 주어는 단수 취급한다.
어휘 hunt 사냥하다　illegal 불법적인　Thailand 태국

08 해설 「feel like -ing」: ~하고 싶다

09 해설 「be used to -ing」: ~하는 데 익숙하다

10 ⓐ 내가 가장 좋아하는 취미는 요리하는 것이다.
ⓑ 나는 전화를 한 통 해야 한다.
ⓒ 상처받는 것을 두려워하지 마라.
ⓓ 그녀는 편지를 읽는 것을 계속했다.
ⓔ 그는 해외에서 일하는 것을 고려하고 있다.
해설 ⓒ 전치사의 목적어로는 동명사가 쓰인다.
　　to get → getting
　　ⓔ consider는 동명사를 목적어로 취하는 동사이다.
　　to work → working
어휘 be afraid of ~을 두려워하다　hurt (마음에) 상처를 입은　abroad 해외에(서), 해외로

11 식물을 기르는 것은 쉽지 않다.
해설 동명사 주어는 단수 취급하므로 단수 동사를 써야 한다.
어휘 grow 기르다　plant 식물

12 충분히 자지 않는 것은 당신이 다음 날 더 배고픔을 느끼게 한다.
해설 동명사의 부정형은 동명사 바로 앞에 not을 써서 나타낸다.

13 해설 imagine은 동명사를 목적어로 취하는 동사이다.
어휘 above ~위에　sea level 해수면

14 해설 agree는 to부정사를 목적어로 취하는 동사이다.
어휘 stay 머물다　a few 몇몇의

15 당신이 집에 오는 길에 (세탁소에서) 세탁물을 찾는 것을 기억하세요.
해설 「remember＋to부정사」: (앞으로) ~할 것을 기억하다
어휘 pick up the laundry (세탁소에서) 세탁물을 찾다

16 나는 면접에 늦은 것을 후회한다. 나는 늦었기 때문에 그 일자리를 얻지 못했다.
해설 「regret＋동명사」: (과거에) ~한 것을 후회하다
어휘 be late for ~에 늦다　interview 면접, 인터뷰　job 일자리, 직장

17 나는 초인종을 몇 번 울렸지만, 대답이 없었다. 그러고 나서 나는 시험 삼아 문을 노크해보았지만, 여전히 대답이 없었다.
해설 「try＋동명사」: (시험 삼아) ~해보다
어휘 doorbell 초인종　several times 몇 번　knock 노크하다, 두드리다　still 여전히

18 해설 관용 표현 「look forward to -ing」를 사용하여 '~하기를 고대하다'라는 뜻을 나타낸 문장이다. 따라서 우리말에 맞는 문장은 I look forward to going back home.이며, 네 번째로 오는 단어는 to이다.

19 해설 관용 표현 「It's no use -ing」를 사용하여 '~해도 소용없다'라는 뜻을 나타낸 문장이다. 따라서 우리말에 맞는 문장은 It is no use complaining about it.이며 네 번째로 오는 단어는 use이다.
어휘 complain 불평하다

20 나는 전과목 A 학점을 받은 것이 자랑스럽다.
해설 전치사의 목적어로는 동명사가 쓰인다.
어휘 get straight A's 전과목[올] A 학점을 받다

21 해설 (1) mind는 동명사를 목적어로 취하는 동사이다.
　　(2) plan은 to부정사를 목적어로 취하는 동사이다.

어휘 hold a party 파티를 열다

22 여: 왜 너는 내 전화를 안 받았니?

남: 네 전화를 놓쳐서 미안해. 나는 집 청소를 하느라 바빴어.

해설 그림으로 보아 남자가 집안 청소를 하느라 탁자 위에서 핸드폰이 울리고 있는 줄도 모르는 상황이다. 따라서 '나는 집 청소하느라 바빴어.'라는 뜻의 문장으로 완성해야 한다. '~하느라 바쁘다'는 관용 표현 「be busy -ing」를 이용해서 쓴다.

어휘 miss (못 보고[듣고]) 놓치다, (관심을 안 두고) 지나치다

23 해설 (1) 「remember+동명사」: (과거에) ~한 것을 기억하다
(2) 「regret+to부정사」: (앞으로) ~하게 되어 유감이다

어휘 shelf 선반 announce 알리다, 발표하다
sudden 갑작스러운 death 죽음

24 외출 후에는 손 씻는 것을 잊지 마세요.

해설 「forget+to부정사」: (앞으로) ~할 것을 잊다

25 해설 (1) 「spend+시간/돈+-ing」: ~하는 데 시간/돈을 쓰다
(2) 「cannot help -ing」: ~하지 않을 수 없다

어휘 fall asleep 잠들다

CHAPTER 06 분사와 분사구문

| Point 25 | 분사의 쓰임과 형태 |
| Point 26 | 감정을 나타내는 분사 |

문법 확인   pp. 104~105

Ⓐ
1 짖는   2 얼린
3 남겨진   4 앉아 있는
5 기대어 있다   6 부상을 입었다
7 찍힌   8 찢겨진

Ⓑ
1 흥분한   2 재미있었다
3 우울해 보인다   4 지루하다고 생각했다
5 놀란   6 짜증나게 하는
7 실망했다   8 놀라운

문법 기본   p. 106

Ⓐ
1 명사 수식어   2 보어
3 보어   4 동명사
5 현재분사   6 동명사
7 감정을 느끼는 주체   8 감정을 일으키는 원인

Ⓑ
1 shaking   2 baked
3 delivered   4 giving
5 having   6 interesting
7 depressed   8 exciting

문법 쓰기   pp. 107~108

Ⓐ
1 falling   2 fallen
3 made   4 making
5 annoying   6 annoyed
7 relaxed   8 relaxing

Ⓑ
1 bore → bored   2 surprise → surprising
3 sat → sitting   4 calls → called
5 confuse → confusing   6 steal → stolen

Ⓒ
1 guests staying at our hotel
2 broken window
3 satisfied with my new house
4 a little disappointing
5 Put the noodles in the boiling water.
6 There were a few buses parked by my car.
7 Life is an amazing journey.
8 The sisters were annoyed with each other.

실전 연습   p. 109

1 addressing → addressed

해설 A의 말은 의미상 '당신 앞으로 보내진 편지가 있어요'라는 뜻이 되어야 한다. a letter와 address의 관계는 수동이므로, 현재분사 addressing을 과거분사 addressed로 고쳐 써야 한다.

어휘 address (~ 앞으로 우편물을) 보내다

2 The president was pleased with the news.

해설 주어인 The president는 기쁜 감정을 느끼는 주체이므로, 동사 please의 과거분사형을 쓴다.

어휘 president 사장, 회장 please 기쁘게 하다

Point 27	분사구문의 개념과 형태
Point 28	분사구문의 의미

문법 확인
pp. 110~111

Ⓐ **1** Taking a shower **2** Getting enough sleep
3 Finishing his homework **4** Waving his hands
5 Crossing the road **6** Containing caffeine
7 Not feeling well **8** Being surprised

Ⓑ **1** 배가 아팠기 때문에 **2** 일본으로 여행 가면
3 그 소식을 듣고 **4** 메모를 하면서
5 물속으로 걸어 들어갔다 **6** 집에 돌아왔을 때

문법 기본
p. 112

Ⓐ **1** they ran away.
2 my grandma never eats meat.
3 I started to cook.
4 the child couldn't ride the roller coaster.
5 Robin wants to be a vet.
6 arriving there at ten.
7 looking at webtoons on her phone.
8 we can win this game.

Ⓑ **1** Feeling **2** eating
3 hurrying **4** Smiling
5 Not arriving **6** waiting
7 tidied

문법 쓰기
pp. 113~114

Ⓐ **1** Catching the train
2 Not having a car
3 (Being) Waiting for Cathy
4 destroying the building

Ⓑ **1** Exercise → Exercising[you → and you]
2 Waved → Waving
3 Knowing not → Not knowing
4 Been → Being
5 Sit → Sitting

6 she finding → finding

Ⓒ **1** Being really hungry
2 Going to work this morning
3 Screaming with joy
4 arriving two hours later
5 Lying on the grass, we looked at the sky.
6 Not having enough money, he can't buy the bicycle.
7 She read a comic book waiting for her turn.
8 Looking out the window, you can see the lake.

실전 연습
p. 115

1 (a) After he removed his glasses
(b) Removing his glasses

해설 (a) 부사절은 「접속사+주어+동사~」의 형태로 쓴다. '~한 후에'를 의미하는 접속사는 after이다.
(b) 분사구문은 부사절의 접속사를 생략하고, 부사절의 주어(he)가 주절의 주어(he)와 같으므로 부사절의 주어를 생략한 다음, 부사절의 동사를 현재분사로 바꿔서 쓴다.

어휘 remove (옷 등을) 벗다, 제거하다 glasses 안경
put on (옷 등을) 입다, 쓰다 cape 망토

2 Finding her lost backpack, she was very happy.

해설 두 문장은 의미상 원인과 결과의 관계이다. 따라서 한 문장으로 쓰면 '자신의 잃어버린 배낭을 찾아서, 그녀는 매우 행복했다.'라는 뜻이 된다. 이유를 나타내는 부사절(~해서)을 분사구문으로 표현한다.

어휘 backpack 배낭

CHAPTER 06 내신 대비 실전 TEST
pp. 116~118

01 ④ **02** ⑤ **03** ⑤ **04** ③ **05** ④
06 ⑤ **07** ② **08** ① **09** ③ **10** rising
11 satisfied **12** exciting
13 Knowing not → Not knowing
14 bore → bored **15** reported
16 Using **17** leaving two people dead
18 red
19 (1) I found my stolen bike.
(2) The man taking a picture is my uncle.
20 (1) Seeing me, the dog started to bark at me.
(2) Not hearing the alarm clock, he slept in.
21 the bench painted in pink
22 ⑤, disappointing
23 (1) My sister told me a shocking story.
(2) Here are some of the pictures taken during the trip.

24 (1) If you don't get up right now
(2) While she was talking on the phone
(3) Because he needs Chinese for his job

01 화가 나서 그는 방 밖으로 걸어 나가버렸다.
해설 이유를 나타내는 부사절인 Because[As, Since] he was upset을 분사구문으로 바꾼 문장이므로, 빈칸에 들어갈 말은 Being이다.

02 해설 수식어구를 동반하는 현재분사(arriving over there)는 명사(the shuttle bus)를 뒤에서 수식한다.

03 (A) 나는 그 우울한 영화를 절대 보지 않을 거야.
(B) 모기는 대부분의 사람들에게 성가시다.
(C) 겁에 질린 아이들은 도와달라고 소리 질렀다.
해설 (A) 그 영화가 '우울한' 감정을 일으키는 것이므로, 현재분사 depressing이 알맞다.
(B) 모기가 '성가신' 감정을 일으키는 것이므로, 현재분사 annoying이 알맞다.
(C) 아이들이 '겁에 질린' 감정을 느끼는 것이므로, 과거분사 terrified가 알맞다.
어휘 mosquito 모기 scream 소리 지르다

04 ① 그 가수는 대기실에 있다.
② 이 운동화는 매우 편안하다.
③ 그는 불타고 있는 나무를 가리켰다.
④ 너는 수영모를 가지고 왔니?
⑤ 나는 그 가게에서 몇 가지 조리 도구를 샀다.
해설 ③을 제외한 나머지는 모두 목적이나 용도를 나타내는 동명사인 반면, ③은 명사를 수식하는 현재분사이다.
어휘 running shoes 운동화 comfortable 편안한
point (손가락 등으로) 가리키다 tool 도구

05 내일 중요한 시험이 있어서, Brian은 지금 공부하고 있다.
해설 분사구문을 만드는 과정에서 생략된 접속사는 문맥을 통해 추측해야 한다. 중요한 시험 때문에 공부를 하고 있다는 의미가 되어야 하므로, 이유를 나타내는 접속사 Because가 알맞다.

06 〈보기〉 자세히 살펴보면, 너는 모든 것을 볼 수 있다.
① 상자를 들어 올리려고 할 때, 그는 허리를 다쳤다.
② 팝송을 들으면서, 그녀는 영어를 공부했다.
③ 그는 아침에 떠나서 밤에 돌아왔다.
④ 혼자 살아서, 그 노인은 대화할 상대가 없었다.
⑤ 찬 음식을 너무 많이 먹으면, 너는 아플 것이다.
해설 〈보기〉와 ⑤는 조건을 나타내는 반면, ①은 시간, ②는 동시동작, ③은 연속동작, ④는 이유를 나타낸다.
어휘 lift 들어 올리다 back (등)허리

07 나는 에너지가 하나도 남지 않아서, 그냥 거기 앉아 있었다.
해설 분사구문의 부정을 나타낼 때는 분사 앞에 not[never]을 쓴다.

08 ① 너무 당황해서, 나는 아무 말도 할 수 없었다.
② 위에서 내려다보면, 당신은 풍경 전체를 볼 수 있습니다.
③ 그녀의 옆집에 살아서, 나는 그녀를 자주 본다.
④ 내 질문에 놀라서, Raymond 씨는 얼굴을 붉혔다.
⑤ 천천히 등산해서, 우리는 언덕 꼭대기에 다다랐다.
해설 ①의 분사구문에서 과거분사 Been을 현재분사 Being으로 고쳐야 한다.
어휘 entire 전체의 landscape 풍경
blush 얼굴을 붉히다 approach 다다르다, 접근하다

09 ⓐ 나는 택시를 기다리며 서 있었다.
ⓑ 우리는 그의 연설이 지루하다고 생각했다.
ⓒ 그는 자신의 새로운 일에 만족했다.
ⓓ 너는 이 삶은 콩을 먹어봐야 해.
ⓔ 녹색 드레스를 입고 있는 소녀는 누구니?
해설 ⓑ 그의 연설이 '지루한' 감정을 일으키는 것이므로, 현재분사 boring으로 고쳐야 한다.
ⓒ 그가 '만족한' 감정을 느끼는 것이므로, 과거분사 satisfied로 고쳐야 한다.
어휘 speech 연설 boil 삶다, 끓이다

10 떠오르는 태양은 희망을 준다.
해설 '떠오르는'이라는 능동의 의미로 명사 sun을 수식하는 현재분사 rising으로 쓴다.
어휘 hope 희망

11 Rosa는 항상 불평한다. 그녀는 어떤 것에도 결코 만족하지 않는다.
해설 그녀가 감정을 느끼는 주체이므로, 과거분사 satisfied로 쓴다.
어휘 complain 불평하다

12 나는 지금 흥미진진한 모험 이야기를 읽고 있다.
해설 모험 이야기가 감정을 일으키는 원인이므로, 현재분사 exciting으로 쓴다.
어휘 at the moment 지금

13 무슨 말을 해야 할지 몰라서, 그녀는 그저 Ann을 조용히 안아주었다.
해설 분사구문의 부정을 나타낼 때는 분사 앞에 not[never]을 쓴다.

14 연극이 시작하기를 기다리는 동안, 아이들은 지루해졌다.
해설 아이들이 '지루한' 감정을 느끼는 것이므로, bore를 과거분사 bored로 고쳐야 한다.
어휘 play 연극 grow …해지다[하게 되다]

15 해설 '보도된'이라는 수동의 의미로 명사 an article을 뒤에서 수식해야 하므로, 과거분사 reported로 써야 한다.
어휘 article 기사

16 해설 조건을 나타내는 부사절인 If you use this coupon을 분사구문으로 바꿔야 한다. 접속사 if와 공통되는 주어인 you를 생략하고, 동사는 현재분사의 형태인 Using으로 바꿔 쓴다.
어휘 get a discount 할인을 받다

17 화재가 발생하여, 두 명의 사람들이 사망하는 결과를 남겼다.

해설 '그리고 ~하다'의 연속동작을 나타내는 분사구문으로 바꿔 쓴다. 접속사 and와 주어 it을 생략하고 동사는 현재분사의 형태인 leaving으로 바꿔 쓴다.

어휘 break out 발생하다 leave (어떤 결과를) 남기다 dead 죽은

18 해설 수식어구를 동반하여 길어진 분사구(wearing the red T-shirts)는 명사(People)를 뒤에서 수식한다. 따라서 우리말에 맞는 문장은 People wearing the red T-shirts cheered for the Korean soccer team.이며, 네 번째 오는 단어는 red이다.

어휘 cheer for ~를 응원하다

19 해설 ⑴ '도난당한'은 수동의 의미이므로 과거분사 stolen으로 쓴다. 분사가 단독으로 명사를 수식할 때는 명사를 앞에서 수식한다.

⑵ '찍고 있는'은 능동의 의미이므로 현재분사 taking으로 쓴다. 수식어구를 동반하여 길어진 분사구(taking a picture)는 명사(The man)를 뒤에서 수식한다.

20 ⑴ 나를 보자, 그 개는 나를 향해 짖기 시작했다.

⑵ 알람 시계 소리를 듣지 못해서, 그는 늦잠을 잤다.

해설 ⑴ 때를 나타내는 부사절인 When he saw me를 분사구문으로 바꿔야 한다. 접속사 When과 공통되는 주어인 he를 생략하고, 동사는 현재분사의 형태인 Seeing으로 쓴다.

⑵ 이유를 나타내는 부사절인 Because he didn't hear the alarm clock을 분사구문으로 바꿔야 한다. 접속사 Because와 공통되는 주어인 he를 생략하고, 동사는 현재분사의 형태인 hearing으로 쓴다. 분사구문의 부정을 나타낼 때는 분사 앞에 not을 쓴다.

어휘 bark 짖다 sleep in 늦잠을 자다

21 해설 수식어구를 동반하여 길어진 분사구(painted in pink)는 명사(the bench)를 뒤에서 수식한다.

22 A: 너는 어떤 영화를 보고 싶니?

B: 나는 〈Ghost Hunters〉를 보고 싶어.

A: 음, 나는 공포 영화에는 관심이 없어.

B: 그러면 〈Space War Ⅲ〉는 어때?

A: 좋아. 나는 특수 효과가 굉장하다고 들었어.

B: 응, 하지만 나는 연기가 실망스럽다고 들었어. 어쨌든, 그 영화를 보고 알아보자.

해설 ⑤ 영화 속 연기가 '실망스러운' 감정을 일으키는 원인이므로, 현재분사 disappointing으로 고쳐야 한다.

어휘 horror movie 공포 영화 special effect 특수 효과 acting 연기

23 ⑴ 내 여동생은 내게 이야기 하나를 들려주었다. 그것은 충격적이었다.

⑵ 여기에 사진 몇 장이 있다. 그것들은 여행 중에 찍힌 것이다.

해설 ⑴ 두 문장을 한 문장으로 쓰면, '내 여동생은 내게 충격적인 이야기를 들려주었다.'라는 뜻이 된다. '충격적인'이라는 능동의 의미의 현재분사 shocking이 명사 story를 앞에서 수식하는 구조로 쓴다.

⑵ 두 문장을 한 문장으로 쓰면, '여기에 여행 중에 찍힌 사진 몇 장이 있다.'라는 뜻이 된다. '여행 중에 찍힌'이라는 수동의 의미의 과거분사구 taken during the trip이 명사구 some of the pictures를 뒤에서 수식하는 구조로 쓴다.

24 ⑴ 지금 당장 일어나지 않으면, 너는 늦을 거야.

⑵ 전화 통화를 하면서, 그녀는 버스에 탔다.

⑶ 직업상 중국어가 필요해서, 그는 매일 그것을 공부한다.

해설 분사구문을 「접속사＋주어＋동사~」 형태의 부사절로 바꾼다. ⑴에는 조건을 나타내는 접속사 if, ⑵에는 동시동작을 나타내는 접속사 while, ⑶에는 이유를 나타내는 접속사 because가 알맞다.

어휘 get on ~을 타다

Point 29	수동태의 개념과 형태
Point 30	수동태의 시제

문법 확인
pp. 120~121

Ⓐ
1 많은 아이들에 의해 읽혀진다
2 자원봉사자들에 의해 제공된다
3 주차되어 있다   4 구워진다
5 사용된다   6 배달된다
7 주어진다   8 잠긴다

Ⓑ
1 어느 유명한 예술가에 의해 그려졌다
2 수리될 것입니다
3 우리 아빠에 의해 청소되었다
4 완공될 것이다   5 지어졌다
6 배송될 것입니다   7 만들어졌다
8 답변될 것입니다

문법 기본
p. 122

Ⓐ
1 are used	2 will be delivered
3 were washed	4 was designed
5 resembled	6 was built
7 is broken	8 speak

Ⓑ
1 are caught	2 designed
3 rescued	4 is loved
5 disappeared	6 was released
7 will be closed	8 will be posted

문법 쓰기
pp. 123~124

Ⓐ
1 is fed	2 was made
3 will be played	4 are watered
5 were blocked (by them)	6 will be connected

Ⓑ
1 updates → is updated	2 was looked → looked
3 packing → packed	4 was → were
5 build → be built	6 spend → spent

Ⓒ
1 is paid every month   2 are grown by the farmers
3 was built   4 will be thrown
5 The guests were welcomed by the host of the party.
6 The medicine is needed by many patients.
7 The lesson was disturbed by a loud noise outside.
8 Their house will be repaired by several volunteers.

실전 연습
p. 125

1 ⑴ broke ⑵ was broken

해설 ⑴ 주어 Kevin은 동작의 주체이므로, 동사 형태를 능동태로 쓴다.
⑵ 주어 The window는 동작의 대상이므로, 동사 형태를 수동태로 쓴다.

2 The project will be completed by next month.
해설 주어 The project는 동작의 대상이고, 문장의 시제는 미래이므로, 동사 형태를 미래시제 수동태(will be+p.p.)로 쓴다.
어휘 complete 완료하다

Point 31	수동태의 부정문과 의문문
Point 32	조동사가 있는 수동태

문법 확인
pp. 126~127

Ⓐ
1 포함되지 않는다
2 잠겨 있니
3 만들어지지 않았다
4 옮겨졌니
5 반납되지 않았다
6 주차되었니
7 찍혀졌나요
8 결성되었니

Ⓑ
1 보호되어야 한다
2 들릴 수 있다
3 기억될 것이다
4 판매되어서는 안 된다
5 보여질 수 없다
6 옮겨져야 하나요
7 열릴 예정인가요
8 점검되어야 하나요

문법 기본
p. 128

Ⓐ
1 Were	2 be
3 be forgotten	4 not be used
5 be seen	6 wasn't invented
7 Was the office cleaned	8 was not delivered

Ⓑ
1 Is	2 was not
3 canceled	4 be protected
5 not be	6 moved
7 be recycled	8 be stored

문법 쓰기
pp. 129~130

Ⓐ
1 is not cleaned / Is, cleaned
2 was not damaged / Was, damaged
3 were not taken / Were, taken
4 cannot[can't] be done / Can, be done

Ⓑ 1 Did → Were   2 make → made
  3 cut → be cut   4 be not → not be
  5 threaten → threatened   6 is → be

Ⓒ 1 was not ordered
  2 Were the two robbers arrested
  3 should be treated
  4 must not be told
  5 The hit song was not produced by Rodney.
  6 Was the snow cleared from the pavement?
  7 You may be forgiven.
  8 Can this printer be fixed?

실전 연습   p. 131

1 (1) Was the house damaged by the hurricane
   (2) it was not damaged
   해설 (1) '~되었니?'라는 뜻의 과거시제 수동태의 의문문이므
        로, 「Was/Were+주어+p.p. ~ (by+행위자)?」의 형
        태로 쓴다.
       (2) '~되지 않았다'라는 뜻의 과거시제 수동태의 부정문
        이므로, 「주어+was/were+not+p.p. ~ (by+행위
        자)」의 형태로 쓴다.
   어휘 damage 파손시키다 hurricane 허리케인

2 Some foods must not be cooked in the microwave.
   해설 조동사가 있는 수동태의 부정문이므로, 「조동사+not+
        be p.p. ~ (by+행위자)」의 형태로 쓴다.
   어휘 microwave 전자레인지

Point 33	동사구의 수동태

Point 34	by 이외의 전치사를 쓰는 수동태

문법 확인   pp. 132~133

Ⓐ 1 지불되었다   2 연기되었다
  3 양육되었다   4 제출되었다
  5 존경 받는다   6 비웃음을 당했다
  7 돌보아졌다   8 처리되었다

Ⓑ 1 진흙으로 덮여 있었다
  2 책으로 가득 차 있었다
  3 그의 기술에 놀랐다
  4 포도로 만들어진다
  5 그의 태도에 실망했다
  6 파이로 유명하다
  7 많은 관광객들에게 알려져 있다
  8 세상에서 가장 빠른 동물로 알려져 있다

문법 기본   p. 134

Ⓐ 1 in   2 with
  3 for   4 at
  5 with   6 to
  7 from   8 at[with]
  9 with   10 as

Ⓑ 1 was brought up   2 was looked after
  3 in   4 was put off
  5 be dealt with   6 with
  7 was laughed at   8 with

문법 쓰기   pp. 135~136

Ⓐ 1 was covered with   2 was run over
  3 interested in   4 was handed in
  5 was filled with   6 were paid for

Ⓑ 1 was looked down on 2 for
  3 of by   4 at
  5 was put off   6 as

Ⓒ 1 was brought up by
  2 am satisfied with
  3 was looked up to by the villagers
  4 will be known to
  5 I was surprised at her reaction.
  6 The paper must be handed in by Friday.
  7 Julia is interested in learning new things.
  8 The problem was dealt with by an expert.

실전 연습   p. 137

1 The hamsters were taken care of by my sister.
   해설 '돌보아졌다'라는 수동의 의미이므로, 동사 형태를 수동
        태로 쓴다. 동사구 take care of는 한 단어처럼 묶어서
        수동태로 바꿔 쓴다.

2 (1) was disappointed with[at]
   (2) were filled with
   해설 (1) '~에 실망하다'라는 뜻의 be disappointed with[at]
        를 활용하여 쓴다.
       (2) '~으로 가득 차 있다'라는 뜻의 be filled with를 활
        용하여 쓴다.
   어휘 report card 성적표 grade 성적 tear 눈물

CHAPTER 07 내신 대비 실전 TEST   pp. 138~140

01 ④	02 ②	03 ⑤	04 ③	05 ③
06 ②	07 ①	08 ④	09 ④	

10 (1) used (2) spoken   11 is loved

12 will be used   **13** with   **14** for
15 were paid for   **16** was made fun of
17 was not invited   **18** be
19 The song was sung by Beyonce.
20 (1) The kitten was looked after by the girl.
    (2) The wedding was put off by his fiancee.
21 ②, (are) made
22 Bananas should not be kept
23 (1) Was the music room cleaned
    (2) It was not cleaned
    (3) Will it be cleaned
    (4) It will be cleaned
    (5) It is cleaned
24 (1) am interested in
    (2) will be known to
    (3) is filled with

01 그 거울은 David에 의해 깨졌다.
　해설　수동태는 「be동사+과거분사」의 형태이다. break의 과거분사는 broken이다.
　어휘　mirror 거울

02 그 문은 허락 없이 열면 안 된다.
　해설　조동사가 있는 수동태의 부정문은 「조동사+not+be+과거분사」의 형태로 쓴다.
　어휘　without ~없이 permission 허락

03　해설　동사구 take care of는 수동태로 바꿀 때 한 단어처럼 묶어서 쓴다.

04　• 큰 화재가 정글을 파괴했다.
　　• 그 영화는 한 유명한 영화감독에 의해 연출되었다.
　해설　첫 번째 문장의 주어 A big fire는 동작의 주체이므로, 동사 형태를 능동태로 써야 한다. 두 번째 문장의 주어 The movie는 동작의 대상이므로, 동사 형태를 수동태로 써야 한다.
　어휘　jungle 정글 director (영화·연극 등의) 감독

05 Susan은 이 드레스를 디자인하지 않았다.
　해설　수동태의 부정문은 「be동사+not+과거분사」의 형태로 쓴다.

06 아이들이 그 여자를 따라갔니?
　해설　수동태의 의문문은 「be동사+주어+과거분사~?」의 형태로 쓴다.
　어휘　follow 따라가다

07 ① Jake는 그 업무를 미룰 것이다.
　　　→ 그 업무는 Jake에 의해 미뤄질 것이다.
　　② Jack이 그 공을 던졌다.
　　　→ 그 공은 Jack에 의해 던져졌다.
　　③ 사람들은 교육에 많은 돈을 쓴다.

　　　→ 많은 돈이 교육에 쓰인다.
　　④ 박 선생님은 시험지를 거뒀다.
　　　→ 시험지가 박 선생님에 의해 거둬졌다.
　　⑤ 많은 사람들이 새로 조성된 공원을 방문할 것이다.
　　　→ 새로 조성된 공원이 많은 사람들에 의해 방문될 것이다.
　해설　① 동사구 put off는 하나의 동사처럼 함께 묶어서 수동태로 바꾸어야 한다. 이에 따라 문장을 The task will be put off by Jake.로 고쳐야 한다.
　어휘　throw 던지다 education 교육
　　　collect 거두다, 모으다

08 ① 그 집은 오늘 청소되어야 한다.
　　② Henry는 파티에 초대받지 못할 것이다.
　　③ 울타리는 다음 주에 수리될 것이다.
　　④ 화재 경보 시스템은 정기적으로 테스트되어야 한다.
　　⑤ 꽃은 나의 할머니에 의해 심겨질 것이다.
　해설　④ 조동사가 있는 수동태는 「조동사+be+과거분사」의 형태로 쓴다.
　어휘　fence 울타리 repair 수리하다 alarm 경보
　　　regularly 정기적으로 plant (나무·씨앗 등을) 심다

09 ① 교실은 학생들로 가득 차 있었다.
　　② Fred는 자신의 새로운 머리 모양에 만족한다.
　　③ 그 호수는 얼음과 눈으로 덮여 있었다.
　　④ 우리는 그 방의 크기에 놀랐다.
　　⑤ 나는 그 식당의 서비스에 실망했다.
　해설　④의 빈칸에는 at이, 나머지는 with가 들어가야 한다.
　어휘　lake 호수

10 A: 스페인어는 캐나다에서 사용되나요?
　　B: 아뇨, 그것은 거기에서 말해지지 않습니다.
　해설　(1) 수동태의 의문문은 「be동사+주어+과거분사~?」의 형태로 쓴다.
　　　(2) 수동태의 부정문은 「be동사+not+과거분사」의 형태로 쓴다.
　어휘　Spanish 스페인어

11 많은 사람들이 바닐라 아이스크림을 좋아한다.
　해설　수동태는 「be동사+과거분사」의 형태로 쓴다.

12 손님들이 이 방을 사용할 것이다.
　해설　미래시제의 수동태는 「will be+과거분사」의 형태로 쓴다.

13 공항은 팬들과 기자들로 가득 차 있었다.
　해설　be filled with ~으로 가득 차다
　어휘　reporter 기자

14 두리안은 그것의 강한 냄새로 유명하다.
　해설　be known for ~로 유명하다
　어휘　durian 두리안(열대 과일)

15　해설　동사구 pay for는 '~을 지불하다'라는 뜻이며, 수동태로 바꿀 때 한 단어처럼 묶어서 쓴다.

16　해설　동사구 make fun of는 '~을 놀리다'라는 뜻이며, 수동태로 바꿀 때 한 단어처럼 묶어서 쓴다.

17 A: 너는 어젯밤에 Jenny의 파티에 갔니?
B: 아니, 나는 그녀의 파티에 <u>초대받지 못했어</u>. 그래서 나는 못 갔어.

해설 B가 No라고 대답한 것으로 보아, 빈칸에는 '초대받지 못했어'라는 말이 들어가야 알맞다. 수동태의 부정문은 「be동사+not+과거분사」의 형태로 쓴다.

18 카펫을 세탁기로 빨면 안 된다.

해설 조동사가 쓰인 수동태의 부정문은 「조동사+not+be+과거분사」의 형태로 쓴다. 따라서 주어진 문장의 수동태는 Carpets should not be washed in the washing machine (by you).이며, 네 번째로 오는 단어는 be이다.

어휘 carpet 카펫 washing machine 세탁기

19 해설 과거시제 수동태는 「was/were+과거분사」의 형태로 쓴다. sing의 과거분사형은 sung이다.

20 ⑴ 그 소녀는 새끼 고양이를 돌봐주었다.
⑵ 그의 약혼녀가 결혼식을 미루었다.

해설 동사구는 수동태로 바꿀 때 한 단어처럼 묶어서 쓴다.

어휘 kitten 새끼 고양이 fiancee 약혼녀

21 많은 나무들이 베어져서 종이로 만들어진다. 그러고 나서, 종이는 인쇄소로 보내진다. 이야기가 종이 위에 인쇄되고, 그것들은 책으로 바뀐다.

해설 많은 나무들(A lot of trees)이 '종이로 만들어지는' 것이므로, ②의 동사 형태는 수동태로 써야 한다.

어휘 printing house 인쇄소 turn A into B A를 B로 바꾸다

22 바나나는 냉장고에 <u>보관되어서는 안 된다</u>. 그것은 냉장고 안에서 검게 변한다.

해설 그림과 대화의 흐름상 '보관되어서는 안 된다'라는 말이 알맞다. 조동사가 쓰인 수동태의 부정문은 「조동사+not+be+과거분사」의 형태로 쓴다.

어휘 turn (…한 상태로) 변하다

23 해설 ⑴ 과거시제 수동태의 의문문은 「was/were+주어+과거분사~?」의 형태로 쓴다.
⑵ 과거시제 수동태의 부정문은 「was/were+not+과거분사」의 형태로 쓴다.
⑶ 미래시제 수동태의 의문문은 「Will+주어+be+과거분사~?」의 형태로 쓴다.
⑷ 미래시제 수동태는 「will be+과거분사」의 형태로 쓴다.
⑸ 수동태는 「be동사+과거분사」의 형태로 쓴다.

24 해설 ⑴ be interested in: ~에 관심이 있다
⑵ be known to: ~에게 알려져 있다
⑶ be filled with: ~로 가득 차다

어휘 talent 재능 jar 병, 단지

CHAPTER 08 대명사

문법 확인 pp. 142~143

Ⓐ
1 하나   2 또 하나 더
3 나머지 전부   4 다른 방
5 나머지 한 명   6 다른 사람들

Ⓑ
1 모든   2 두   3 모든
4 모두   5 각각   6 모든
7 모든

문법 기본 p. 144

Ⓐ
1 one   2 them   3 All
4 Every   5 others   6 the others
7 others   8 the other

Ⓑ
1 has   2 another   3 are
4 has   5 Every   6 the students
7 Each

문법 쓰기 pp. 145~146

Ⓐ
1 was / were   2 needs / needs
3 have / has   4 get / gets

Ⓑ
1 one → ones   2 one → it
3 are → is   4 other → the other
5 Other → Others

Ⓒ
1 cheaper ones
2 the other is white
3 all (of) the butter melts
4 Hand me another (one), please.
5 But the others were late.
6 Both of us enjoy traveling.
7 Each page has a picture of an animal.
8 All (of) the hotels were clean and comfortable.

실전 연습 p. 147

1 another is blue[green], the other is green[blue]

해설 주어진 그림은 '책상 위에 세 가지 펜 중 하나는 빨간색, 또 다른 하나는 파란색(혹은 초록색), 나머지 하나는 초록색(혹은 파란색)인' 상황을 나타낸다. '(셋 중에서) 하나는 ~, 또 하나는 …, 나머지 하나는'은 「one ~, another …, the other −」로 표현한다.

2 Each of the rooms has a balcony.

해설 주어진 조건에 있는 of와 rooms를 사용하여 '각 방'은 Each of the rooms로 표현한다. each는 단수 취급하므로 단수 동사 has를 쓴다.

어휘 balcony 발코니

| Point 37 | 재귀대명사의 용법 |
| Point 38 | 재귀대명사의 관용적 표현 |

문법 확인 pp. 148~149

Ⓐ 1 자신을 2 직접
3 자체는 4 자기 자신을
5 그들 자신이 6 나 자신에게

Ⓑ 1 즐거운 시간을 보냈다 2 혼자 힘으로[혼자서]
3 본질적으로[자체는] 4 편안하게 지냈다
5 우리끼리 이야기지만 6 예의바르게 행동하기

문법 기본 p. 150

Ⓐ 1 재귀 용법 2 강조 용법
3 강조 용법 4 재귀 용법
5 재귀 용법 6 강조 용법
7 재귀 용법 8 강조 용법

Ⓑ 1 you 2 yourself 3 by
4 yourself 5 yourselves 6 ourselves
7 yourself

문법 쓰기 pp. 151~152

Ⓐ 1 Hamlet calls himself a coward
2 hurt himself during the game
3 were beside themselves with anger
4 Help yourself to the strawberries.

Ⓑ 1 us → ourselves 2 you → yourself
3 herself → ourselves 4 himself → itself
5 himself → yourself 6 it → itself

Ⓒ 1 wash himself
2 thinks about herself
3 blame themselves
4 make yourself at home
5 She walked home by herself.
6 You might cut yourself.
7 He felt sorry for himself.
8 Help yourself to the sandwiches and cake.

실전 연습 p. 153

1 introduced herself

해설 그림으로 보아 '그 교수는 첫 수업시간에 그녀 자신을 학생들에게 소개했다'라는 뜻의 문장으로 완성해야 한다. 주어와 목적어가 가리키는 대상이 같으므로 목적어로는 재귀대명사 herself를 써야 한다.

2 They enjoyed themselves at the party.

해설 즐거운 시간을 보내다'를 뜻하는 재귀대명사의 관용적 표현은 enjoy oneself이다. 주어가 they이므로 재귀대명사는 themselves를 써야 한다.

CHAPTER 08 내신 대비 실전 TEST pp. 154~156

01 ② 02 ④ 03 ④ 04 ② 05 ①, ⑤
06 ⑤ 07 ①, ④ 08 ② 09 ⑤ 10 ③
11 one 12 One, the other
13 One, another, the others
14 seats, were
15 enjoyed themselves
16 behave yourselves
17 you → yourself
18 me → myself
19 another
20 these
21 (1) Every child has the right to play.
 (2) Both of my grandparents are healthy.
22 look at herself
23 Help yourself to this cake.
24 the other is French
25 (1) others
 (2) the others

---

01 Kevin은 노트북이 없다. 그는 곧 하나를 살 것이다.

해설 빈칸에는 앞에 언급된 것과 같은 종류의 것을 나타내는 one이 알맞다.

어휘 laptop 휴대용[노트북] 컴퓨터

02 밤하늘을 쳐다보면, 우리는 많은 별을 볼 수 있다. 어떤 별들은 밝고, 다른 어떤 별들은 흐릿하다.

해설 '어떤 것[사람]들은 ~, 다른 어떤 것[사람]들은 …'의 뜻을 가진 표현은 「some ~ others …」이다.

어휘 bright 밝은 dim (빛이) 어둑한[흐릿한]

03 Jack과 나는 우리의 새 이웃에게 우리 자신들을 소개했다.

해설 I가 포함된 복수 주어는 we이며, 주어와 동사의 목적어가 동일한 대상을 가리키므로, 목적어는 재귀대명사 ourselves가 되어야 한다.

어휘 introduce 소개하다 neighbor 이웃

04 ① 나는 축구를 하다가 다쳤다.
② 우리가 직접 집을 페인트칠하자.

---

③ 너는 너 자신을 자랑스러워해야 한다.
④ 역사는 반복된다.
⑤ 그들은 자신들의 사진을 찍고 있다.
해설 ②의 재귀대명사는 강조 용법인 반면, 나머지는 모두 동사나 전치사의 목적어로 쓰인 재귀 용법이다.
어휘 be proud of ~을 자랑스러워하다 history 역사
repeat ~을 반복하다

05 ① Tom은 보통 자신의 머리를 스스로 자른다.
② 소크라테스는 "너 자신을 알라."라고 말했다.
③ 그녀는 그녀 자신이 덫에 걸린 것을 깨달았다.
④ 너 자신을 다른 사람과 비교하지 마라.
⑤ 그 마을 자체는 깨끗하고 조용했다.
해설 ①과 ⑤의 재귀대명사는 생략 가능한 강조용법으로 쓰였다. ②, ③, ④의 재귀대명사는 동사의 목적어로 쓰였으므로 생략할 수 없다.
어휘 trap 덫 compare A with B A와 B를 비교하다

06 • 우리끼리 비밀로 해야 해. 이것에 대해 아무에게도 이야기하지 마.
• Kelly는 공원에서 그녀의 개를 잃어버렸다. 그녀는 지금 걱정으로 제 정신이 아니다.
해설 between ourselves 우리끼리 이야기지만(이것은 비밀이지만) beside oneself 이성을 잃고

07 해설 Each는 '각각, 각각의 ~'를 뜻하며 「each of+복수 명사 +단수동사」 또는 「each+단수 명사+단수 동사」로 쓴다.
어휘 (하나의) 물품[품목]

08 그 남자는 숲 속의 오두막집에서 혼자 산다.
해설 by oneself는 '혼자서(= alone)'를 뜻한다.
어휘 cabin 오두막집 woods 숲

09 ① 나에게는 빨간색 모자 하나와 검정색 모자 두 개가 있다.
② 아빠가 내게 자전거를 사주셨는데, 나는 그것을 잃어버렸다.
③ 그는 전쟁에서 양쪽 다리를 잃었다.
④ 나의 두 이모 중 한 분은 결혼하셨고, 다른 한 분은 미혼이다.
⑤ 웨이터, 이 유리잔이 깨끗하지 않군요. 다른 것을 가져다주시겠어요?
해설 ⑤는 앞서 언급한 것과 같은 종류의 또 다른 것을 가리키는 대명사는 another를 써야 한다.
어휘 glass 유리잔

10 ⓐ 모든 사람은 죽는다.
ⓑ 그들 둘 다 늦었다.
ⓒ 모든 순간이 소중하다.
ⓓ 예술가들은 각자 사물을 다르게 바라본다.
ⓔ 너희들은 각자 서평을 써야 한다.
해설 ⓐ all 뒤에 셀 수 있는 명사가 나오면 복수 명사로 써야 한다. 따라서 man은 men으로 고쳐야 한다. 주어가 복수 주어이므로 동사도 복수 동사인 die로 써야 한다.
ⓒ every는 뒤에 단수 명사와 단수 동사가 이어진다. 따라서 are를 is로 고쳐야 한다.

어휘 precious 귀중한, 소중한 differently 다르게
book review (책의) 서평

11 나는 자가 필요해. 하나 있니?
해설 빈칸에는 앞서 언급한 것과 같은 종류의 사물을 가리키는 one이 알맞다.
어휘 ruler 자

12 Charlotte은 상점에서 가방을 두 개 샀다. 하나는 숄더백이었고, 다른 하나는 배낭이었다.
해설 두 사물이나 사람을 차례로 가리키는 표현은 「one ~ the other …(하나는 ~, 다른 하나는 …)」이다.
어휘 shoulder bag 숄더백, (끈을) 어깨에 메는 가방
backpack 배낭

13 나에게는 네 명의 삼촌이 있다. 한 분은 부산에 살고, 또 다른 한 분은 수원에 살고, 나머지 분들은 서울에 산다.
해설 셋 이상의 사람[사물]을 가리키는 경우 하나는 one, 또 다른 하나는 another, 나머지는 the other(s)로 지칭하는데, 삼촌이 네 명이라고 하였으므로 부산과 수원 외에 서울에 사는 삼촌은 두 명이므로 the others로 지칭한다.

14 해설 all 뒤에 셀 수 있는 명사가 오면 복수 명사의 형태로 쓴다. 주어가 all the seats로 복수이므로 동사도 복수 동사인 were로 쓴다.
어휘 seat 자리 empty 빈, 비어있는

15 해설 '즐거운 시간을 보내다'를 뜻하는 재귀대명사의 관용적 표현은 enjoy oneself이다. 주어 Jake and his friends가 3인칭 복수이므로 재귀대명사는 themselves를 써야 한다.
어휘 beach 해변

16 해설 '예의바르게 행동하다'를 뜻하는 재귀대명사의 관용적 표현은 behave oneself이다. 복수 대상에게 권유하고 있으므로 재귀대명사는 yourselves를 써야 한다.

17 그건 네 잘못이 아니야, Brain. 네 자신을 탓하지 마.
해설 명령문의 생략된 주어인 you와 동사의 목적어가 동일한 대상을 가리키므로, 목적어를 재귀대명사 yourself로 써야 한다.
어휘 fault 잘못 blame ~을 탓하다

18 나는 방금 칼에 베였다. 정말 아프다.
해설 주어와 동사의 목적어가 동일한 대상을 가리키므로, 목적어를 재귀대명사 myself로 써야한다.
어휘 hurt 아프다

19 커피를 한 잔 더 드시겠어요?
해설 앞서 언급한 것과 같은 종류의 또 다른 것을 가리키는 대명사는 another이다.

20 해설 both는 '둘 다'를 뜻하며 「both (of)+복수 명사+복수 동사」의 형태로 쓴다. 따라서 우리말에 맞는 문장은 Both of these books are best sellers.이며 세 번째 오는 단어는 these이다.

21 (1) 모든 어린이들은 놀 권리가 있다.

(2) 나의 할아버지는 건강하시다. 나의 할머니도 건강하시다.

→ 나의 조부모님은 두 분 다 건강하시다.

[해설] (1) all과 every는 둘 다 '모두'를 뜻한다. all은 뒤에 복수 명사가 오면 「all (of)+복수 명사+복수 동사」의 형태로 쓰는 반면, every는 항상 단수 취급하여 「every+단수 명사 + 단수 동사」의 형태로 쓴다.

(2) both는 항상 복수취급하며 「both (of)+복수 명사+복수 동사」의 형태로 쓴다.

[어휘] right 권리

22 Jennifer는 거울 속의 그녀 자신을 보는 것을 좋아한다.

[해설] 주어가 3인칭 단수이고 여자이므로 herself를 이용한다.

23 [해설] help oneself to ~을 마음껏 먹다

24 캐나다는 두 가지 공용어를 쓴다. 하나는 영어이고, 다른 하나는 프랑스어이다.

[해설] '(둘 중에서) 하나는 ~, 나머지 하나는 …'은 「one ~, the other …」로 표현한다.

[어휘] official language 공용어

25 (1) A학급에는 20명의 학생들이 있다. 일부는 독서를 좋아하고, 또 다른 일부는 영화 보는 것을 좋아한다.

(2) B학급에는 22명의 학생들이 있다. 일부는 독서를 좋아하고, 나머지 전부는 영화 보는 것을 좋아한다.

[해설] (1) 「some ~, others …」: '(많은 것 중에서) 일부는 ~, 또 다른 일부는 …'

(2) 「some ~, the others …」: '(많은 것 중에서) 일부는 ~, 나머지 전부는 …'

[어휘] draw 그리다

CHAPTER 09 비교 구문

Point 39	원급을 이용한 비교 구문
Point 40	비교급 · 최상급 만드는 법

문법 확인 p. 158

Ⓐ **1** 너만큼 높이 **2** 화성보다 두 배만큼
3 기차만큼 빨리 **4** 열 배만큼 붐볐다
5 쉽지 않았다 **6** 세 배만큼 많은 돈을
7 그가 할 수 있는 한 크게 **8** 두 배만큼 달다

문법 기본 p. 160

Ⓐ **1** closer, closest **2** worse, worst
3 thinner, thinnest **4** happier, happiest
5 louder, loudest **6** more, most
7 more popular, most popular
8 busier, busiest
9 more creative, most creative
10 less, least **11** warmer, warmest
12 luckier, luckiest **13** cleaner, cleanest
14 better, best
15 more useful, most useful
16 deeper, deepest **17** fatter, fattest
18 more dangerous, most dangerous
19 longer, longest
20 more amazing, most amazing

Ⓑ **1** hottest **2** funniest **3** hard
4 biking **5** not as **6** twice
7 times **8** well

문법 쓰기 pp. 161~162

Ⓐ **1** come as soon as possible
2 is as difficult as geography
3 three times as large as
4 not as windy as yesterday

Ⓑ **1** badder → worse
2 littler → less
3 softer → soft
4 importantest → most important
5 more calories → many calories
6 so → as

Ⓒ **1** as cold as last winter
2 the happiest day
3 walk a little faster
4 best restaurant

5 be more expensive

6 We want a bigger apartment.

7 My brother's allowance is twice as much as mine[my allowance].

8 Silver is not as heavy as gold.

실전 연습   p. 163

1 Julie is as old as Jessica.

> **해설** Julie와 Jessica는 둘 다 15세로 나이가 동등한 상황이다. 두 대상이 동등함을 나타낼 때는 '~만큼 …한[하게]'를 뜻하는 「as+형용사[부사]의 원급+as」를 쓴다. 주어진 상황은 나이가 동등한 상황이므로 형용사는 old를 쓴다.

2 You will get better grades.

> **해설** 〈주어+동사〉에 해당하는 You will get~으로 시작하는 문장을 쓴다. 목적어인 '더 좋은 성적'은 형용사가 명사를 수식하는 형태로 쓴다. 이 때 '더 좋은'은 형용사 good의 비교급인 better로 쓴다.

Point 41	비교급을 이용한 비교 구문

Point 42	최상급을 이용한 비교 구문

문법 확인   pp. 164~165

Ⓐ **1** 내 방[것]보다 깨끗하다

    2 덜 쓸수록, 더 저축한다

    3 점점 더 높아지고 있다

    4 배드민턴을 잘 친다

    5 점점 더 살쪘다

    6 돈보다 더 중요하다

    7 더 운동할수록, 더 건강해진다

Ⓑ **1** 가장 높은 산

    2 가장 중요한

    3 가장 좋아한다

    4 세계에서 가장 유명한 그림 중 하나

    5 가장 가까운 행성

    6 가장 오래된 건물들 중 하나

    7 가장 인기 있는 음식 중 하나

문법 기본   p. 166

Ⓐ **1** the cheapest   **2** more books

    3 older   **4** of

    5 more and more   **6** the most beautiful

    7 less   **8** bigger and bigger

Ⓑ **1** is   **2** the fastest

    3 of   **4** harder and harder

    5 people   **6** and

문법 쓰기   pp. 167~168

Ⓐ **1** is healthier than running

    2 More friends you have

    3 got richer and richer

    4 one of the most famous

Ⓑ **1** interesting → more interesting

    2 more → the most

    3 are → is

    4 bad and bad → worse and worse

    5 men → man

    6 best → better

Ⓒ **1** is heavier than the others

    2 one of the worst mistakes

    3 the oldest, the youngest

    4 more and more interesting

    5 more people we meet, the more things we learn

    6 This test was more difficult than the last one.

    7 Jupiter is the biggest planet in our solar system.

    8 Chris was one of the best dancers in the competition.

실전 연습   p. 169

1 Sam is younger than Jack.

> **해설** not as young as는 '~만큼 나이 들지 않다'라는 뜻이므로 'Sam이 Jack만큼 나이 들지 않은' 즉 'Sam이 Jack보다 어린' 상황임을 알 수 있다. 'Sam이 Jack보다 어리다'라는 뜻의 문장을 「비교급+than」의 형태로 나타낸다. '어린'을 뜻하는 형용사는 young이며 비교급은 younger이다.

2 one of the most popular sports in Ireland

> **해설** '가장 ~한 것들 중의 하나'는 「one of the+최상급+복수 명사」의 형태로 주어진 어구를 나열하여 쓴다. 이때 sport는 복수명사가 되어야 하므로 sports로 바꿔 쓴다.

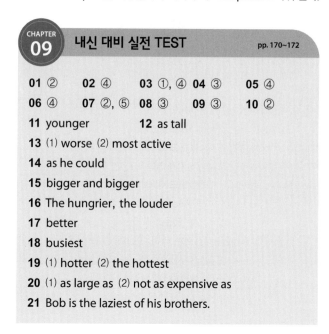

CHAPTER 09   내신 대비 실전 TEST   pp. 170~172

01 ②   **02** ④   **03** ①, ④   **04** ③   **05** ④

06 ④   **07** ②, ⑤   **08** ③   **09** ③   **10** ②

11 younger   **12** as tall

13 (1) worse (2) most active

14 as he could

15 bigger and bigger

16 The hungrier, the louder

17 better

18 busiest

19 (1) hotter (2) the hottest

20 (1) as large as (2) not as expensive as

21 Bob is the laziest of his brothers.

22 The higher you fly, the more things you will see.

23 The green cap is three times as expensive as the blue cap.

24 The crocodile is one of the most dangerous animals in the world.

---

01 나는 너만큼 노래를 잘 할 수 있어.
> 해설 동등 비교의 표현은 「as＋형용사[부사]의 원급＋as」의 형태로 쓰므로, 빈칸에는 원급이 들어가야 한다. 부사가 동사를 수식하므로 빈칸에는 부사의 원급인 well이 알맞다.

02 Carl은 우리반에서 가장 시끄러운 소년이다.
> 해설 「the＋최상급＋in＋장소[범위]」: ~에서 가장 …한[하게]
> 어휘 noisy 시끄러운

03 나의 차는 그의 차만큼 크지 않다.
> = ① 그의 차가 나의 차보다 더 크다.
> = ④ 나의 차는 그의 차보다 더 작다.
> ② 나의 차는 그의 차보다 더 크다.
> ③ 그의 차는 나의 차보다 더 작다.
> ⑤ 그의 차는 나의 차만큼 크지 않다.
> 해설 동등 비교의 부정을 나타낼 때는 「not as＋형용사[부사]의 원급＋as」의 형태로 쓰며, 「비교급＋than」의 형태로 바꿔 표현할 수 있다.

04 해설 ③의 sad는 「단모음＋단자음」으로 끝나는 단어로 마지막 자음을 한 번 더 쓰고 –er/-est를 붙여서 비교급과 최상급을 만든다. (sader → sadder, sadest → saddest)

05 콜로세움은 로마에서 방문해야 할 가장 유명한 장소들 중 하나이다.
> 해설 「one of the＋최상급」 다음에는 복수 명사가 이어져야 한다. (④ place → places)
> 어휘 Rome 로마

06 · Jack은 내 친구들 모두 중에서 가장 재미있는 소년이다.
> · 누가 너희 가족 중 가장 어리니?
> 해설 최상급 표현에서 of 뒤에는 비교 대상이 되는 명사가 온다. in 뒤에는 장소나 범위를 나타내는 명사가 온다.

07 ① Judy는 Alice보다 나이가 들었다.
> ② Judy는 Alice만큼 나이가 들었다.
> ③ Judy는 Alice만큼 키가 크다.
> ④ Judy는 Alice보다 더 키가 크다.
> ⑤ Alice는 Judy만큼 키가 크지 않다.
> 해설 표에서 Judy와 Alice는 나이가 같고, Alice의 키가 더 크다. 여기에 맞는 것은 ②와 ⑤이다.
> ② Judy와 Alice는 나이가 같다. 동등 비교의 표현은 「as＋형용사[부사]의 원급＋as」의 형태로 쓴다.
> ⑤ Alice는 Judy만큼 키가 크지 않다.
> 「not as[so]＋형용사[부사]의 원급＋as」: ~만큼 …하지 않은[않게]

08 해설 ~배 만큼 …하다'의 의미를 나타낼 때는 「배수사＋as＋원급＋as」의 형태로 쓴다.
> 어휘 muscle 근육 fat 지방

09 ① 그는 가장 강한 남자이다.
> ② Kevin이 우리 반에서 가장 마른 소년이다.
> ③ 어느 것이 가장 예쁜 드레스이니?
> ④ 모든 사막 중에서 사하라 사막이 가장 뜨겁다.
> ⑤ 축구는 세상에서 가장 인기 있는 스포츠이다.
> 해설 ① 1음절의 형용사이므로 -est를 붙여서 최상급을 만든다. (the most strong → the strongest)
> ②, ④ 「단모음＋단자음」으로 끝나는 단어는 마지막 자음을 한 번 더 쓰고 –est를 붙여서 최상급을 만든다. (thiniest → thinnest, hotest → hottest)
> ⑤ 최상급 앞에는 the를 써야 한다. (most popular → the most popular)
> 어휘 desert 사막

10 ⓐ 그녀는 장미만큼 아름답다.
> ⓑ 야구는 축구만큼 인기 있다.
> ⓒ Nancy는 그녀의 언니만큼 열심히 공부한다.
> ⓓ 그의 시계는 내 것만큼 비싸지 않다.
> ⓔ 그 영화는 책만큼 흥미롭지 않다.
> 해설 ⓑ 동등 비교의 표현은 「as＋형용사[부사]의 원급＋as」의 형태로 쓰므로, so를 as로 고쳐야 한다.
> ⓒ 동등 비교의 표현은 「as＋형용사[부사]의 원급＋as」의 형태로 쓰므로, 비교급 harder를 원급 hard로 고쳐야 한다.
> ⓓ 동등 비교의 부정의 형태는 「not as[so]＋원급＋as」이므로 as not expensive as를 not as expensive as로 고쳐야 한다.

11 Julie는 Susan보다 나이가 어리다.
> 해설 표에서 Julie가 Susan보다 나이가 어리므로 young의 비교급 younger를 쓴다.

12 Julie는 Susan과 키가 같다.
> 해설 표에서 Julie는 Susan과 키가 같으므로 동등비교를 하는 「as＋형용사[부사]의 원급＋as」의 형태로 쓴다. 키를 비교하므로 형용사 tall을 쓴다.

13 해설 ⑴ 〈원급 : 비교급〉의 관계이므로 bad의 비교급인 worse를 써야 한다.
> ⑵ 〈원급 : 최상급〉의 관계이므로 active의 최상급인 most active를 써야 한다. -ive로 끝나는 단어는 앞에 most를 붙여 최상급을 만든다.

14 그는 그가 할 수 있는 한 높이 (손을) 뻗었다.
> 해설 「as＋원급＋as possible」은 '가능한 한 ~한[하게]'의 의미로 「as＋원급＋as＋주어＋can[could]」와 바꿔 쓸 수 있다.
> 어휘 reach (손 팔을 ~쪽으로) 뻗는다[내밀다]

15 비눗방울이 점점 더 커지더니 펑하고 터졌다.

해설 「비교급＋and＋비교급」: '점점 더 ～한[하게]'
어휘 bubble 거품, 비눗방울 pop 펑[빵] 하고 터지다

16 해설 '더 ～할수록, 더 …하다'를 뜻하는 「the＋비교급＋주어＋동사, the＋비교급＋주어＋동사」의 형태로 쓴다.

17 해설 비교급 구문이므로 「비교급＋than」의 형태로 써야 한다. good의 비교급은 better이다.
어휘 suggestion 제안

18 해설 '가장 ～한 것들 중의 하나'는 「one of the＋최상급＋복수 명사」의 어순으로 쓴다. 따라서 우리말에 맞는 문장은 Seoul is one of the busiest cities in the world.이며 여섯 번째 오는 단어는 busiest이다.

19 (1) 서울이 춘천보다 더 덥다.
(2) 대구는 세 도시 중에서 가장 덥다.
해설 (1) '～보다 더 …한[하게]'는 「형용사[부사]의 비교급 ＋ than」으로 쓴다.
(2) '～중에서 가장 …한[하게]'는 「the＋형용사[부사]의 최상급」으로 쓴다.

20 (1) 빨간 운동화는 검정 운동화만큼 크다.
(2) 빨간 운동화는 검정 운동화만큼 비싸지 않다.
해설 (1) 동등 비교의 표현은 「as＋형용사[부사]의 원급＋as」의 형태로 쓴다. 크기를 비교하므로 형용사는 large를 쓴다.
(2) '～만큼 …하지 않은'의 의미의 동등 비교의 부정은 「not as[so]＋원급＋as」의 형태로 쓴다. 가격을 비교하므로 형용사는 expensive를 쓴다.

21 해설 최상급의 표현은 「the＋최상급」의 형태로 하고, 뒤에는 「of＋복수명사」로 비교집단을 나타내는 표현을 쓴다. lazy는 〈자음+-y〉로 끝나는 단어이므로 y를 i로 고치고 -est를 붙여 최상급을 만든다.
어휘 lazy 게으른

22 네가 더 높이 날수록, 너는 더 많은 것을 보게 될 것이다.
해설 '더 ～할수록, 더 …하다'를 뜻하는 「the＋비교급＋주어＋동사, the＋비교급＋주어＋동사」를 이용하여 바꿔 쓴다.

23 파란색 모자는 5,000원이다. 초록색 모자는 15,000원이다.
→ 초록색 모자는 파란색 모자보다 세 배만큼 비싸다.
해설 '～보다 몇 배만큼 …한[하게]'은 「배수사＋as＋원급＋as」로 쓴다. 세 배는 three times이다.

24 해설 '가장 ～한 것 중의 하나'는 「one of the＋최상급＋복수 명사」의 형태로 쓴다.
어휘 crocodile 악어 dangerous 위험한

CHAPTER 10 관계사

| Point 43 | 주격 관계대명사 |
| Point 44 | 목적격ㆍ소유격 관계대명사 |

문법 확인   pp. 174~175

Ⓐ 1 많은 차를 가지고 있는
2 벽에 있는
3 나를 따뜻하게 유지시켜줄
4 진료를 받는
5 밖으로 나오고 있는
6 문을 연
7 초밥이 나오는
8 동물원에서 사는

Ⓑ 1 내가 만난
2 상을 받은
3 내가 네게 빌려준
4 내가 복권에 당첨되는
5 내가 네게 말했던
6 내가 가르쳤던
7 목이 매우 긴
8 표지가 금색인

문법 기본   p. 176

Ⓐ 1 which, that   2 who
3 sleeps   4 to whom
5 are   6 whose
7 talking about

Ⓑ 1 do   2 which
3 who   4 I borrowed
5 lives   6 whose
7 whom

문법 쓰기   pp. 177~178

Ⓐ 1 I know the woman who[that] lives upstairs.
2 Have you found the book which[that] you lost last week?
3 Do you know the girl who[whom/that] Tim is talking to? [Do you know the girl to whom Tim is talking?]
4 A carpenter is a person whose job is making things out of wood.

Ⓑ 1 whom → which[that]   2 who → which[that]
3 which → who[that]   4 are → is
5 whose → which[that]   6 which → whose

Ⓒ **1** who[that] can take care of my dog
2 which[that] you wore yesterday
3 whose glasses got broken
4 The people who(m)[that] I work with
5 A fox is a wild animal which[that] looks like a dog.
6 Jenny is the girl who[whom/that] I met at the party.
7 An orphan is a child whose parents are dead.
8 Spiders are the creatures which[that] Ron is afraid of.
[Spiders are the creatures of which Ron is afraid.]

실전 연습 p. 179

1 This is the book which[that] is about green energy.
> 해설 첫 번째 문장의 the book과 두 번째 문장의 It은 같은 대상을 가리킨다. 첫 번째 문장의 the book을 선행사로 하고, 두 번째 문장의 It은 선행사가 사물일 때의 주격 관계대명사 which[that]로 바꾸어 써서 두 문장을 연결한다.

2 read an article whose title was interesting
> 해설 소유격 관계대명사 whose가 이끄는 절 whose title was interesting이 선행사 an article을 뒤에서 수식하는 구조로 쓴다.

Point 45	관계대명사의 생략과 용법

Point 46	관계대명사 what

문법 확인 pp. 180~181

Ⓐ **1** 우리 엄마가 만든
2 문에 서 있는
3 내가 언제든지 전화할 수 있는
4 1905년에 쓰인
5 내가 기댈 수 있는
6 그것은 많은 기능을 갖고 있다
7 우리 선생님인데
8 그것이 그녀를 걱정하게 만들었다

Ⓑ **1** 그가 내게 말해준 것은
2 내가 주문한 것이
3 네가 어젯밤에 한 것을
4 깨진 것은
5 네가 가진 것에
6 내가 너에 관해 좋아하는 것은
7 중요한 것은 너의 내면에 있는 것
8 네가 오늘 할 수 있는 것을

문법 기본 p. 182

Ⓐ **1** in which   **2** who is
3 who   **4** which
5 that   **6** what
7 what   **8** What

Ⓑ **1** I can write on   **2** what
3 that   **4** which are
5 that   **6** What
7 which

문법 쓰기 pp. 183~184

Ⓐ **1** made by my father
2 What makes you beautiful
3 the book I borrowed from you
4 which she is enjoying

Ⓑ **1** are → is   **2** that → what
3 in → in which
4 What I need it now → What I need now
5 that → which   **6** that → who

Ⓒ **1** some cookies which[that] I baked
2 what I am asking you
3 a pen which[that] I can write with
4 watch what you eat
5 Look at the people who[that] are standing over there.
6 What I need is a vacation.
7 She wrote a novel, which became a best-seller.
8 The dog barked loudly, which made Joe annoyed.

실전 연습 p. 185

1 which live in the Arctic
> 해설 선행사는 The polar bears이고, '북극 지방에 사는데'는 선행사에 대한 부가 설명이다. 관계대명사절이 선행사에 대해 부가 설명을 할 때는 「,(콤마)+관계대명사~」의 형태로 쓴다. 선행사가 the polar bears로 동물이므로 관계대명사는 which를 쓴다.

2 I would like to taste what you cook.
> 해설 '네가 만드는 것'은 선행사를 포함한 관계대명사 what을 이용해서 쓴다.

Point 47	관계부사 (1)

Point 48	관계부사 (2)

문법 확인 pp. 186~187

Ⓐ **1** 내가 가장 좋아하는   **2** 그 시인이 살았던
3 올림픽이 열린   **4** 내가 양말을 보관하는
5 내가 내 가게를 열었던   **6** 내가 그녀를 만난
7 우리가 팩스를 보낸   **8** 그가 일하는

Ⓑ **1** 하늘이 파란 이유를
2 기계가 작동하는 방식을
3 그들이 캐나다로 이주한 이유를
4 벌들이 의사소통하는 방법
5 네가 너 자신에 대해 생각하는 방식을

Ⓐ **1** where **2** when
3 why **4** how
5 where, on which **6** when, on which
7 why, for which **8** How, The way

Ⓑ **1** when **2** why
3 when **4** the way
5 why **6** where
7 where **8** in which

Ⓐ **1** Henry told me the way he won the game. [Henry told me how he won the game.]
2 The picture was taken in the park where I used to play.
3 Tell me the reason why you came home late.
4 Katie remembers the day when she graduated from high school.

Ⓑ **1** when → why[for which]
2 the way how → the way[how] 또는 the way in which
3 how → where[at which]
4 where → when[on which]
5 for which → in which[when]
6 at which → for which[why]

Ⓒ **1** the month when spring begins
2 the reason why I should apologize
3 how I cope with stress
4 a place where people buy medicine
5 The Internet is changing how we shop.
6 I often visit the office where my dad works.
7 She didn't tell me the reason why she missed the plane.
8 Now is the time when we must act.

1 9 a.m. is the time when the bank opens.
해설 첫 번째 문장의 the time을 선행사로 하고, 두 번째 문장의 공통된 부분인 at that time을 삭제한 후, 선행사가 시간일 때의 관계부사 when을 이용하여 선행사를 수식하는 절을 뒤에 연결한다.

2 This is how he made a lot of money.
해설 '그가 많은 돈을 번 방식'은 방법을 나타내는 관계부사 how가 이끄는 절로 쓴다.

---

01 ①, ② **02** ③ **03** ②, ③, ⑤ **04** ③
05 ④ **06** ② **07** ④ **08** ⑤ **09** ①, ③
10 ③, ④ **11** which **12** whose **13** who
14 contain → contains **15** that → who
16 which was **17** in which **18** what
19 your
20 A microwave is a machine which[that] heats food.
21 (1) who can speak Spanish
(2) which made us annoyed
22 (1) Let me tell you how I deal with such problems.
(2) There must be a reason why she is avoiding you.
23 (1) December 22 is the day when the Winter English Camp will start.
(2) Seoul English Village is the place where the camp will be held.

01 Anderson 씨는 곡식을 기르는 농부이다.
해설 선행사가 사람일 때 주격 관계대명사는 who나 that을 쓴다.
어휘 farmer 농부　grow 기르다, 재배하다　corn 곡식

02 너는 우리가 어제 공항에서 만난 남자의 이름을 기억하니?
해설 선행사 the man 뒤에 목적격 관계대명사 that이 생략되었다.
어휘 airport 공항

03 ① 펭귄은 수영할 수 있는 새이다.
② 그것은 내가 이제까지 본 것 중 최악의 영화였다.
③ 너는 Tom이 이야기하고 있는 저 남자를 아니?
④ Jake는 나와 일전에 싸운 소년이다.
⑤ 이곳으로 걸어오고 있는 소녀는 나의 가장 친한 친구이다.
해설 ①은 주격 관계대명사로 생략할 수 없다.
②는 동사의 목적어로 쓰인 목적격 관계대명사로 생략할 수 있다.
③은 전치사의 목적어로 쓰인 목적격 관계대명사로 생략할 수 있다.
④ 전치사가 관계대명사 앞에 오면 목적격 관계대명사를 생략할 수 없다.
⑤는 「주격 관계대명사＋be동사」로 생략할 수 있다.
어휘 the other day 일전에, 지난번에

04 ① 누가 식탁 위에 있던 케이크를 먹었지?
② 나는 암을 고칠 수 있는 의사가 되고 싶다.
③ 나는 그가 내게 진실을 말해주지 않았다는 것을 몰랐다.
④ 그는 자신의 생일 선물이었던 가방을 잃어버렸다.
⑤ 나는 번지점프를 즐기는 몇몇 사람들을 안다.
해설 ③의 that은 동사 know의 목적어로 쓰인 명사절을 이끄는 접속사이다. 나머지 that은 선행사를 수식하는 주

격 관계대명사이다.

> **어휘** cure 치료하다 cancer 암 truth 진실
> bungee jumping 번지점프

05 ① 너는 네가 한 것에 대한 대가를 치를 것이다.
② Lucia는 그가 하고 있던 것을 마음에 들어 하지 않았다.
③ 나를 미치게 만드는 것은 그의 게으름이다.
④ 나는 그녀의 전화번호가 무엇인지 모른다.
⑤ 내가 보는 것은 네가 보는 것과 다르다.

> **해설** what의 쓰임이 관계대명사인지 아니면 의문사인지를 구별하는 문제이다. ④의 what은 의문사로 '무엇'을 뜻하고, 나머지는 모두 관계대명사로 '~하는 것'을 뜻한다.

> **어휘** drive 만들다[몰아가다] laziness 게으름
> different 다른

06 • 나는 생일 선물로 받은 것이 마음에 든다.
• 일어났던 모든 일은 내 잘못이었다.

> **해설** 첫 번째 문장에는 선행사가 없으므로, 선행사를 포함하는 관계대명사인 what이 빈칸에 알맞다. 두 번째 문장에는 Everything이 선행사이므로, 빈칸에는 주격 관계대명사 that이 알맞다.

> **어휘** happen 일어나다 fault 잘못

07 • 너는 우리가 캠핑을 갔던 주말을 기억하니?
• 그들은 보물이 묻힌 섬을 향해 항해했다.

> **해설** 첫 번째 문장은 선행사 the weekend가 시간을 나타내므로, 빈칸에는 관계부사 when이 들어가야 한다. 두 번째 문장은 선행사 the island가 장소를 나타내므로, 빈칸에는 관계부사 where가 들어가야 한다.

> **어휘** sail 항해하다 island 섬 treasure 보물
> bury 묻다[매장하다]

08 • 나는 3개 국어를 하는 사람을 알고 있다.
• 손잡이가 망가진 우산은 John의 것이다.
• 내가 지난주에 산 책은 읽기 쉽다.

> **해설** 첫 번째 빈칸에는 선행사가 사람일 때 쓰이는 주격 관계대명사인 who 또는 that이 알맞다. 두 번째 문장은 선행사(The umbrella) 뒤에 관사나 소유격이 없는 명사가 바로 이어지는 것으로 보아, 빈칸에는 소유격 관계대명사 whose가 알맞다. 세 번째 빈칸에는 선행사가 사물일 때 쓰이는 목적격 관계대명사인 which 또는 that이 알맞다.

> **어휘** language 언어 handle 손잡이
> belong to ~의 것[소유]이다

09 A: 이것이 네가 퍼즐을 푼 방식이니?
B: 응. 그것이 내가 퍼즐을 푼 방식이야.

> **해설** A의 말에서 the way는 방법을 나타내므로, B의 빈칸에는 관계부사 how 또는 the way가 알맞다. 방법을 나타내는 관계부사 how와 선행사 the way는 같이 쓰지 않으므로, ⑤는 알맞지 않다.

10 ① Green 선생님은 우리가 존경하는 선생님이다.
② 그는 자신의 아버지가 지어준 집을 매우 좋아한다.

③ 그녀는 언니가 자신에게 준 인형을 좋아한다.
④ Jennifer는 밝게 빛나는 다이아몬드 반지를 갖고 있다.
⑤ 그 헤어드라이어는 중고인데, 정말로 잘 작동된다.

> **해설** ③ 목적격 관계대명사 that이 관계대명사절 내에서 목적어를 대신하고 있으므로, 동사 gave의 목적어 it을 써서는 안 된다.
> ④ 선행사인 a diamond ring은 단수이므로, 관계대명사절의 동사도 단수형인 shines를 써야 한다.

> **어휘** respect 존경하다 build 짓다 shine 빛나다
> brightly 밝게 secondhand 중고의

11 나는 내 남동생이 망가뜨린 자전거를 고치려고 노력했다.

> **해설** 선행사가 사물일 때 쓰는 목적격 관계대명사 which가 알맞다.

12 나는 털이 하얀 고양이를 원한다.

> **해설** 소유격 관계대명사 whose가 알맞다.

> **어휘** fur 털, 모피

13 Eric은 빨간 머리카락을 가진 키가 큰 소년이다.

> **해설** 선행사가 사람일 때 쓰는 주격 관계대명사 who가 알맞다.

14 레몬은 비타민 C를 많이 함유한 과일이다.

> **해설** 선행사인 a fruit가 단수이므로, 관계대명사절의 동사도 단수형인 contains로 고쳐야 한다.

> **어휘** contain 함유[포함]하다 vitamin 비타민

15 나의 이모는 영어 교사인데, 지금 휴가 중이다.

> **해설** 관계대명사 that은 계속적 용법으로 쓸 수 없다. 선행사가 My aunt로 사람이므로, 관계대명사 that을 who로 고쳐야 한다.

> **어휘** be on vacation 휴가 중이다

16 그는 밖에 주차된 차의 사진을 찍었다.

> **해설** 「주격 관계대명사＋be동사」는 생략할 수 있다.

> **어휘** park 주차하다

17 나는 나의 할아버지가 태어난 마을을 방문했다.

> **해설** 관계부사 where는 「전치사＋관계대명사」로 바꿔 쓸 수 있다. be born in은 '~에서 태어나다'라는 뜻이므로, 관계부사 where를 in which로 바꿔 쓴다.

18 이것이 내가 너에게 주고 싶었던 것이다.

> **해설** the thing that을 선행사를 포함하는 관계대명사인 what으로 바꿔 쓴다.

19 > **해설** 먼저 〈주어＋동사〉인 This is를 쓴다. 그 뒤에 보어인 '당신의 뇌가 작동하는 방식'을 방법을 나타내는 관계부사 how가 이끄는 절인 how your brain works로 쓴다. 따라서 전체 문장은 This is how your brain works.이며 네 번째로 오는 단어는 your이다.

> **어휘** work 작동하다 brain 뇌

20 〈보기〉
A: 시인은 누구인가?
B: 시인은 시를 쓰는 사람이다.

A: 전자레인지는 무엇인가?

B: 전자레인지는 음식을 데우는 기계이다.

해설 주격 관계대명사를 이용하여 선행사를 설명하는 문장을 쓴다. 사물인 a machine을 선행사로 하는 주격 관계대명사 which[that]를 사용한다.

어휘 microwave 전자레인지 machine 기계 heat 데우다

21 **해설** (1) 빈칸에는 선행사 Tony에 대한 부가 설명인 '스페인어를 할 수 있어서'가 들어가야 한다. 이는 선행사에 대한 부가 설명에 해당되므로, 계속적 용법의 관계대명사를 이용하여 쓴다. 선행사 Tony는 사람이므로 계속적 용법의 관계대명사는 who를 쓴다.

(2) 앞에 나온 절의 내용 전체를 선행사로 삼는 경우이므로, 계속적 용법의 관계대명사 which를 이용하여 쓴다.

어휘 Spanish 스페인어 annoyed 짜증이 난 flight 항공편 delay 지연시키다, 미루다

22 (1) 너에게 방법을 말해줄게. 나는 그런 문제를 그 방법으로 처리해.

→ 내가 그런 문제를 처리하는 방법을 너에게 말해줄게.

(2) 이유가 있을 것이다. 그녀는 너를 그 이유로 피하고 있다.

→ 그녀가 너를 피하고 있는 이유가 있을 것이다.

해설 (1) 선행사가 방법(the way)을 나타낼 때는 관계부사 how를 사용한다. 관계부사 how와 선행사 the way는 둘 중 하나만 써야 하는데, 관계부사를 사용하라는 조건이 있으므로 관계부사 how만 쓴다.

(2) 선행사가 이유(a reason)를 나타낼 때는 관계부사 why를 사용한다.

어휘 deal with ~을 처리하다 such 그런, 그러한 avoid 피하다

23

> **겨울 영어 캠프**
> 재미있게 놀면서 영어 실력도 늘려요!
>
> 시간: 12월 22일~27일
> 장소: 서울 영어 마을

해설 (1) 선행사 the day가 때를 나타내므로, 관계부사 when을 사용한다. 관계부사 when이 이끄는 절이 선행사 the day를 뒤에서 수식하는 구조로 쓴다.

(2) 선행사 the place가 장소를 나타내므로, 관계부사 where를 사용한다. 관계부사 where가 이끄는 절이 선행사 the place를 뒤에서 수식하는 구조로 쓴다.

어휘 improve 늘리다, 향상시키다 be held 열리다

CHAPTER 11 접속사

Point 49	부사절 접속사 (1)

Point 50	부사절 접속사 (2)

문법 확인 pp. 196~197

Ⓐ 1 축구를 하는 동안

2 1997년도에 은퇴할 때까지

3 은행 밖으로 나올 때

4 새로운 일을 시작한 이후로

5 그 소식을 듣자마자

Ⓑ 1 만약 우리가 지금 출발하면

2 만약 당신에 의해 위협을 느끼지 않으면

3 그 책은 너무 흥미로워서

4 그녀는 매우 아팠지만

5 나의 세 살짜리 여동생은 너무 똑똑해서

문법 기본 p. 198

Ⓐ
1 is	2 since	3 if
4 Unless	5 when	6 while
7 because	8 although	

Ⓑ
1 stops	2 since	3 If
4 Unless	5 because of	6 although

문법 쓰기 pp. 199~200

Ⓐ 1 Because I'm allergic to shrimp, I don't eat it. 또는 I don't eat shrimp because I'm allergic to it.

2 Tony was so happy that he smiled all day long.

3 Although I followed the recipe, the stew didn't taste good. 또는 The stew didn't taste good although I followed the recipe.

4 Since he missed the bus, he decided to walk home. 또는 He decided to walk home since he missed the bus.

Ⓑ 1 when → since

2 very → so

3 because of → because

4 Unless → If 또는 don't work → work

5 because → because of

6 will join → joins

Ⓒ 1 since I was born

2 Unless he apologizes to me

3 so loud that I couldn't sleep

4 until your dream comes true

5 Because the alarm didn't go off, I was late for school.

또는 I was late for school because the alarm didn't go off.

6 As soon as he got home, he took a shower. 또는 He took a shower as soon as he got home.

7 Cathy will call her parents when she gets there. 또는 When Cathy gets there, she will call her parents.

8 If the weather is nice, I will go on a picnic. 또는 I will go on a picnic if the weather is nice.

실전 연습   p. 201

1 Though he passed the exam, he wasn't happy. 또는 He wasn't happy though he passed the exam.

해설 대조되는 내용을 '~에도 불구하고'를 의미하는 접속사 though로 연결한다. though는 뒤에 「주어+동사」의 절이 이어진다. though가 이끄는 종속절을 주절의 앞이나 뒤에 쓴다.

2 I will wait until she comes back.

해설 until은 '~할 때까지'를 뜻하는 접속사로 뒤에 「주어+동사」가 나온다. 시간을 나타내는 부사절에서는 미래의 일을 나타내더라도 현재 시제를 쓰므로 '그녀가 돌아올 때까지'는 until she comes back으로 쓴다.

Point 51	상관접속사
Point 52	명사절 접속사

문법 확인   pp. 202~203

(A) 1 럭비와 축구 둘 다
2 이기는 것이 아니라 참가하는 것
3 과학뿐만 아니라 수학에도
4 크지도 작지도 않다
5 지식뿐만 아니라 경험도
6 그가 아니라 내가
7 피곤하기도 하고 배도 고팠다
8 엄마나 아빠 둘 중 한 분이

(B) 1 그들의 실종된 개가 돌아오기를
2 그가 살아남은 것은
3 우리가 이 싸움을 이기는 것이다
4 그가 천재라고
5 네가 다른 사람들을 외모로 판단하는 것은
6 그녀가 금요일 파티에 올 수 없다고
7 네가 최선을 다했다는 것이다
8 모두가 재능이 다르다는 것을

문법 기본   p. 204

(A) 1 enjoy   2 am
3 were   4 or

5 are   6 that
7 that   8 that

(B) 1 likes   2 am
3 has   4 writing
5 It   6 that

문법 쓰기   pp. 205~206

(A) 1 Both Paul and Sue have been to China.
2 That there will be a water shortage in the city is certain. 또는 It is certain that there will be a water shortage.
3 Neither Jason nor I am good at math.
4 We can leave either today or tomorrow.

(B) 1 or → and   2 or → nor
3 looks → look   4 enjoy → enjoys
5 it → that (또는 it 생략)

(C) 1 That he lost the election
2 not only a cook but also a successful businessman
3 is important that you stay calm
4 neither texted nor called
5 The problem is that nobody likes him.
6 Both Tom and Jenny were late for the meeting.
7 The girl's name is either Liz or Lisa.
8 He is not a student but a teacher.

실전 연습   p. 207

1 Neither the telephone nor the computer worked.

해설 'A와 B 둘 다 아닌'을 뜻하는 「neither A nor B」를 이용하여 두 문장을 하나로 연결한다.

2 It is strange that he disappeared.

해설 '그가 사라진 것'을 that절이 이끄는 명사절인 that he disappeared로 쓴다. 「가주어 it ~ 진주어 that」구문을 이용하여 문장을 쓴다.

CHAPTER 11 내신 대비 실전 TEST   pp. 208~210

01 ①	02 ③	03 ④	04 ②	05 ③
06 ②	07 ①, ③	08 ①	09 ⑤	10 ③

11 unless   12 Although[Though]
13 While he was taking
14 since I was ten
15 that he is rude
16 will follow → follow
17 were → was
18 not, but
19 not only, but also
20 is

21 (1) will stay here until she finishes the report
(2) is so strong that he can lift a car
22 Although I see him every day, I've never spoken to him. 또는 I've never spoken to him although I see him every day.
23 My father neither smokes nor drinks.
24 (1) Both Alex and Brian are 15 years old.
(2) While Alex is outgoing, Brian is shy.
25 I know you're upset.

01 그의 책상은 너무 지저분해서 그는 자신이 찾고자 했던 어떤 것도 찾을 수 없었다.
해설 「so ~ that」: 너무 ~해서 …하다
어휘 messy 지저분한　look for ~을 찾다

02 • Paul은 하루 종일 일해서 매우 피곤했다.
• 나는 지난 주 금요일에 Cathy를 본 이후로 그녀를 보지 못했다.
해설 빈칸에는 '~이기 때문에', '~한 이후로'라는 뜻의 접속사 since가 들어가는 것이 의미상 가장 자연스럽다.

03 • 네가 외출해 있는 동안 누군가가 너에게 전화했다.
• Kevin은 평소처럼 늦은 반면 Jack은 제 시간에 도착했다.
해설 빈칸에는 '~하는 동안에'와 '~인 반면에'의 의미로 둘 다 사용되는 접속사 while이 알맞다.
어휘 arrive 도착하다　on time 시간을 어기지 않고, 정각에　as usual 늘 그렇듯이[평상시처럼]

04 • 너와 나 둘 중 한 명이 틀렸다.
• Jasmine뿐만 아니라 그녀의 언니들도 파티에 초대되었다.
해설 「either A or B」와 「not only A but also B」는 모두 B에 수를 일치시킨다.

05 우리 중 누구도 박물관이 월요일마다 휴관이라는 것을 몰랐다.
해설 접속사 that이 동사의 목적어 역할을 하는 명사절을 이끌 경우 생략할 수 있다.

06 대부분의 학생들이 제 시간에 그들의 과제물을 제출하지 않은 것은 실망스러웠다.
해설 that절이 문장에서 주어 역할을 할 경우 그 자리에 가주어 it을 쓰고 that절은 문장의 뒤로 보낸다. 따라서 disappointing 뒤에 that절이 와야 한다.
어휘 disappointing 실망스러운　hand in 제출하다　essay 과제물. 리포트, 에세이

07 해설 「if ~not」은 '만약 ~하지 않는다면'의 뜻으로 unless와 바꿔 쓸 수 있다. 조건을 나타내는 절에서는 미래의 일을 나타내더라도 현재 시제를 쓴다.

08 ① 나의 엄마는 요리하실 때, 라디오를 들으신다.
② 네가 여기에 새로 왔으니, 내가 너를 구경시켜주겠다.
③ 시간이 충분히 있지 않아서, 우리는 서둘러야 했다.
④ Katie는 사려 깊어서, 친구가 많다.

⑤ 그녀는 5살밖에 되지 않아서, 롤러코스터를 탈 수 없다.
해설 ①의 As는 '~할 때'의 뜻으로 시간을 나타내며, 나머지는 '~이기 때문에'의 뜻으로 이유를 나타낸다.
어휘 give a tour 구경을 시켜 주다　thoughtful 사려 깊은　roller coaster 롤러코스터

09 ① Sam과 Alice는 둘 다 체육을 좋아한다.
② Alice가 아니라 Sam이 과학을 좋아한다.
③ Sam은 체육뿐만 아니라 음악도 좋아한다.
④ Sam과 Alice는 둘 다 역사를 좋아하지 않는다.
⑤ Alice는 수학뿐만 아니라 음악을 좋아한다.
해설 표에 따르면 Alice는 수학을 좋아하지만 음악은 좋아하지 않는다. not only A but also B는 'A뿐만 아니라 B도'를 의미한다.

10 ⓐ 교통체증으로 인해, 우리는 늦었다.
ⓑ 나의 아빠와 엄마는 두 분 다 선생님이시다.
ⓒ 그는 피아노 연주자가 아니라 바이올린 연주자이다.
ⓓ 운전자와 승객들 모두 다치지 않았다.
ⓔ 아이들은 그들의 엄마가 집에 올 때까지 자지 않을 것이다.
해설 ⓐ because 뒤에는 절이 because of 뒤에는 명사구가 나온다. (because → because of)
ⓔ 시간을 나타내는 절에서는 미래의 일을 나타내더라도 현재 시제를 쓴다. (will come → comes)

11 네가 나를 도와주지 않으면, 나는 그것을 할 수 없다.
해설 「if ~ not」은 unless로 바꿔 쓸 수 있다.

12 그 믹서기는 오래되기는 했지만, 아직도 작동이 잘 된다.
해설 but 전후의 대조되는 내용을 '~에도 불구하고'를 의미하는 접속사 although[though]로 연결한다.
어휘 blender 믹서기

13 해설 while은 '~하는 동안'을 의미하는 접속사로, 뒤에는 「주어+동사」가 온다.
어휘 take a shower 샤워하다

14 해설 since는 '~한 이후로'를 의미하는 접속사로, 뒤에는 「주어+동사」가 온다.

15 해설 '~하는 것'을 의미하는 that이 이끄는 명사절이 문장에서 보어로 쓰였다. that 다음에는 「주어+동사」가 온다.
어휘 rude 무례한

16 네가 내 충고를 따른다면, 너는 그것을 후회하지 않을 것이다.
해설 조건을 나타내는 부사절에서는 미래의 일을 나타내더라도 현재 시제를 쓴다.
어휘 follow (충고·지시 등을) 따르다　advice 충고　regret 후회하다

17 Ann과 Jake 둘 다 서로를 보게 되서 기쁘지 않았다.
해설 「neither A nor B」는 B에 수를 일치시킨다.
어휘 each other 서로

18 너는 나의 적이 아니다. 너는 나의 친구이다.
→ 너는 나의 적이 아니라 친구이다.

해설 「not A but B」: A가 아니라 B

어휘 enemy 적

19 그들은 음식이 필요하다. 그들은 또한 대피처도 필요하다.
→ 그들은 음식뿐만 아니라 대피처도 필요하다.

해설 「not only A but also B」: A뿐만 아니라 B도

어휘 shelter 주거지, 대피처, 쉘터

20 해설 「가주어 it ~ 진주어 that」구문을 이용하여 문장을 쓴다.
우리말에 맞는 문장은 It is a fact that Earth is round.
이며 일곱 번째 오는 단어는 is이다.

21 해설 (1) until은 '~할 때까지'를 뜻하는 접속사로 뒤에 「주어
+동사」가 나온다. 시간을 나타내는 부사절에서는 미
래의 일을 나타내더라도 현재 시제를 쓴다.
(2) '너무 ~해서 …할 수 있다'는 「so ~ that ... can」으로
나타낸다.

어휘 report 보고서 lift 들다, 들어 올리다

22 나는 그를 매일 본다, 하지만 나는 그에게 말을 걸어본 적은 없다.

해설 but 전후의 대조되는 내용을 '~에도 불구하고'를 의미하
는 접속사 though로 연결한다. though 뒤에는 「주어+
동사」의 절이 이어지며, though가 이끄는 종속절을 주
절의 앞이나 뒤에 쓴다.

23 우리 아버지는 담배를 피우지 않으신다. 그리고 술도 드시지 않
으신다. → 우리 아버지는 담배를 피우시지도 술을 드시지도 않
으신다.

해설 'A와 B 둘 다 아닌'을 뜻하는 「neither A nor B」를 이용
하여 두 문장을 하나로 연결한다.

24 (1) Alex와 Brian 둘 다 15살이다.
(2) Alex는 외향적인 반면, Brian은 수줍음이 많다.

해설 (1) 「both A and B」는 'A와 B 둘 다'를 뜻하며, 주어로 쓰
이는 경우에는 항상 복수 취급한다.
(2) while은 '~인 반면에'의 뜻으로 서로 상반되는 내용
을 연결한다.

어휘 outgoing 외향적인 shy 수줍음[부끄럼]을 많이 타는

25 해설 동사 know 뒤에 목적어 역할을 하는 that절을 쓴다. 이
때, 목적어절을 이끄는 접속사 that은 생략할 수 있다.

어휘 upset 속상한, 마음이 상한

CHAPTER
12 여러 가지 문장

Point 53 가정법 과거

Point 54 I wish+가정법 / as if+가정법

문법 확인
pp. 212~213

Ⓐ **1** 만약 내가 부자라면
2 만약 내가 복권에 당첨된다면
3 만약 내가 그녀의 생일 파티에 가지 않는다면
4 나는 산책을 할 텐데
5 사람들이 당신에게 투표할 텐데

Ⓑ **1** 꿈이면 좋을 텐데
2 마치 그가 나의 상사인 것처럼
3 연주할 수 있으면 좋을 텐데
4 마치 그녀가 아이인 것처럼
5 갖고 있지 않으면 좋을 텐데

문법 기본
p. 214

Ⓐ **1** had   **2** get
3 were   **4** will
5 were   **6** could
7 were

Ⓑ **1** were   **2** had
3 will   **4** doesn't
5 were   **6** if
7 could

문법 쓰기
pp. 215~216

Ⓐ **1** If he had, could take   **2** I wish I were
3 as if she were   **4** I wish I owned

Ⓑ **1** can → could   **2** is → were
3 are → were   **4** can → could
5 will → would   **6** don't → didn't

Ⓒ **1** If I had a dog   **2** I wish I were taller
3 They would be sad   **4** as if he were a Korean
5 If I were you, I would not tell her a secret. [I would not
tell her a secret if I were you.]
6 I wish I had more free time.
7 If there were no oxygen, we could not survive. [We
could not survive if there were no oxygen.]
8 He talks as if he knew me.

실전 연습
p. 217

1 If I had enough time, I could finish this essay.

해설 '내게 시간이 충분하지 않아서, 나는 이 과제물을 끝낼 수 없다.'라는 뜻의 직설법 현재 문장은 '만약 내게 시간이 충분하면, 나는 이 과제물을 끝낼 수 있을 텐데.'라는 뜻의 가정법 과거 문장으로 바꿔 쓸 수 있다. 가정법 과거 문장은 「If+주어+동사의 과거형~, 주어+조동사 과거형(would/could/might 등)+동사원형…」의 형태로 쓴다.

어휘 essay 과제물, 에세이

2 I wish I could play the violin.

해설 '나'는 바이올린을 연주할 수 없으므로, 밑줄 친 문장은 현재 사실과 반대되는 소망을 나타낸다. 따라서 해당 문장을 「I wish+주어+(조)동사의 과거형」의 형태로 쓴다.

Point 55	간접의문문

Point 56	명령문, and[or]

문법 확인
pp. 218~219

Ⓐ **1** 저 소녀가 누구인지
2 그 소문이 사실인지 아닌지
3 제가 얼마나 오랫동안 기다려야 하는지
4 그녀가 마라톤을 뛸 것인지
5 죽음 이후에는 무슨 일이 일어난다고

Ⓑ **1** 그러면 문이 열릴 거야
2 그렇지 않으면 너는 너무 피곤할 거야
3 노란색과 빨간색을 섞어, 그러면
4 지금 예약해, 그렇지 않으면
5 다른 사람을 존중해라, 그러면

문법 기본
p. 220

Ⓐ **1** you were　　**2** whether
3 it will　　**4** if
5 and　　**6** or
7 the bank opens　　**8** What do you think

Ⓑ **1** whether　　**2** there is
3 what you did　　**4** why
5 and　　**6** how far it is
7 Who do you believe

문법 쓰기
pp. 221~222

Ⓐ **1** Can you tell me why you are so upset?
2 I'd like to know how much this bicycle costs.
3 Eat slowly, and you will feel fuller.
4 Write it down, or you will forget it.

Ⓑ **1** that → whether[if]
2 Do you guess where → Where do you guess
3 did he tell → he told

4 should I → I should
5 so → or
6 or → and

Ⓒ **1** what your real name is
2 and the world will smile with you
3 if he remembers me
4 or they will dry out
5 Do you know where they will meet?
6 Look closely, and you will see more.
7 Put on sunscreen, or you will get a sunburn.
8 Why do you think he quit his job?

실전 연습
p. 223

1 why Jack went home so early

해설 간접의문문은 「의문사+주어(+조동사)+동사~」의 어순으로 쓴다. 따라서 주어진 문장을 why(의문사)+Jack(주어)+went(동사) ~로 바꿔 쓴다.

2 Keep your promise, or you will lose everything.

해설 '…해라, 그렇지 않으면 ~할 것이다'라는 뜻의 문장은 「명령문, or ~」의 구문을 활용하여 쓴다.

어휘 promise 약속

CHAPTER 12 내신 대비 실전 TEST
pp. 224~226

01 ②　**02** ②　**03** ③　**04** ③　**05** ③
06 ③　**07** ④　**08** ③　**09** ②, ⑤　**10** ③
11 knew　**12** were　**13** could　**14** or　**15** and
16 got
17 why everybody likes
18 whether[if] I can
19 would, were
20 guess
21 If we had enough money, we could move to a bigger house.
22 wish I had a pet dog
23 (1) I could talk to animals
　　(2) he were a doctor
24 (1) whose book this is
　　(2) whether[if] it will rain tomorrow
25 (1) Leave now, and you can catch the last train.
　　(2) Eat now, or you will be hungry later.
26 (1) what time the museum opens
　　(2) when the museum is closed
　　(3) how much a ticket costs

01 서둘러라, 그렇지 않으면 너는 거기에 제시간에 도착할 수 없을

것이다.

> **해설** '…해라, 그렇지 않으면 ～할 것이다'라는 뜻의 문장은 「명령문, or ～」의 형태로 쓴다. 따라서 빈칸에 들어갈 말로 알맞은 것은 or이다.
>
> **어휘** in time 제시간에

02 나는 그들의 파티에 가고 싶지 않지만, 가야만 한다. <u>내가 그 파티에 가지 않아도 되면 좋을 텐데.</u>

> **해설** 현재 이룰 수 없는 소망을 나타낼 때 'I wish＋가정법 과거'로 표현하며, 「I wish＋주어＋(조)동사의 과거형」의 형태로 쓴다.

03 • 만약 취소 건이 있으면, 우리는 당신에게 알려드리겠습니다.
• 만약 그가 커피를 좋아한다면, 나는 그에게 좀 줄 텐데.

> **해설** 첫 번째 문장의 경우, 주절의 동사가 will let인 것으로 보아 '직설법 문장'임을 알 수 있으므로, 빈칸에는 현재 시제의 동사 is가 들어가야 한다. 두 번째 문장의 경우, if절의 동사가 과거 시제인 것으로 보아 '가정법 과거 문장'임을 알 수 있으므로, 빈칸에는 「would(조동사 과거형)＋give(동사원형)」이 들어가야 한다.
>
> **어휘** cancellation 취소

04 엄마는 내게 시험을 잘 봤는지 물으셨다.

> **해설** if는 '～인지 아닌지'라는 뜻의 접속사로, 의문사가 없는 간접의문문을 이끈다. if는 〈주어＋동사～〉로 구성된 두 개의 절을 연결하는 역할을 하므로, 두 번째 절이 시작되는 부분인 ③에 들어가야 적절하다.

05 비가 오고 있어서, 우리는 밖에서 놀 수 없다.
→ ③ 만약 비가 오고 있지 않으면, 우리는 밖에서 놀 수 있을 텐데.

> **해설** 현재 사실과 반대되는 상황을 소망할 때는 가정법 과거를 쓴다. 가정법 과거는 「If＋주어＋동사의 과거형～, 주어＋조동사 과거형(would/could/might 등)＋동사원형…」의 형태이다. 이때 if절이 주절 뒤에 나올 수도 있다.

06 Tom은 마치 자신이 여자친구가 있는 것처럼 말한다.
① 사실 Tom은 여자친구가 있다.
② 사실 Tom은 여자친구가 있었다.
③ 사실 Tom은 여자친구가 없다.
④ 사실 Tom은 여자친구가 없었다.
⑤ 사실 Tom은 여자친구를 사귈 것이다.

> **해설** 주어진 문장은 「as if＋가정법 과거」를 사용하여 현재 사실과 반대되는 일을 나타내므로, 실제로 현재 Tom에게는 여자친구가 없음을 알 수 있다.

07 ① 내가 그 팀에 가입할 수 있을지 잘 모르겠다.
② 모든 것이 준비되어 있는지 확인해줘.
③ 나는 그가 그 문제를 풀었는지 궁금하다.
④ 만약 필요한 것이 있으면, 내게 전화주렴.
⑤ 내가 이 프로젝트를 끝낼 수 있을지 모르겠다.

> **해설** ④를 제외한 나머지 문장에서 if는 '～인지 아닌지'라는 뜻으로 의문사가 없는 간접의문문을 이끈다. ④의 if는 '만약 ～라면'이라는 뜻으로 조건의 부사절을 이끈다.
>
> **어휘** join 가입하다, 함께하다 project 프로젝트, 과제

08 ① 모자를 써라, 그렇지 않으면 너는 햇볕에 심하게 탈 것이다.
② 낮잠을 자라, 그러면 너는 기분이 훨씬 더 좋아질 것이다.
③ 더 연습해라, 그렇지 않으면(→ 그러면) 너는 경기에서 이길 것이다.
④ 얼음 위에서 천천히 걸어라, 그렇지 않으면 너는 미끄러질 것이다.
⑤ 최선을 다해라, 그러면 너는 목표를 이룰 것이다.

> **해설** ③은 '…해라, 그러면 ～할 것이다'의 의미가 자연스러우므로, or를 and로 고쳐야 한다.
>
> **어휘** get sunburned 햇볕에 심하게 타다 take a nap 낮잠을 자다 practice 연습하다 slip 미끄러지다 do one's best 최선을 다하다 achieve 성취하다 goal 목표

09 ① 그것이 사실인지 그에게 물어보아라.
② 너는 오늘이 무슨 요일인지 아니?
③ 내가 열쇠를 어디에 두었는지 기억할 수가 없다.
④ 나는 어떤 팀이 경기에서 이길지 궁금하다.
⑤ 너는 무엇이 그 사고를 일으켰다고 생각하니?

> **해설** ② 의문사가 있는 간접의문문은 「의문사＋주어＋동사～」의 어순으로 쓴다. 따라서 what day is it을 what day it is로 고쳐야 한다.
> ⑤ 주절이 do you think[believe, guess, imagine, suppose, say 등]일 경우, 「의문사＋do you think＋주어＋동사～」의 어순이 된다. 따라서 Do you think what을 What do you think로 고쳐야 한다.
>
> **어휘** cause 일으키다 accident 사고

10 ⓐ 만약 내가 키가 더 크다면, 나는 덩크슛을 넣을 수 있을 텐데.
ⓑ 만약 내가 복권에 당첨된다면, 나는 스포츠카를 살 텐데.
ⓒ 지금 눈이 내리고 있다면 좋을 텐데.
ⓓ 그 젊은 남자는 마치 자신이 노인인 것처럼 걷는다.
ⓔ 내가 캥거루보다 더 높이 뛸 수 있으면 좋을 텐데.

> **해설** ⓑ는 실현 가능성이 희박한 일을 가정하는 가정법 과거 문장이므로, 주절의 조동사 will을 과거형 would로 고쳐야 한다.
> ⓒ는 현재 사실과 반대되는 소망을 나타내는 'I wish＋가정법 과거' 문장이므로, 동사 is를 과거형 were로 고쳐야 한다.
>
> **어휘** dunk (농구에서) 덩크슛하다 win the lottery 복권에 당첨되다 kangaroo 캥거루

11 만약 내가 그녀의 전화번호를 안다면, 나는 그녀에게 전화할 텐데.

> **해설** 주절에 조동사 과거형이 쓰였고 종속절이 If로 시작하는 것으로 보아 가정법 과거 문장임을 알 수 있다. 따라서 빈칸에 들어갈 말로 동사의 과거형 knew가 알맞다.

12 그 의자는 플라스틱으로 만들어졌다. 하지만 그것은 마치 나무로 만들어진 것처럼 보인다.

> **해설** 현재 사실과 반대되는 일을 나타낼 때는 「as if＋주어＋동사의 과거형」으로 표현한다. 가정법 과거 표현에서 be동사는 주어의 인칭과 수에 관계없이 were를 쓴다.
>
> **어휘** be made of ～으로 만들어지다 plastic 플라스틱 wood 나무

13 나는 요리를 잘하지 못한다. 내가 요리를 잘할 수 있다면 좋을 텐데.
> **해설** 현재 사실과 반대되는 소망은 「I wish+주어+(조)동사의 과거형」으로 나타낸다. 따라서 빈칸에 들어갈 말로 조동사 can의 과거형 could가 알맞다.
> **어휘** be good at ~을 잘하다

14 만약 네가 그녀에게 사과하지 않으면, 그녀는 너를 절대 용서하지 않을 것이다.
> **해설** '만약 …하지 않으면, ~할 것이다'라는 뜻의 문장은 '…해라, 그렇지 않으면 ~할 것이다'라는 뜻의 「명령문, or ~」 문장으로 바꿔 쓸 수 있다.
> **어휘** apologize 사과하다 forgive 용서하다

15 만약 여러분이 이 쿠폰을 가져오면, 여러분은 무료 선물을 받을 것입니다.
> **해설** '만약 …하면, ~할 것이다'라는 뜻의 문장은 '…해라, 그러면 ~할 것이다'라는 뜻의 「명령문, and ~」 문장으로 바꿔 쓸 수 있다.
> **어휘** coupon 쿠폰 receive 받다, 얻다

16 나는 충분한 용돈을 받지 못한다. 내가 용돈을 더 받으면 좋을 텐데.
> **해설** 현재 사실과 반대되는 소망은 「I wish+주어+(조)동사의 과거형」으로 나타낸다. 따라서 get을 과거형 got으로 고쳐 써야 한다.
> **어휘** allowance 용돈

17 나는 왜 모두가 그를 좋아하는지 궁금하다.
> **해설** 의문사가 있는 간접의문문의 어순은 「의문사+주어+동사~」이다.

18 **해설** 의문사가 없는 간접의문문은 「whether/if+주어+동사~」의 어순으로 쓴다.

19 **해설** 실현 가능성이 없는 일을 상상할 때 가정법 과거 문장으로 쓰며, 이는 「If+주어+동사의 과거형~, 주어+조동사 과거형(would/could/might 등)+동사원형…」의 형태이다.
> **어휘** in one's shoes ~의 입장에서

20 **해설** 주절의 동사가 guess일 때 간접의문문의 의문사는 문장 맨 앞에 쓴다. 따라서 바르게 배열한 문장은 What do you guess it is?이며, 네 번째로 오는 단어는 guess이다.

21 우리에게는 충분한 돈이 없어서, 우리는 더 큰 집으로 이사 갈 수 없다.
> **해설** '만약 우리에게 충분한 돈이 있으면, 우리는 더 큰 집으로 이사 갈 수 있을 텐데.'라는 뜻의 가정법 과거 문장으로 고친다. 「If+주어+동사의 과거형~, 주어+조동사 과거형(would/could/might 등)+동사원형…」의 형태로 쓴다.

22 나에게 애완견이 있으면 좋을 텐데.
> **해설** 현재 이룰 수 없는 소망을 나타낼 때는 「I wish+주어+ (조)동사의 과거형」의 형태로 쓴다.
> **어휘** pet dog 애완견

23 (1) 나는 동물들과 이야기할 수 없어서 유감이다.
= 내가 동물들과 이야기할 수 있으면 좋을 텐데.
(2) 사실 그는 의사가 아니다.
= 그는 마치 자신이 의사인 것처럼 말한다.
> **해설** (1) 현재 이룰 수 없는 소망을 나타낼 때는 「I wish+주어+(조)동사의 과거형」의 형태로 쓴다.
> (2) 현재 사실과 반대되는 일을 나타낼 때는 「as if+주어+동사의 과거형」의 형태로 쓴다.

24 (1) 너는 아니?+이것은 누구의 책이니?
→ 너는 이것이 누구의 책인지 아니?
(2) 나는 궁금하다.+내일 비가 올까?
→ 나는 내일 비가 올지 궁금하다.
> **해설** (1) 의문사가 있는 간접의문문은 「의문사+주어+동사~」의 어순으로 쓴다.
> (2) 의문사가 없는 간접의문문은 「whether/if+주어+동사~」의 어순으로 쓴다.

25 **해설** (1) '…해라, 그러면 ~할 것이다'라는 뜻의 문장은 「명령문, and ~」로 표현할 수 있다.
> (2) '…해라, 그렇지 않으면 ~할 것이다'라는 뜻의 문장은 「명령문, or ~」로 표현할 수 있다.
> **어휘** catch (버스·기차 등을) 타다, 잡다 last 마지막의

26
테디베어 박물관
– 개관 시간: 오전 9시 ~ 오후 5시 (매주 월요일 휴관) – 입장권 가격: 10달러

〈보기〉
• 박물관은 몇 시에 여나요?
• 박물관은 언제 휴관하나요?
• 입장권은 얼마인가요?
(1) A: 나는 박물관이 몇 시에 여는지 알고 싶어.
  B: 오전 9시에 열어.
(2) A: 박물관이 언제 휴관하는지 알려줄래?
  B: 매주 월요일마다 휴관이야.
(3) A: 입장권이 얼마인지 알고 있니?
  B: 10달러야.
> **해설** 의문사가 있는 간접의문문은 「의문사+주어+동사~」의 어순으로 쓴다.
> **어휘** cost (값·비용이) …이다[들다]

Memo

Memo

Memo

Memo

Memo

Memo

이룸이앤비의 특별한 중등 수학교재 시리즈

숨마쿰라우데® 중학수학 개념기본서 시리즈

Q&A를 통한 스토리텔링식
수학 기본서의 결정판! (전 6권)

- 중학수학 개념기본서 1-상 / 1-하
- 중학수학 개념기본서 2-상 / 2-하
- 중학수학 개념기본서 3-상 / 3-하

숨마쿰라우데® 중학수학 실전문제집 시리즈

숨마쿰라우데 중학 수학 「실전문제집」으로
학교 시험 100점 맞자! (전 6권)

- 중학수학 실전문제집 1-상 / 1-하
- 중학수학 실전문제집 2-상 / 2-하
- 중학수학 실전문제집 3-상 / 3-하

숨마쿰라우데® 스타트업 중학수학 시리즈

한 개념 한 개념씩 쉬운 문제로 매일매일 꾸준히
공부하는 기초 쌓기 **최적의 수학 교재!** (전 6권)

- 스타트업 중학수학 1-상 / 1-하
- 스타트업 중학수학 2-상 / 2-하
- 스타트업 중학수학 3-상 / 3-하

숨마 주니어® WORD MANUAL 시리즈

중학 주요 어휘 총 2,200단어를 수록한

『어휘』와 『독해』를 한번에 공부하는 **중학 영어휘 기본서!** (전 3권)

- WORD MANUAL ❶
- WORD MANUAL ❷
- WORD MANUAL ❸

숨마 주니어® 중학 영문법 MANUAL 119 시리즈

중학 영어 문법 마스터를 위한

핵심 포인트 119개를 담은 단계별 문법서! (전 3권)

- 중학 영문법 MANUAL 119 ❶
- 중학 영문법 MANUAL 119 ❷
- 중학 영문법 MANUAL 119 ❸

숨마 주니어® 중학 영어 문장 해석 연습 시리즈

중학 영어 교과서에서 뽑은 핵심 60개 구문!

1,200여 개의 짧은 문장으로 **반복 훈련하는 워크북!** (전 3권)

- 중학 영어 문장 해석 연습 ❶
- 중학 영어 문장 해석 연습 ❷
- 중학 영어 문장 해석 연습 ❸

숨마 주니어® 중학 영어 문법 연습 시리즈

중학 영어 필수 문법 56개를

쓰면서 마스터하는 문법 훈련 워크북!! (전 3권)

- 중학 영어 문법 연습 ❶
- 중학 영어 문법 연습 ❷
- 중학 영어 문법 연습 ❸